złe psy

W IMIĘ ZASAD

PATRYK **VEGA**

złe psy

W IMIĘ ZASAD

OTWARTE

KRAKÓW 2015

Opieka redakcyjna: Małgorzata Olszewska

Opracowanie typograficzne książki: Daniel Malak

Opracowanie tekstu i przygotowanie do druku: Pracownia 12A

Projekt okładki: Eliza Luty

Fotografia Sławomira Opali na 1 s. okładki: © copyright
by Marcin Baranowski, 2015

Fotografia autora na 4 s. okładki: Krzysztof Opaliński / sesja
dla magazynu „Viva!"

ISBN 978-83-7515-342-2

OTWARTE
www.otwarte.eu

Zamówienia: Dział Handlowy, ul. Kościuszki 37, 30-105 Kraków,
tel. (12) 61 99 569
Zapraszamy do księgarni internetowej Wydawnictwa Znak,
w której można kupić książki Wydawnictwa Otwartego: www.znak.com.pl

Moim kolegom policjantom.
Bohaterom, którzy oficjalnie nie istnieją

Imiona, nazwiska, funkcje i wydziały żyjących
rozmówców zostały zmienione

Wstęp

Kiedy w 2000 roku wszedłem do pałacu Mostowskich w Warszawie, gdzie mieści się Komenda Stołeczna Policji, powitały mnie odrapane ściany, falująca klepka i stalowe meble pamiętające czasy poprzedniego ustroju. Przy drzwiach Wydziału ds. Zabójstw stała skarbonka, do której można było wrzucić drobne na pokarm dla rybek. Jeden z oficerów wskazał na wielkie akwarium: „Teraz już mamy dla kogo żyć". Wcześniej przez telefon powiedział mi, że pracują nad nową sprawą od sześciu dni. Nie brałem tego dosłownie aż do chwili, gdy w drugim pokoju zobaczyłem rozłożone łóżka polowe, plecaki z ubraniami i plastikowe tacki po jedzeniu. Za pracę w nienormowanym czasie zarabiali wtedy 1580 złotych brutto miesięcznie, a informacje z ekranu komputera przepisywali ręcznie, ponieważ zepsuła im się ostatnia sprawna drukarka. Żartowali, że przeciętny pracownik pionu operacyjnego to „alkoholik i rozwodnik z dwójką dzieci i psem, który nie aportuje". Istotnie, siedmiu z jedenastu policjantów w tej sekcji było już rozwiedzionych. Jak się potem dowiedziałem, był to jeden z najbardziej elitarnych wydziałów policji, który w 2000 roku osiągnął osiemdziesiąt siedem procent wykrywalności.

Poznałem wtedy kilkunastu doskonałych oficerów operacyjnych, których nazwisk nie mogę ujawnić, oprócz jednego – Sławka Opali, ksywa Legenda. Spędziłem z nimi blisko dwa lata w charakterze osoby przybranej, to znaczy uczestniczącej w działaniach policji na ściśle określonych zasadach. Mogłem brać udział w przesłuchaniach, rozpytaniach, odprawach i wszystkich akcjach policyjnych – na własne ryzyko, czyli w kamizelce kuloodpornej, ale bez broni. Przychodziłem do komendy o tej samej godzinie co oficerowie operacyjni, opuszczałem ją razem z nimi, a potem szedłem z nimi na wódkę. To, czego wtedy doświadczyłem, utwierdziło mnie w przekonaniu, że oficerowie, których poznałem, mają niewiele wspólnego ze stereotypem policjanta funkcjonującym w społeczeństwie. Moi rozmówcy walczyli nie tylko z przestępstwami – na co dzień borykali się z niedoskonałościami ustawy o policji, stosami formularzy, brakiem właściwego sprzętu, z prokuratorami oraz z przełożonymi takimi jak kwatermistrz „wyliczający ilość nożyczek na policjanta rocznie", który, „gdyby nie filmy o Kojaku, nie widziałby zbója na oczy". Mimo tych trudności oficerowie z Wydziału ds. Zabójstw pozostawali najlepsi. Byli rasowymi psami i rozwiązywali blisko dziewięćdziesiąt dziewięć procent najcięższych spraw, a nikt nigdy nie słyszał o ich pracy, bo oficjalnie nie istnieli. Sami o sobie mówili, że są „ostatnimi żyjącymi romantykami".

Instrukcja operacyjna mówiła, że oficer operacyjny nieustannie porusza się na granicy prawa. Ta granica jest cienka i jej interpretacja wielokrotnie zależy od operacyjniaka. Pamiętam, jak policjanci z Wydziału ds. Zabójstw pierwszy raz zabrali mnie na spotkanie z gangsterami, podczas którego musiałem udawać oficera ze stołecznej. Najbardziej uderzające było dla mnie to, że nie potrafiłem stwierdzić, kto z siedzących przy stoliku jest z policji, a kto z mafii, bo jedni i drudzy wyglądali podobnie. Dopiero potem zrozumiałem, że między nimi istnieje niedostrzegalna dla zwykłego śmiertelnika barykada – granica, której żadna ze stron nie przekracza, bo za nią jest czarna dziura.

Oficerowie z wydziału zabójstw nie brali łapówek nie dlatego, że byli ponadprzeciętnie uczciwi, lecz dlatego, że wykonywali pracę, dla której poświęcili zdrowie, życie prywatne i rodziny. Większość tych policjantów poza pracą nie miała nic. Byli nieprzekupni właśnie dlatego, że bali się i ją stracić.

Sławek Opala stracił robotę, gdy po pijaku podczas awantury wyciągnął broń, która w szamotaninie wystrzeliła, i pocisk trafił w jego dziewczynę. Ten związek był jak z greckiej tragedii, bo dziewczyna pochodziła z drugiej strony barykady – była właścicielką agencji towarzyskiej. Na dodatek była w ciąży. Na szczęście nie poroniła: pocisk przeszedł przez jej płuco. Sławek trafił na dołek. Wypuścili go, gdy dziewczyna zeznała, że przypadkowo sama się postrzeliła z jego broni.

Przez kilkanaście kolejnych lat poznałem setki policjantów służących w bodaj wszystkich wydziałach w rozmaitych pionach – kryminalnym, prewencyjnym i wspomagającym – w kilku miastach Polski. Uczestnicząc w ich pracy, doświadczyłem sytuacji niedostępnych dla zwykłych ludzi. Największe wrażenie zrobiły na mnie te, w których swoim działaniem zmieniałem życie drugiego człowieka. Tak było, gdy w Wigilię policjanci w pewnym komisariacie nie mieli czasu przesłuchiwać człowieka podejrzanego o morderstwo i zostawili mnie z nim sam na sam na cztery godziny. Ten człowiek przyznał mi się wówczas do zbrodni, chociaż wcześniej w rozmowie z prokuratorem zaprzeczył wszystkiemu. Podobnie było w wypadku pochodzącego z Miedzeszyna chłopaka, który podczas kłótni rodzinnej w obronie własnej zabił teścia. Zamiast się przyznać i odpowiadać za morderstwo w afekcie, wpadł w panikę i porąbał zwłoki siekierą, po czym wrzucił je do beczki i zakopał w lesie. Intuicyjnie czułem, że to zrobił, bo gdybym ja kogoś zamordował, tłumaczyłbym się tak samo jak on. Jeździłem za nim przez rok, kręcąc go z ukrytej w samochodzie kamery. Niczego jednak nie można mu było udowodnić, bo nie było zwłok. Gdy któregoś dnia zobaczył mnie z kamerą, wystraszył się i w nocy wykopał beczkę, po czym wywiózł ją kilkanaście kilometrów dalej i ponownie zakopał. Następnego dnia świeży dół odkryli grzybiarze. Miałem poczucie, że przyczyniłem się wówczas do tego, że ten chłopak dostał dwadzieścia pięć lat. Spotkałem się z nim później, gdy już siedział w więzieniu. Opowiedział mi o przebiegu morderstwa i o mękach, które przeżywał po popełnieniu zbrodni. Przejąłem od niego na sali widzeń gryps i zawiozłem jego żonie. Tylko tyle mogłem dla niego zrobić.

Uczestnicząc w policyjnej robocie, dowiedziałem się kilku rzeczy także o sobie. Kiedy w Radomiu zaliczyłem z kryminalnymi strzelaninę na ulicy, dostałem taki zastrzyk adrenaliny, że gdybym wtedy dopadł bandytę, tobym go zabił. Pamiętam śliczną dziewczynę z kryminalnego, która pojechała na akcję w szpilkach. Ściągnęła sprawcę z parkanu, przez który próbował uciekać. Podrapała sobie przy tym rękę, zaczęła krzyczeć: „Ty skurwysynu, złamałeś mi rękę!", i w emocjach kopnęła leżącego bandziora w łeb, wbijając mu szpilkę w czoło.

Przez całe lata niewiele rzeczy mnie ruszało. Robiłem materiały z pedofilami, w środku nocy jechałem z matką zamordowanego dziecka na miejsce zbrodni i kręciłem wywiad, po którym ona lądowała w zakładzie psychiatrycznym. Myślałem, że jestem odporny na te emocje. To się zmieniło, gdy sam zostałem ojcem. Dzisiaj, kiedy wchodzę do domu, w którym facet ma przyklejony pod łóżeczkiem dziecka odbezpieczony pistolet, a w zabawkach malucha są poukrywane narkotyki, to mnie to rozwala. Okazuje się, że pokój z łóżeczkiem i kolorowymi wróżkami na ścianach nie jest zwykłym pokojem, a w pieluszce dziecka, które babcia zabiera do żłobka, handlarze usiłują ukryć pieniądze ze sprzedaży narkotyków.

Są także rzeczy, na które nie potrafię się przygotować. Takie jak wizyta u kobiety, której mąż porwał dwoje dzieci i podpalił się z nimi w samochodzie. Zaprowadziła mnie do pokoju, w którym nadal trzymała ich zabawki, mleczaki, zdjęcia USG, i po chwili wszyscy płakaliśmy. Albo sprawa, w której mąż wynajął dwóch morderców, by udusili żonę pod jego nieobecność. Wcześniej przez kilkanaście lat znęcał się nad nią, wsypując jej sól do pochwy czy zatruwając pastę do zębów żrącym środkiem do czyszczenia sedesu. Wszystko działo się na uroczym osiedlu na warszawskim Ursynowie, a kobieta latami szukała pomocy w różnych instytucjach i nigdzie jej nie uzyskała.

W ciągu tych lat zmieniła się też polska policja. Czas patologii z początku dwudziestego pierwszego wieku jest już za nami. Dziś poznaję nową generację oficerów operacyjnych z krwi i kości i stwierdzam, że fajnie zobaczyć młodych policjantów, którzy nie są w żaden sposób obarczeni poprzednim systemem. Kiedy się z nimi spotykam, pijemy kawę, a nie alkohol, co kiedyś byłoby nie do pomyślenia. Gdy pojechałem z nimi i z Wydziałem Realizacyjnym (chłopaków z tego wydziału nazywa się czarnymi) wyciągać z domu producenta amfetaminy, okazało się, że klient ma piętnastocentymetrowej grubości pancerne drzwi. Funkcjonariusze musieli do nich strzelać z mossberga przez blisko dziesięć minut. Jedna z gorących łusek wpadła mi do kaptura i uzmysłowiłem sobie, że już się tym nie ekscytuję, bo przez lata bardziej od adrenaliny zaczęły mnie poruszać zachowania ludzi i sytuacje, z którymi nie potrafię się pogodzić.

Wkrótce potem, 27 lipca 2014 roku, dowiedziałem się, że w sobotnią noc Sławek Opala powiesił się na kablu od ładowarki telefonu. Rodzice znaleźli go w swoim mieszkaniu około pierwszej w nocy. Powiesił się na drzwiach do pokoju, przywiązując do klamki kabel, z którego zrobił pętlę. W normalnych okolicznościach wskazywałoby to na impulsywne, niezaplanowane działanie podjęte w depresji wzmocnionej alkoholem. Ale w wypadku Sławka miałem przeświadczenie, że była to śmierć z opóźnionym zapłonem. Prawda jest taka, że Sławek umarł wiele lat wcześniej. Jego życie skończyło się po postrzeleniu dziewczyny w ciąży, w wyniku czego wyrzucili go ze stołecznej i przestał być psem. Później była już tylko równia pochyła: parodia roboty operacyjnej u Rutkowskiego, z której Sławek uciekł, potem próba zabawy w paliwa i kilka innych niefajnych historii, a w końcu niezasłużona odsiadka. Prokurator zarzucił Sławkowi, że wynajmując mieszkanie, użyczył go dwóm ruskim gangusom do obserwacji bloku generała Papały przed jego zabójstwem. Kompletny absurd. Nie wiem, czy ów prokurator był w tym mieszkaniu, ale ja w nim byłem i wiem, że od bloku Papały dzieli je pięć kilometrów, więc nie sposób było prowadzić z niego obserwacji nawet przez teleskop Hubble'a, nie mówiąc już o tym, że okna wychodziły na inną stronę świata. Prokurator w końcu wycofał zarzuty odnośnie do Papały, ale żeby wyjść z twarzą, podtrzymał te o kontaktach z bandytami i braniu łapówek. Jak oficer operacyjny ma

wykonywać pracę bez kontaktów z bandytami? Nie
tylko są one niezbędne – ich liczba świadczy wręcz
o randze i skuteczności operacyjniaka. Zarzut brania łapówek przez Sławka był równie niedorzeczny.
Po pierwsze: dlatego że Sławek był charakternym
psem. Po drugie: dlatego że przez lata nie śmier-
dział groszem i ciągle pożyczał na wódkę, więc
gdzie się podziały te pieniądze z łapówek? To jednak prokuratury nie interesowało i Sławek prze-
pierdział za niewinność dwa lata – na szczęście
dla niego w pojedynczej celi, na ence, czyli w celi
dla „niebezpiecznych".

Wydawało się, że pudło go nie zniszczyło, lecz
przeciwnie, że dało mu energię do życia i determi-
nację, by udowodnić, że w ten sposób go nie zła-
mią. Ale kiedy wyszedł z puchy, nie mógł się odna-
leźć. Powiedział mi: „Najgorsze w więzieniu jest to,
że kiedy wychodzisz, okazuje się, że stoisz w tym
samym miejscu, a ludzie, których znałeś dwa lata
wcześniej, są już w kompletnie innym punkcie i to
jest nie do odrobienia". Podczas odsiadywania kary
widywał jedynie klawisza, i to tylko raz dziennie.
Po wyjściu na wolność, gdy stanął na przejściu przy
Rakowieckiej, myślał, że ludzie go zadepczą.

Pierwszy raz przyszedł do mnie zarośnięty.
W ciuchach sprzed dwudziestu lat, znalezionych
u matki, wyglądał, jakby się przeniósł w czasie.
Kiedy jednak spotkaliśmy się następnym razem,

na planie *Służb specjalnych*, w których zagrał, zobaczyłem dawnego Sławka: wygolonego złego psa, który – jak się wydawało – odżył. Znowu miał dziesiątki pomysłów, snuł opowieści i plany, tak jak wtedy gdy w pałacu Mostowskich dostał z ich powodu ksywę Legenda.

Kiedy się dowiedziałem, że popełnił samobójstwo, wróciłem myślami do czasów, gdy wyrzucili go z policji. Przypomniałem sobie, jak piliśmy w barze Pod Rurą i jak podczas awantury z pijanymi policjantami z CBŚ-u Sławek biegał po knajpie, machając ławką jak Jurand ze Spychowa. Potem przy wódce zapytałem go o plany i marzenia. Sławek wyjął wtedy z portfela pocisk i powiedział, że będzie go nosił, bo jest fartowny. Zapytałem dlaczego. „Bo nie odpalił, kiedy próbowałem strzelić sobie w łeb". Po czym dodał: „Jakie ja mogę mieć marzenia?". W tamtej chwili myślałem, że ściemnia i opowiada to jako kolejną niezłą historię – jak to on, Sławek Legenda, miał w zwyczaju. Ale dziś myślę, że Sławek umarł po tym, jak stracił kobietę, którą kochał, i nie pozwolono mu dłużej być psem. Tylko że jego śmierć rozciągnęła się w czasie.

Byłoby źle, gdyby pamięć o nim i operacyjniakach z tamtego okresu poszła w zapomnienie. Dlatego pozwól, Czytelniku, że usunę się w cień i oddam głos Sławkowi i oficerom, którzy stali się chodzącym koszmarem bandziorów. Policjantom, którzy zrobili „kawał dobrej, nikomu niepotrzebnej roboty". Bohaterom bez twarzy. Złym psom. Niech Cię zabiorą w podróż, która odda ducha tamtych czasów i będzie świadectwem ich zajebistej roboty.

Patryk Vega
Pod ciężkimi sierpniowymi chmurami 2014 roku
Warszawa

ŚLUBUJĘ PILNIE PRZESTRZEGAĆ PRAWA

Patryk Vega: Masz jakieś granice, jak dojeżdżasz zbója?

Aspirant sztabowy Henryk Zych, Wydział ds. Odzyskiwania Mienia: Tak, ale niektórzy policjanci nie mają. Poznałem w robocie na Pradze jednego misia, który w ciągu roku odjebał trzy osoby. Razem żeśmy sobie urządzali polowania na złodziei. Wiesz, na trzy samochody. Jak był jakiś cynk, że gdzieś coś jebią, jakiś sklep rąbią, to atakowaliśmy złodziei z trzech stron. A zawsze coś się złapało. Nie było nocy, żebyś kogoś nie przypalił. Potem po sądach się tyle zapierdalało, że w wolnym czasie to człowiek tylko za świadka robił. Tego misia, z którym jeździłem na polowania, nazywałem Królik, bo miał takie śmieszne zęby, w okularkach chodził, ale jednocześnie był dobrze dojebany, bo trenował. No i ten Królik lubił sobie kogoś pierdolnąć, o maskę rozkwasić ryj i tak dalej. I uwielbiał strzelać. Jak na strzelnicy do tarczy strzelał, to bum, bum, bum, napierdalał wszędzie, tylko nie w tarczę. Ale w robocie to trzech ludzi w ciągu roku załatwił. Pierwszy raz, jak z nim jeździłem, to pierdolnął gościa, który spieprzał spod kiosku. Złodzieje wyjebali szybę, powyciągali przez kraty papierosów, no i poszli w bloki. Jak Królik tam wleciał, to nie mógł jednego złodzieja dogonić, więc wyjął giwerę, strzelił raz, i tyle. Trafił gościa centralnie w serce i klient padł w pizdu. O rany, co tu robić, no, trochę chujowo. Królik mówi, że powie, że to było w samoobronie. Ale w jakiej samoobronie? No to wyjąłem łom z bagażnika i jeb. Tak przyjebałem Królikowi, że na ramieniu zrobiłem mu aż takiego obwarzana. Potem przesłuchałem się jako świadek oczywiście, że tamten złodziej niby przyatakował Królika łomem, ale jakoś tak się dziwnie potem odkręcił, że kiedy Królik strzelił, to gość dostał w plecy akurat. A jakim cudem tak upadł, to już nie wiem. No i nasza wersja przeszła.

A dwóch następnych jak Królik zastrzelił?

Następny numer wywalił, gdy jakaś ekipa sobie Grochowską szła z meczu. Królik jechał sobie powoli nieoznakowanym radiowozikiem. No i tamci się zaczęli awanturować i zaczęli Królikowi na dach wypierdalać ten radiowóz. A jak huśtali tym radiowozem, żeby go wywalić, to Królik już tam sobie z giwerką gotowy siedział, ale na razie tylko siedział. Dostaliśmy halo, że jest napad na nieoznakowany radiowóz, i za moment się zjechaliśmy, bo to nieduża dzielnica. Chuligani zobaczyli oznakowane radiowozy na gwizdkach i zaczęli spierdalać. Wtedy Królik wyskoczył, wrzasnął: „A wy kurwy!", i bach, bach, bach, bach, bach, bach, bach. Wypierdolił cały magazynek. Szczęśliwie tylko jeden w dupę dostał, jak spierdalał. Ale rykoszetem wlazło mu w dupę, potem po miednicy w bebechy poszło i dalej już tak jakoś mniej szczęśliwie. I gdzieś na klatce bidulka jakiś sąsiad znalazł. Był nieprzytomny, bo już dużo farby mu uszło. No i jak go wzięli do szpitala i tam zaczęli mu w tej dupie grzebać, to zanim go prześwietlili, gość pierdolnął w kalendarz. No i znowu trzeba było kłamać, więc Królik pistoletem kolegi radiowóz przestrzelił, że mu niby ten chuligan broń usiłował odebrać, a Królik musiał reagować oczywiście. No, jakoś trzeba sobie radzić, wcześniej go złodziej łomem pierdolnął, a teraz inny łobuz koledze broń wyciągał. Królik zeznał, że chuligan wyrwał policjantowi pistolet i w szamotaninie wystrzelił w radiowóz. W tej sytuacji Królik ostrzegawczo strzelił w ziemię i rykoszetem jakoś bidulka trafiło w dupę. No i sprawa załatwiona.

Trzeci postrzelony?

Trzeciego to Królik na Wale Miedzeszyńskim konwojował. Z komisariatu wiózł jakiegoś chuja poszukiwanego, gdzieś w Falenicy dorwali złodzieja radyjek samochodowych, no i był konwój. Facet był skuty z tyłu, ale tak go konwojowali, że zatrzymany, zamiast siedzieć w środku między policjantami, siedział z tyłu sam przy drzwiach, a Królik z kolegą byli z przodu. Stanęli, bo korek był. Zatrzymany popatrzył w lewo – Wisła, w prawo – pole, no to wziął za klamkę drzwi i z kajdanami z tyłu zaczął spierdalać. Królik wyskoczył za nim, ale to szybkobiegacz był. Biegli tak z pół kilometra, aż w końcu Królik się wkurwił, raz pociągnął z giwery i znowu prosto w serce. Gość w kajdankach, skuty, jakiś drobny złodziej samochodowy i za jakieś radyjko został odjebany. Choć w sumie tym razem to było trochę z jego winy.

Jak się Królik z tego tłumaczył?

Nie wiem, ale po tym go przenieśli. Sprawę w każdym razie upierdolili, wredny przestępca w konwoju uciekł, chuj z nim, co tam. Tacy byli prokuratorzy, wódkę razem z nami pili, to mieli wszystko w dupie i umarzali takie sprawy. A ostatni numer Królika, za który go już wypierdolili, był w Kolorado, takiej knajpie na Wiatracznej, Turek ją prowadził. No i tam tych Turków się kilku zebrało. A Królik siedział oczywiście z pistolecikiem, bo on nigdy nie odpuszczał, z tym pistoletem to spał chyba. Jak Turki do niego podskoczyły, to zrobił bach, bach, bach, bach. Trochę nóg im poprzestrzelał, dwóch poważnie ranił, a że najebany był ostro, to spierdolił. Do domu pojechał i wpadł na pomysł, że w odkurzacz wpierdoli tę giwerę, żeby zakurzyć lufę i twierdzić, że od dawna nie była używana, bo jest taka zakurzona.

To też przeszło?

Nie, to już był za duży przekręt. Wzięli Królika na alkomat, tamto, sramto i wypierdolili go z roboty. Potem widziałem go w sądzie dwa razy, na taksówce skończył jako przypadek misia, co się dostał do policji na parę latek, trochę sobie postrzelał i został wyjebany, bo się nie nadawał. I dzięki Bogu, bo inaczej byłaby seria zabitych.

Nie żal wam tych przestępców?

Komisarz Artur Pawluk, Wydział do Walki z Przestępczością Narkotykową: Z upływem lat sami cię z tego leczą. Weź taką sytuację: Kamila, moja trzyletnia córka, złapała rotawirusa. Przez trzy dni miała na zmianę biegunkę i wymiotowała. Dla dziecka to jest bardzo niebezpieczne, bo szybko może się odwodnić. Wezwaliśmy lekarkę, dała leki, niewiele to pomogło, mała miała tak wysoką gorączkę, że traciła przytomność. Złapałem szybko kluczyki od samochodu, nie pomyślałem nawet o tym, czy mam telefon, i mówię:

– Dawaj, jedziemy!

Przejeżdżaliśmy przez taką drogę dojazdową, przy której najpierw stoją domki jednorodzinne, a później zaczyna się las, którym dojeżdża się do szpitala. Jak wjechaliśmy w tę dróżkę, stała tam grupa kilkunastu młodych leszczy w wieku między osiemnaście a dwadzieścia parę lat. Takie bujańce, jeden z butelką w ręku, drugi z puszką, dwóch między sobą piłkę kopało. Chciałem przejechać, ale nie mogłem, bo zajmowali całą ulicę. Zatrzymałem się i czekam. Jeden się odwrócił do drugiego, tak że zrobiła się luka, więc wjechałem między nich, żeby przejechać. W tym momencie – jeb! Huk! Uderzenie w samochód. Myślałem, że któryś mi z kopa zajebał. Odruchowo zjechałem na pobocze i wyszedłem zobaczyć, co się dzieje. No i ten, co tak kozaczył, mówi do mnie:

– Szukasz guza?

Wkurwiłem się i pomyślałem, że jak wyskoczę ze szmaty, to chłopak odejdzie w swoją stronę. Wyjąłem legitymację i mówię:

– Teraz, kurwa, kozak jesteś?

24

Zobaczył szmatę, ale wcale się tym nie przejął. Reszta zaczęła się zbierać i pytać:

– Co jest?

– Ty, pies jebany zaczyna podskakiwać!

No i zaczęli do mnie skakać. Zrobiło się niebezpiecznie, więc wyjąłem klamkę i mówię:

– Cofnąć się, kurwa!

A oni wręcz przeciwnie:

– No strzelaj, pedale! W dupę se wsadź tę klamkę!

I tak cofałem się przed nimi, a oni zaczęli się podkręcać i wołać:

– Weź mu to wyrwij!

Zacząłem napierdalać w powietrze. Chciałem wsiąść do samochodu, ale wiedziałem, że nie dałbym rady – byli na tyle blisko, że gdybym odwrócił się plecami i dostał w łeb, byłoby po mnie. Tak przespacerowałem się z nimi około stu metrów. W pewnym momencie zacięła mi się klamka. Przeładowałem dwa razy i wypadła łuska oraz pełny nabój. Jeden cwaniaczek podniósł nabój i powiedział, że ślepakami strzelam. Ruszyli do mnie, a ja zacząłem strzelać w nogi tych, którzy byli najbliżej. Na trzy strzały trafiłem dwóch. Pierwszy zniknął. Widziałem tylko, że mu spodnie zafurkotały jak flaga na wietrze. Nie wiedziałem, czy go trafiłem czy nie. Nie widziałem krwi. On się od razu schował. Pomyślałem, że dostał po portkach, zobaczył, że kula mu materiał rozszarpała, i się zesrał. Część

25

osób stanęła i już się nie zbliżała, a ten jeden atakował cały czas. Za chwilę jeden po prawej przewrócił się do rowu i zaczął krzyczeć:

– Ty kurwo, strzeliłeś mi w nogę!

Widziałem, że ma zakrwawiony but. Trafiłem go w stopę. Zrobił ze trzy kroki, ale dalej krzyczał, że go boli. A ja do tego najbardziej cwaniaczkowatego:

– Odsuń się, kurwa, daj mi podejść i udzielić mu pomocy, bo się wykrwawi.

W tym momencie moja żona Baśka przesiadła się i podjechała samochodem.

Później powiedziała mi, że kiedy ja się z nimi cofałem, to część chłopaków doleciała do niej do samochodu. Ona wyskoczyła, jednego z nich złapała za szmaty i powiedziała:

– Kurwa, jadę z chorym dzieckiem do szpitala, puśćcie nas!

Jak usłyszała, że strzelam w powietrze, to im mówiła:

– Ludzie, co wy robicie? To jest, kurwa, policjant! On was pozabija! Napadliście na policjanta!

Ale do nich to nie docierało. Moja druga córka, jak zobaczyła, co się dzieje, pozamykała wszystkie drzwi, wyjęła kluczyki ze stacyjki i rzuciła pod siedzenie. Była nauczona, że gdyby coś się działo, to nie daj Boże, żeby dzieciaka porwali z samochodem – ma schować kluczyki i pozamykać się od środka.

Żona była na zewnątrz?

Tak, a Kamila leżała nieprzytomna w foteliku. Jak Baśka z nimi dyskutowała i zaczęli do niej skakać, też się wycofała do samochodu. Pozamykały wszystkie drzwi, ale oni zaczęli bujać samochodem. Chcieli go przewrócić. Ona się wystraszyła, odpaliła go i ruszyła do przodu. Tak naprawdę liczyłem od samego początku, że wpadnie na pomysł, żeby tym samochodem podjechać. Wskoczyłem do środka i odjechaliśmy do szpitala. Najpierw powiadomiłem ciecia na bramce, żeby dzwonił na policję i na pogotowie. On mówi:

– Ale to pan jest z policji.

– No dobrze, jestem z policji, ale tam są postrzeleni ludzie. Wzywaj, kurwa, posiłki!

– A to pan sobie zadzwoni z recepcji!

– Idź ty w chuj, kurwa!

Pojechałem do recepcji szpitala i mówię do pielęgniarki:

– Proszę dać mi telefon, jestem z policji, postrzeliłem jedną osobę, tam na ulicy jest ranny, proszę natychmiast wysłać karetkę!

– Ale o co chodzi?

– Niech mi pani da telefon, jestem z policji, rozumie pani? Niech pani wyśle karetkę! Leży tam ranna osoba postrzelona przeze mnie!

– Ale...

Facet, który stał w kolejce z dzieckiem, dał mi komórkę i mówi:

– Proszę bardzo, niech pan dzwoni.

Z jego komórki zadzwoniłem na policję, a do tej baby mówię:

– Cipo, kurwa, wyślij karetkę! Ranny człowiek leży na ulicy, rozumiesz?

Powiadomiłem policję, że zostaliśmy zaatakowani, że musiałem użyć broni i że postrzeliłem człowieka. Rozmawiam z policją, patrzę, a tu podjeżdża prywatny samochód, wysiada trzech gości, jeden wyjmuje klamkę, przeładowuje. A jak przepychałem się z tymi gnojami, to oni mnie straszyli, że przyjadą posiłki, więc zrozumiałem, że przyjechały po mnie jakieś zbóje. Samochód był na nowodworskich numerach. Powiedziałem szybko dyżurnemu:

– Będzie strzelanina w szpitalu! Bandyci po mnie przyjechali!

Oddałem facetowi telefon, do ludzi krzyknąłem tylko:

– Na ziemię, kurwa! Będzie strzelanina!

Ludzie w poczekalni pochowali się po kątach. Baśkę z dzieciakami wepchnąłem do pokoju lekarskiego, a sam poleciałem w głąb szpitala, żeby ich odciągnąć.

Pierwszy pokój – drzwi zamknięte, drugi pokój – pusty. Stał tam tylko stolik i było okno, przez które widziałem, co dzieje się na ulicy. Postawiłem stolik w rogu pod ścianą, wlazłem na niego, bo sobie wymyśliłem, że jak goście będą wchodzić, to będą strzelać na wysokość wzroku. Jak będę stał wysoko, to mnie najwyżej trafią w nogę, a z dziurawą nogą mogę się bronić. Zmieniłem tylko magazynek na pełny i czekałem. Było: „Zdrowaś Maryjo, łaskiś pełna...".

Czekałem, aż wejdą. Miałem postanowienie: jak tylko zobaczę, że czyjś łeb pojawia się w drzwiach, nie obchodzi mnie kto to, krzyczę: „Policja!", i od razu walę w łeb. Centralnie w czachę. Widzę, jak przez okno zjeżdżają się radiowozy. Czekam i słyszę krzyki na korytarzu:

– Gdzie jest ten facet od szarego passata!?

A pielęgniarka:

– Ja panu nic nie powiem! Ja zaraz wzywam dyrektora!

Patrzę, jak zjeżdżają się załogi na sygnałach. Myślę: jestem uratowany. Ale boję się, że policja będzie się napierdalała z bandytami. Martwię się o ludzi w poczekalni. Zaraz wpadną policjanci, ale tamci też mają broń, więc jak zaczną strzelać, to żeby nikomu nic się nie stało. Oby Basi i dzieciakom nic nie było. Ale cisza. Mijają kolejne sekundy i dalej cisza. Kurwa, jak to możliwe?

Zlazłem ze stolika, wychylam się na korytarz, patrzę, a ci goście stoją. Za chwilę jakiś policjant w mundurze koło nich przechodzi. Ja mówię:

– Dlaczego załogi nie wchodzą?

Jeden z tych zbójów się odwraca, patrzę, a jemu z kieszeni ericsson wystaje. Kurwa, to nie bandyci, tylko policjanci z kryminalnego! Przyjechali sobie prywatnym samochodem. Wyszedłem na korytarz, idę, ale na wszelki wypadek z ubezpieczeniem – klamka w ręce. Legitymację wziąłem w drugą rękę i tak z daleka:

– Przepraszam, panowie są z policji?

Jeden się odwraca i pyta:

– A pan jest z policji?

– Tak.

Pokazuję legitymację. W tym momencie drugi z chłopaków się odwraca i mówi:

– Artur, to ty? – Okazało się, że jednego chłopaka z Nowego Dworu akurat znałem. – Kurwa, co się stało?

Jak mi zeszło ciśnienie, to totalnie zaschło mi w ustach. Czułem, jakby ktoś wjebał mi suszarkę w gębę i w sekundę wysuszył całą ślinę. Nie byłem w stanie wypowiedzieć słowa. Myślę, że to kwestia strachu. Miałem kilo w portkach. Byłem przygotowany, że to walka na śmierć i życie. Przekonany, że to bandyci. Nie wiedziałem, czy wyjdę w ogóle cały z tej walki.

Okazało się, że postrzeliłem dwóch gości. Przywiozła ich karetka. Przyjechał prokurator. Ten, który dostał pierwszy, miał najpoważniejsze obrażenia. Pocisk trafił w kolano, odbił się od kości kolanowej, wszedł w pachwinę i wyszedł pośladkiem.

Podobno centymetr od fujary. Tak że jeszcze trochę i bym mu niechcący fiuta odstrzelił. Leżał w sali obok i się darł:

– A to, kurwa, szmaciarz, pies zajebany! Zajebię kurwę!

Więc, jeśli pytasz, czy miałem dla niego litość, to nie. A kiedy później na konfrontacji spotkałem się z tym gnojem, uśmiechnąłem się tylko, nachyliłem do jego ucha i zapytałem:

– Jak nóżka?

– Do wesela się zagoi – odburknął.

– Jak się zagoi, to proszę zgłosić się ponownie.

A pani prokurator:

– No wie pan?

Jest coś takiego jak kodeks między policją a przestępcami?

Podkomisarz Paweł Kosela, Wydział Kryminalny: Młodzi bandyci zniszczyli dawny kodeks przestępczy. Gówniarze wychowani na filmach i sterydach grają bez zasad. Nie liczą się nawet z własnymi kolegami i często wzajemnie na siebie nakładają kary.

Aspirant Jacek Bobruk, Wydział do Walki z Przestępczością Samochodową: Znam łbów, którzy się nie nadają do resocjalizacji. Mają swoje życie jak każdy z nas, tylko że ich życie toczy się inaczej od chwili, gdy skończyli jedenaście lat. Jak mają dwanaście lat, kradną. Jak mają trzynaście, nic już ich nie zmieni. Możesz sobie odpuścić.

Podkomisarz Piotr Podwalski, Wydział do Walki z Przestępczością przeciwko Życiu i Zdrowiu: Im młodszy bandyta, tym bardziej bezwzględny. Zatrzymywaliśmy czternastoletniego gwałciciela. Na imprezie pociął sobie ręce nożem i robił z naćpanymi rówieśnikami braterstwo krwi. Kiedy zapukaliśmy, poleciały na nas butelki, noże i krzesła – regularna bitwa. Gówniarze próbowali wciągnąć do środka jednego z nas. Gdy to się nie udało, zabarykadowali się. Wezwałem drugą załogę i wywaliliśmy drzwi. Gówniarze powłazili, gdzie tylko się dało. Nasz czternastoletni gwałciciel czekał na mnie z nożem kuchennym ukryty w lodówce.

Aspirant sztabowy Bogdan Knaź, Wydział ds. Zabójstw: Bycie przestępcą jest dziś w Polsce modne. Zabójca z Kredyt Banku w trakcie wizji lokalnej zachowywał się jak bohater westernu. Biegał podniecony po banku i chwalił się, gdzie strzelał do kasjerek i ile razy.

Komisarz Sławomir Opala, Wydział ds. Zabójstw: Dzisiaj myślę, że jeszcze zależy, co taki gość w życiu robił. Jeśli zabijał, to pytanie: kogo i za jaką kasę? Jak zabijał niewinnych ludzi, to jest bandyta, jak zabijał bandytów, to jest eliminator, czyli wykonuje zawód za konkretny sos. Jeżeli strzela do gangsterka za trzydzieści tysięcy papiera, to jest w porządku. Ale jeżeli przy okazji postrzeli jego dziewuchę w ciąży, to jest nie w porządku, bo jest amator.

Czym się różnicie od bandytów, jeśli chodzi o brutalność? Mówię na przykład o napierdalaniu zatrzymanych.

Starszy aspirant Grzegorz Drewniak, Wydział do Walki z Przestępczością przeciwko Życiu i Zdrowiu: My nie napierdalamy ludzi po to, żeby osiągnąć jakiś cel materialny. Nie leję człowieka po to, żeby on mi się przyznał, bo dostanę nagrodę. Tak naprawdę, czy go będę napierdalał czy nie, to dwieście złotych nagrody za jakąś tam sprawę nie jest życiowym celem. Cel jest inny. Bo napierdalanie to nie zawsze tylko zmuszanie do przyznania się. To często jest wymierzenie kary. Są sytuacje, w których masz dowody i jesteś przekonany, że na tych dowodach gość pójdzie leżeć. Ale gość się nie przyznaje, idzie w zaparte i tak dalej. Mnie nie jest potrzebne jego przyznanie się, czasami nawet lepiej, gdy on mi się nie przyznaje, bo wtedy prokurator daje mu areszt. A to, że ja mu wyjebię parę garści, to jest, powiem ci szczerze, dzika satysfakcja. Jeżeli masz babcię, ta babcia ma osiemdziesiąt parę lat i widzisz, że jest to osoba, która kiedyś wychowała twoją matkę, wychowała ciebie, zawsze otaczała cię ciepłem, to masz przekonanie, że to jest święta kobieta i kto mógłby do niej mieć w ogóle jakiekolwiek pretensje? I nagle przyjeżdżasz na zdarzenie, widzisz starszą kobietę, która jest w tym samym wieku i przypomina twoją babcię. Ale zamiast oka ma narośl wielkości pięści, taką siną, bo tak naprawdę to jest guz, po tym jak ktoś ją obił. Wtedy zaczynasz się czuć tak samo, jakby ktoś zaatakował twoją babcię. Nie dostałbyś wścieku? Każdy chce się zemścić. Chce takiego zwyrodnialca wyeliminować, uspokoić, ukarać tak, żeby on nigdy czegoś podobnego nie zrobił. No i jak, nie daj Boże, wpadnie ci w rączki... Nie odmówisz sobie wygarnąć mu z garści albo dwóch, prawda? A każdemu się coś z tej pracy należy. Jak robisz w polu, gdzieś tam u chłopa pracujesz, to jak wykopiesz mu trzy wywrotki ziemniaków, to siateczka ziemniaków może być dla ciebie. Tak samo w policji. Jak już złapiesz takiego gościa, to co: nie kopniesz sobie ze dwa razy? No, proszę cię. Czy mu ubędzie? No nie. A dla ciebie satysfakcja nieoceniona. Nawet jeżeli on miałby wyjść, bo nie uda mu się niczego udowodnić, to sprawisz, że on postara się już więcej nie napadać. A wiesz dlaczego? Bo pomyśli sobie: „jak napadnę drugą babcię, to oni mnie znowu dorwą i stłuką, i nie będę mógł sikać inaczej niż na czerwono przez kolejny miesiąc, więc może już lepiej na babcie nie napadać".

Jak go kopałeś, to nie bałeś się, że mu mogą pęknąć jaja?

Mogły pęknąć. Dlatego takie sytuacje tak się ustawia, żeby można było z nich wyjść. Podam ci przykład: mieliśmy kiedyś takich dwóch zawodników w wydziale. Gdzie pojechali, tam dokonywano na nich czynnej napaści. A obaj mieli po metr dziewięćdziesiąt wzrostu. Dwa tury, wielkie chłopy. Powiem ci szczerze, niejeden gość, który był bandytą, jak spojrzał na nich, z miejsca rezygnował. A oni ciągle składali dokumentacje, że ktoś ich napadł.

Dlaczego?

Wytłumaczę ci mechanizm. Takie dwa tury podchodzą do zwykłego legitymowania i mówią gościowi, żeby dawał dowód. On odpyskuje, żeby zapytali grzeczniej trochę. Więc oni od razu sprzedają mu dwa strzały w ryj, po których gość ma złamany nos. No i jak z tego wybrnąć? Trzeba zrobić czynną napaść na funkcjonariusza: weź mnie uderz. Jeden drugiemu zajebał, policjant ma limo pod okiem. Przyjeżdżają na komendę, przywożą gościa ze złamanym nosem. Mówią przełożonemu: „Widzisz moje limo? No, niestety musieliśmy się bronić wobec czynnej napaści i tak dalej. Gościowi pękł nos". I co? I policjant nie jest karany. Policjant się bronił, bo został napadnięty. A prawda jest taka, że policjant szukał guza.

A jak weźmiesz prawnika i spróbujesz taką wersję przedstawić, to jesteś bezsilny? Nikt ci nie da wiary?

Wiesz, kto jest tylko niebezpieczny dla ciebie jako policjanta w takiej sytuacji?

Kto?

Pojebany, nadgorliwy prokurator. Ale to rzadkość, bo powiedzmy sobie szczerze: wymiar sprawiedliwości z organami ścigania w pewien sposób się wspiera, czyli prokuratorzy niekoniecznie chcą udupiać policjantów, a sędziowie niekoniecznie chcą policjantów skazywać. Sędziowie i prokuratorzy biorą w łapę, co mnie osobiście wkurwia, ale to nie znaczy, że pójdę ich podpierdzielić.

A jak lać bandziorów, żeby nie było śladów?

Starszy aspirant Wojciech Wiaderny, Wydział do Walki z Przestępczością Narkotykową: Jeżeli ręką w jakichś napiąstkówkach będziesz walił gościa po mięśniach brzucha po to, żeby on cały czas tracił przytomność, to tam nie będziesz miał najmniejszego siniaczka. Jeżeli ma na sobie koszulkę, to nie będzie nawet otarcia naskórka. A co piętnaście minut będzie aż rzygał, dlatego że nie może złapać oddechu, bo po raz kolejny mu przyjebałeś w przeponę.

Komisarz Sławomir Opala, Wydział ds. Zabójstw: Co kraj, to obyczaj. W P. mieli taki patent: wiązali zatrzymanego w kij, jak Azję Tuhajbejowicza w *Panu Wołodyjowskim*. Czyli wkładali kij pod zgięte kolana, przez kij przekładali ręce i skuwali kajdankami ręce założone na nogach – tak że człowiek był na tym kiju związany, po prostu taką kołyskę z gościa robili. I wieszali go na dwóch szafach pancernych, opierając kij między nimi. Potem podchodzili do kolesia i zadawali pytanie. A jak on tam coś odburknął, to jeb go w turban, aż się facet na tym kiju w kółko zakręcił.

Starszy aspirant Grzegorz Drewniak, Wydział do Walki z Przestępczością przeciwko Życiu i Zdrowiu: Kolega miał rękawice bokserskie, żeby ogłuszać zatrzymanych. Ale przeważnie nie trzeba było. Widzieli, że w wadze ciężkiej chodzi i jak komuś zapierdoli, to będzie niewesoło. Z reguły wystarczało, że rękawice zobaczyli, parę razy ich lekko pyknął i już miękli od razu.

Aspirant sztabowy Bogdan Knaź, Wydział ds. Zabójstw: Koledzy w K. robili taką sztuczkę: nalewali do połowy wody do butelki po mineralnej. I tą butelką lali.

Śladów nie ma?

Nie ma. A boli jak skurwysyn.

A czemu nie ma śladów?

Bo to woda. Butelka miękka, ugina się. Siniaków nie ma z zewnątrz. Dopiero jakbyś rozciął człowiekowi skórę na sekcji na przykład, toby było widać podbiegnięcia. Ale na zewnątrz one nie wychodzą, bo butelka jest miękka. Tylko nie można całej lać, bo wtedy będą ślady. Połowę wody. I nie można uderzać denkiem, bo denko jest twarde.

Komisarz Sławomir Opala, Wydział ds. Zabójstw: Karzę bandytów, bo nigdy nie wiem, czy nie wyjdą na wolność. Dwa lata temu zatrzymałem nastolatka, który uciął matce piłą głowę. Nie przyznawał się, taki mały psychopata, zimny, bez wyrzutów sumienia. Próbowaliśmy do niego dotrzeć różnymi metodami, ale otworzył się dopiero, gdy zablefowałem, że słucham jego ukochanej kapeli. Nie miałem pojęcia o heavy metalu, ale dzięki temu znaleźliśmy wspólny temat rozmowy. Miałem mocny akt oskarżenia, nieletni trafił wkrótce do poprawczaka. Ale potem uznano go za niepoczytalnego. A nie dalej jak miesiąc temu widziałem go, jak sobie chodził na wolności.

Aspirant sztabowy Dariusz Czepukojć, Wydział Kryminalny: Po co ja mam gościa bić? Raczej mu założę dźwignię. Albo go powieszę – ślady po kajdankach ma każdy zatrzymany. Zatrzymujemy gościa, skuwamy go, wystarczy, że on się tam poruszy trochę w samochodzie, zacisną mu się kajdanki i już ma ślady. Mogę mu te same ślady zrobić tak, że założę mu kajdanki i powieszę go na wieszaku jak palto, z rękami do tyłu. Po piętnastu minutach będzie błagał, będzie w stanie zrobić laskę na bryło, bylebym tylko odciął go z tego wieszaka.

Komisarz Sławomir Opala, Wydział ds. Zabójstw: W większości przypadków wiemy, kto dokonał zabójstwa. Ale naszą wiedzę niestety nie zawsze udaje się przełożyć na materiały procesowe. I to jest największy ból.

Nadkomisarz Tomasz Widarski, Wydział do Walki z Przestępczością Narkotykową: W Ś. pracował taki chłopak, co miał ojca lekarza. On go nauczył, że jak robisz odcięcie tlenu, to półtorej do dwóch minut każdy człowiek bez tlenu wytrzyma.

Traci przytomność?

Nie, nie tracisz przytomności. Wytrzymujesz, tylko panika cię zjada, bo czujesz, że się dusisz. Najłatwiej założyć zatrzymanemu torebkę foliową na łeb i zacisnąć ją wokół szyi. I półtorej do dwóch minut każdy zdrowy człowiek wytrzyma. Pod wodą, jak płyniesz, to przecież wytrzymujesz. Jedyny problem polega na tym – i to już lekarz musi wiedzieć – że nie wolno gwałtownie otwierać torebki, bo zatrzymany się zachłystuje powietrzem i wtedy może się udusić. Powolutku trzeba odpuszczać, żeby powietrze delikatnie do klienta dochodziło. I śladów nie ma.

We wszystkim, co się w życiu robi, trzeba myśleć. Wiesz, to jest kwestia złamania klienta. Były takie młode byczki, jak to się nieraz doprowadziło siedemnastolatka. Tatuś – pijak, który poszedł w chuj. Mamusia – kurwa, co się z jakimś łobuzem pierdoliła. Takiego małolata złamać było ciężko. Jemu trzeba było przekręcić kręgosłup. Wytłumaczyć: „Skurwysynu, ty tu nie jesteś nie wiadomo kim i nie będziesz tu napierdalał, kradł, gwałcił, pierdolił, bo na ciebie jest ktoś, kto cię przetrąci. Złamie cię, kurwo, tak, że będziesz błagał na kolanach i buty lizał, rozumiesz?". Jak taką kurwę złamałeś raz i on poczuł, że się zeszmacił, to się poddawał całkowicie. Wtedy się go rozbierało do naga i zaczynało z nim gadać. Przestępcy psychicznie są słabi, bo to ludzie przeważnie prymitywni. Musisz zobaczyć, co takiego gościa boli, i go pokonać. Tak samo jak z bokserem wagi ciężkiej. Chodzi, kozaczy, ale w końcu, jak mu ktoś zapierdoli, to musi rok sobie dobrze odpocząć, bo dociera do niego, że już nie jest najsilniejszy. Był pewny, że wygra. Ale trafił na silniejszego.

Aspirant sztabowy Bogdan Knaź, Wydział ds. Zabójstw: Mój mistrz i nauczyciel pracy w kryminalnym mówił mi, że w ciągu trzech pierwszych zdań musisz się zorientować, jak podejść do człowieka. Jednemu trzeba dać papierosa, drugiego trzeba pierdolnąć, trzeciemu trzeba po lufie polać, czwartemu zrobić kawę. Wszystko to jest psychologia. Gra tak zwana. Między tobą a mną. Ja muszę coś osiągnąć, żeby zakończyć tę sprawę, a ty mi musisz pomóc. A potem ja mogę pomóc tobie. Tylko zasada jest taka, że jak komuś obiecasz, że mu pomożesz, to pomóc musisz.

Dlaczego?

Bo się rozejdzie na mieście, że w chuja walisz. „Pomóc" może być nawet w cudzysłowie... bo pomożesz mu na przykład na więcej się wpierdolić do więzienia. [śmiech]

Jak to?

No, pomogłeś mu. Pomogłeś się wpierdolić, ale pomogłeś. Obiecałeś, że mu pomożesz, i pomogłeś. [śmiech] Nie było mowy w jaki sposób.

Aspirant sztabowy Dariusz Czepukojć, Wydział Kryminalny: Ze złodziejem możesz iść na honorowy układ. Mówisz mu: „W kiciu będziesz miał lepiej, załatwię ci jakieś widzonko czy paczuszki".

Potraficie mu to załatwić czy to farmazon?

Tak, mamy kolegów – w Białołęce, na Mokotowie, Służewcu, wszędzie. Kolega wzywa takiego osadzonego i mówi mu: „Pan Sławek powiedział, że da się coś dla pana załatwić. Widzonko z żoną? Nie ma problemu".

Aspirant sztabowy Dariusz Bryła, Wydział ds. Zabójstw: Najkrótszy czas, w jaki połamałem twardziela? Miał ksywkę Nożyk, był z Targówka. Robiliśmy ze Sławkiem i Bolkiem takie zabójstwo w pubie King i to prowadziła najpierw Praga Północ. A potem my, jako Wydział Zabójstw, to łyknęliśmy. Już po pierwszych czynnościach, jak przeczytałeś zeznania świadków, widać było, że kręcą. To był pub na Trockiej, w piwnicy, ogródek miał na zewnątrz. Właśnie w tym ogródku doszło do zabójstwa. I byli tam stali bywalcy, jak to na Targówku. Jak przeczytałeś zeznania, to siedziało czterech gości i grało w brydża. Ale z tego, co mówili, wynikało, że wszyscy siedzieli po jednej stronie stołu. No nie da się w brydża tak grać. [śmiech] No i największe problemy były właśnie z tymi świadkami. Był taki jeden, od którego cała akcja się zaczęła – Nożyk. Trząsł połową Targówka. Już ci świadkowie byli połamani, już pozeznawali, jak było faktycznie, i wtedy zawinęliśmy Nożyka. Jego udział w zdarzeniu był taki, że on się tam z kimś pobił na dole, po czym wyszedł na górę i ktoś stanął w jego obronie. Sprawca zabójstwa jebnął tego, który stanął w obronie Nożyka, nożem. I chodziło tylko o to, żeby Nożyk powiedział, z kim się bił. A on, jak to twardziel z Targówka, zarzekał się w samochodzie, że nic nie powie, nic nie wie, jego tam nie było. Pamiętasz, jakie były nasze pokoje w tym małym korytarzyku? Zabraliśmy go tam, gdzie stało akwarium. Sławek go wprowadził i mówi:

– Poczekaj, ja pójdę do siebie po rolkę.

Wyszedł po papierosa i gdy wrócił po trzydziestu sekundach, to Nożyk już płakał i mówił, że wszystko powie.

Dlaczego?

Bo mu powiedziałem:

– Masz dwa wyjścia: ja wiem, że nie masz nic wspólnego z zabójstwem, więc albo mi powiesz, jak było, albo masz zarzut współudziału w zabójstwie. Co wolisz?

– Nic nie powiem!

– To wypierdalaj na korytarz, nie będę z tobą rozmawiał.

I on się w tym momencie rozbeczał i mówi:

– To ja już powiem. [śmiech]

Piękne! Był pewien, że będziesz się z nim bawił trzy godziny. Na taki przebieg rozmowy nie był przygotowany. [śmiech]

Jak takiego twardziela czymś zaskoczysz, to on się robi miękki. Psychicznie są jak dzieci. Wjeżdżam takiemu na chatę, mam przed sobą kozaka, który bierze nóż, łapie się za skórę na szyi i mówi: „Ja się zarżnę, nic wam nie powiem". Wtedy dajesz mu większy nóż i mówisz: „Chcesz, to masz, dam ci lepszą kosę. Puść tę skórę, chuju, i po grzdylu się zapierdalaj". Gość patrzy na mnie, myśli: „o kurwa, z tym gościem to chyba nie poświruję", i odkłada nóż. [śmiech]

Komisarz Artur Berend, Wydział do Walki z Przestępczością Narkotykową: Jest wiele sposobów zadawania bólu tak, żeby nie zostawiać śladów. Albo zostawiać takie, które są w danej sytuacji naturalne i normalne. Zdarza się, że trafi ci się zatrzymany, który ma na przykład jakieś otarcia, bo zatrzymała go patrolówka. I z góry wiadomo, że on uciekał, walczył z policjantami i ma określone otarcia, co więcej, nawet potrzebował pomocy lekarskiej. Była to przemoc dozwolona prawem, bo służyła temu, żeby go zatrzymać. I to jest już rozliczone. No, skoro wiesz, że gość podczas zatrzymania miał poobijaną głowę, rozbity nos, jakieś zasinienia pod oczami, to będziesz się martwił, czy mu złamiesz ten nos w drugą stronę? Jebiesz go w ten pędzel, aż huczy. A nawet jak ma już założone plasterki na złamany nos, to stoisz koło niego, za ten nosek łapiesz i przestawiasz mu w prawo i w lewo. Skoro go boli i skoro jest to rozliczone uszkodzenie, należy to wykorzystać.

Aspirant sztabowy Bogdan Knaź, Wydział ds. Zabójstw: Kolejna kwestia: ustaw bandziora na Małysza i zrób mu lądowanie telemarkiem. Opierasz

45

gościa jakieś półtora metra od ściany, nogi ma szeroko rozstawione, a czubek czoła opiera o ścianę. Ręce z tyłu złożone jak u Adama Małysza podczas skoku. No i gość tak sobie stoi. W pewnym momencie zaczynają go boleć nogi, mdleje. Jeśli źle wyląduje, to może sobie rozbić głowę. Dlatego trzeba chłopaka pouczyć, żeby lądował telemarkiem. Czyli na jedną nogę zgiętą. Jak widzisz, że mu się nogi trzęsą, to walisz go od tyłu w jedno kolano, ono mu się zgina i facet ląduje telemarkiem. Głowa jest bezpieczna, ale mięśnie bolą.

Komisarz Artur Pawluk, Wydział do Walki z Przestępczością Narkotykową: Pomocny też jest weekend. Jeśli gość nie ma samochodu i rodziny, która by mu pomogła, to obdukcję najwcześniej zrobi za parę dni. Dla nas wystarczy, byleby w kwitach było napisane, że jak został zatrzymany, to był cały, a jak został zwolniony, też cały był. Facet pójdzie do jakiegokolwiek lekarza najwcześniej za dwa dni. Jak zrobi obdukcję dwa dni po zwolnieniu, to jaki jest dowód, że dokonali tego policjanci? Każdą wątpliwość rozstrzyga się na korzyść oskarżonego. Więc mówisz krótko: „Wysoki Sądzie, zatrzymałem tego człowieka, udowodniłem mu winę, został zwolniony, bo odpowiada z wolnej stopy, ale będzie karany, więc ma prawo mieć do mnie pretensje. Ja temu człowiekowi nic nie zrobiłem, nie ma na to żadnego dowodu oprócz tego, że on tak twierdzi. Mógł zostać pobity przez kolegów na jego własną prośbę dzień po wyjściu. A zgłosił to dwa dni później, więc o czym, Wysoki Sądzie, mamy rozmawiać?".

A jak ktoś wychodzi i od razu zasuwa do lekarza sądowego na obdukcję?

Starszy aspirant Paweł Słomka, Wydział Kryminalny: Zdarzały się takie sytuacje. Było prowadzone postępowanie. Gość mówił, że biło go pięciu policjantów i że odbywało się to w pokoju takim a takim. No to prokuratura wpadała na komendę – oczywiście wcześniej dzwoniła, że wpadnie – kazała pobitemu wskazać pokój, w którym był obrabiany. I wiesz co? Gość był bity w pokoju 303, ale wskazywał pokój 313. Dlaczego? Bo nie wiedział, że w międzyczasie ktoś całe wyposażenie pokoju 303 przeniósł do 313 i na odwrót, więc gość wskazuje 313, a w książce kluczy jest napisane, że klucz do 313 od kilku dni leżał w dyżurce. Nikt go nie pobierał, bo jeden policjant był w szkole policji, a drugi leżał w szpitalu. No i jak tu uwierzyć, że wchodził do tego pokoju, skoro drzwi były zaplombowane tydzień temu? Jeden policjant jest w szkole, na co są dowody, codzienna lista obecności, a drugi leży w szpitalu, widują go lekarze i pielęgniarki. To który z tych policjantów miał go bić? Jest niewiarygodność? Jest. A wystarczy, że udowodnisz mu niewiarygodność w jednej kwestii i reszta upada. Nawet jak ci zrobią okazanie, można je podważyć. Mnie kiedyś klient wskazał na okazaniu, ale okazanie to delikatna czynność, obwarowana pewnymi zasadami. Jak przyjeżdżamy na okazanie, to gość nie może stać ze mną na tym samym korytarzu. A najczęściej jest tak, że ja czekam pod pokojem prokuratora wśród piętnastu innych policjantów razem z poszkodowanym. I kiedy on mnie wskazuje, to ja mówię: „Pani prokurator, nie wiem, czy ma to znaczenie, ale proszę to zaprotokołować, że ostatnie pięć minut na korytarzu spędziłem sam na sam z tym człowiekiem, siedząc pod pani pokojem". Czynność nieważna, dziękuję. Świadek się zasugerował. Sama pani prokurator takie rzeczy wyciąga, żeby zgodnie z prawem mogła mi uratować dupę i udupić postępowanie.

Starszy aspirant Wojciech Wiaderny, Wydział do Walki z Przestępczością Narkotykową: Najgorzej udowodnić, jak ci wpierdol spuszczą czarni. Jeden bandyta złożył skargę na policjantów z realizacyjnego, bo nie mógł się ruszać, po tym jak go zatrzymali. „No, dobra, to niech pan wybierze, który pana pobił" – mówi prokurator i staje ci piętnastu chłopa w taktycznym umundurowaniu, w kominiarkach, hełmach. Konia z rzędem, jeśli rozpoznasz gościa, który cię pobił. A nie ma odpowiedzialności zbiorowej. Nie ma czegoś takiego, że w grupie piętnastu policjantów jest na pewno jeden, który pobił zatrzymanego, i w takim razie piętnastu wyrzuca się z pracy. Albo dokładnie zbadają, który dokonał pobicia i go ukarzą, albo nikogo nie mogą ukarać.

Napierdalacie wszystkich zatrzymanych?

Starszy aspirant Paweł Słomka, Wydział Kryminalny: Nie, są sytuacje, w których nie trzeba. Są sytuacje, w których wręcz nie wolno.

Dlaczego?

Dam ci przykład. Był jeden z gości powiązanych z grupą mokotowską, taki gangsterek. Jestem nad Zegrzem i pływamy sobie ze znajomymi żaglówką. W pewnym momencie podbijamy w okolice brzegu, ale przez płytki basen nie możemy dobić. Próbujemy pagajować, wiatru już nie ma i nie jesteśmy w stanie dopłynąć do samego portu. I wtedy z pomostu do wody wskakuje gość. Średniego wzrostu, ale przytyrany, podziarany, obarczony wieloma bliznami. Podchodzi w tym mule, w tych wodorostach po pas i mówi: „Pan rzuci linę". Znam faceta jako człowieka mocno powiązanego z mokotowskimi. Moja żona, gdy to widzi, jest przerażona, moi znajomi także, a ja sam nie wiem, co robić. Czy mu rzucić linę, czy wyjechać z tekstem: „Wypierdalaj, bo cię ołowiem uczeszę". Ale rzucam facetowi tę linę, a on mnie dociąga z całym jachtem po prostu do brzegu i mnie cumuje. Rozumiesz? On mi robi taką przysługę.

Wiedząc, kim jesteś?

Wiedząc doskonale. Ja go nieraz zatrzymywałem. I on mi robi tę przysługę tylko dlatego, że jestem policjantem. Jak jesteśmy w komendzie czy na Mokotowie, między nami jest wojna. Ale teraz jesteśmy w czasie prywatnym. I on potrafi w czasie prywatnym zachować się wobec mnie fair. Mało, że nie straszy mojej żony, nie straszy moich dzieci, nie próbuje podskakiwać, to jeszcze mi pomoże. Wiadomo, że ja nie zeskoczę ze statku i go nie przytulę. Nie powiem: „Słuchaj, stary, od dzisiaj jesteś moim przyjacielem". Ale mówię mu suche „dzięki". I tyle. Mały gest w świecie twardych facetów. A kilka miesięcy później moi koledzy z wydziału zatrzymali tego gościa. Prowadzą go po korytarzu i co drugi krok dostaje od nich kopa. Widzę to, wchodzę do pokoju, gdzie chcą go oprawiać, biorę kluczyki, zdejmuję mu kajdanki i mówię:

– Nikt go, kurwa, nie rusza. Chcecie go obrabiać na kwity, proszę bardzo, ale jak ktoś go, kurwa, dotknie, to ma u mnie przejebane.

Wszyscy wywalili na mnie oczy, a ja na to:

– Powiedziałem, kurwa, i tak ma być, koniec, kropka. – Po czym wyszedłem.

Chłopaki przyszli później do mnie, więc im wyjaśniłem:

– Słuchajcie, skoro on, widząc mnie z dziećmi i żoną na żaglówce, jest w stanie się wpierdolić w wodę i w muł po to, żeby mnie doholować do brzegu, to należy mu się chociaż tyle, że nie będziecie go napierdalać.

– Aaa – oni na to. – No, skoro taki szacunek koledze okazał, to nie ma problemu.

I już jest inne traktowanie. Inna sytuacja. Jest bandyta ze Stegien, szalenie sympatyczny. Kiedykolwiek byśmy z nim gadali, nigdy nie było: „Wy kurwy, psy, chuje". Pukamy do drzwi, on otwiera i mówi:

– Dzień dobry, panie komisarzu, dziś pan do mnie czy po mnie?

No wiesz, takie żarciki. Wiadomo, że po niego. Innym razem gość wychodzi z Landu. Ja mu trzepię kieszonki, wyciągam z jednej pięćset papierów, z drugiej osiemset. Mówię:

– To beka z jednego sklepu, to beka z drugiego sklepu, tak?

– Panie komisarzu, to jak pan wie lepiej ode mnie, to po co pan pyta? A poza tym, panie komisarzu, ja, taki mały człowiek, do takiego dużego sklepu po haracz?

Kurwa, tak sympatyczny gość, że po prostu nie sposób było go bić. On nawet, jak chciał ci powiedzieć, że nie będzie z tobą rozmawiał, to robił to tak, że było ci wręcz miło. Na przykład: „Panie komisarzu, ze względu na szacunek dla pana nie będę panu wymyślał i pana okłamywał. Pan wie, jak było, ale niech pan spróbuje zrozumieć moją sytuację. Przecież nie będę sam się przyznawał i brał na garb odpowiedzialności, niech pan ma litość dla mnie". I co? I w tym momencie będziesz napierdalał gościa? On nie robi tego bezczelnie. Grzecznie i delikatnie daje do zrozumienia, że nie chce urazić twojej inteligencji, ty i tak wiesz, jak było, ale on wolałby się nie przyznawać, bo to lepsze dla niego procesowo, i czy mógłby skorzystać ze swojego prawa. Dlaczego mu robić krzywdę? To, co on robi i w jaki sposób, to inna kwestia, natomiast w życiu nie słyszałem, żeby ten człowiek był brutalny wobec pokrzywdzonych. On był, owszem, z „miasta", ale on był brutalny w stosunku do innych zbójów, natomiast nigdy nie krzywdził niewinnych ludzi. Będąc już w CBŚ-u, wchodziliśmy do niego z czarnymi. Czarni już się napinają, a ja mówię: „Panowie, spokój, luz, ja znam tego człowieka, naprawdę, kurwa, no, bez szaleństw, tam jest stary, niegroźny pies". On miał taką sukę, amstafa. Sympatyczne psisko. Co czarni wpadali, to tę bidę poturbowali. Rzucali w nią granatami, a to któryś ją kopnął, a to coś tam. A nie dość, że starsza psina, schorowana, to ona była naprawdę sympatyczna. Człowieku, jak ja tam wchodziłem... To był amstaf, ale zachowywał się jak bokser. Czyli wyginał się w rogalik, normalnie w precelka, i tak się trzęsąc cały z radości, podchodził do mnie bokiem, wygięty. Wszyscy wpadali napięci, bo skoro amstaf u przestępcy zorganizowanego, to już nie wiadomo co, a ja im mówiłem: „Zostawcie tego biednego psa, on się nawet z posłania nie podniesie".

Aspirant sztabowy Henryk Zych, Wydział ds. Odzyskiwania Mienia: Ja wychodzę z założenia – i są ludzie z drugiej strony płotu, którzy też z tego założenia wychodzą – że to jest jak gra. Raz punkt dla nas, raz punkt dla nich. Ale nawzajem musimy się szanować. To, że ja złapię któregoś na gorącym uczynku, nie znaczy, że oni mają robić mi z tego tytułu jakieś wielkie halo. Jeśli wiem, że oni się włamują, to powinienem ich zatrzymać za włamanie, a nie po świńsku im jakieś inne rzeczy doklepywać. Nie powinno się robić takich rzeczy, jakie robią niektórzy policjanci. Czyli podrzucać komuś narkotyków. Nie powinno się robić tak, że wkłada się komuś śrubokręt w rękę, później się go zabezpiecza i pisze, że ten śrubokręt znaleziono na miejscu włamania. Niektórzy policjanci maskują w ten sposób swoją nieudolność, bo nie potrafią przestępców zatrzymać na gorącym uczynku. Po prostu wrabiają ich, tworząc fałszywe dowody. Z jednej strony niby nie robią nic złego, bo człowiek odpowiada za to, co faktycznie zrobił. Ale z drugiej strony nie jest to udowodnione tak, jak powinno być. Uważam, że jeżeli przestępcy mają mieć do mnie szacunek, to muszę pokazać, że na ten szacunek zasługuję. Czyli że jestem w stanie ich złapać na gorącym uczynku. A nie tylko przywieźć do komendy, pobić, włożyć w rękę śrubokręt i napisać, że byłem na miejscu przestępstwa. Co z tego, że się wtedy ciebie boją? Kiedyś urodzi się taki, który nie będzie się bał, i zrobi ci krzywdę albo ujawni twoje metody i to ty pójdziesz siedzieć.

Starszy aspirant Paweł Słomka, Wydział Kryminalny: Czym się różnimy od bandytów? Mamy pewne zasady. Nie będę bił kobiety. Nie zmierzam do tego, żeby kogoś zabić. Jeśli kogoś napierdalam, to nie dlatego, że mi sprawia dziką satysfakcję znęcanie się nad kimś. Bo nie robię tego dla przyjemności, tylko po to, żeby bandyta odczuł ból w ramach kary, albo żeby bólem zmusić go do wyjawienia prawdy. Tamci robią to dla pieniędzy, my nie. Wiem, że tego gościa leję po to, żeby on zapamiętał i więcej babci nie napadał, i po to, żeby mi powiedział, gdzie są pieniądze, które tej babci zabrał, i wtedy ja te pieniądze będę mógł babci oddać. Bo dla niej to, że dostała w oko, to jedno, ale gorzej, że jej zbój zabrał osiemset złotych renty, a ona za te osiemset złotych musi cały miesiąc przeżyć, i to dla niej jest rozpacz. Jeżeli jej te pieniądze oddam, to babcia będzie przeszczęśliwa. I przyniesie mi później taką zwykłą gorzką wedlowską czekoladę, którą sama sobie kupuje jedną na dwa miesiące, bo jej na więcej nie stać. Ale mnie taką czekoladę przyniesie i powiem ci, że taka czekolada od babci jest lepszą nagrodą niż trzy tysiące od komendanta stołecznego.

Są metody, które potępiasz?

Swego czasu pojawił się waterboarding. Zrobił się chwilowo modny i byli tacy, którzy go próbowali. Ja to oceniam bardzo źle.

Dlaczego?

Nie mam zaufania do tej metody. Wydaje mi się, że może być sytuacja, kiedy ktoś się zakrztusi, nie będziemy w stanie na czas udzielić mu pomocy i zejdzie albo wpadnie w śpiączkę. Rozumiem: sprawić człowiekowi ból po to, żeby się przyznał. Albo sprawić człowiekowi ból w ramach kary. Ale zabić go w ramach kary? Nawet jeżeli on jest zabójcą, to ja nie jestem od wymierzania takiej sprawiedliwości. Jeśli chce zabić kogoś innego i muszę dokonać wyboru:

albo ja zabiję jego, albo on zabije kogoś, wtedy mogę zdecydować się na pociągnięcie za spust i pozostawienie reszty Bogu. Bo Pan Bóg kule nosi. Owszem, ja mierzę, ja strzelam, ale zdarzają się wypadki, że człowiek dostaje centralnie w turban i przeżywa. Są zbóje, co dostały po dwie kule w głowę, i żyją, a są ludzie, którzy dostali jedną kulkę w udo i zmarli na miejscu, zanim karetka przyjechała. My mamy pewne granice, przestępcy nie. U nich często zdarza się, że troszkę przesadzą. Nakręcają się tym, co robią. U nas czegoś takiego nie ma. Policjanci wręcz raczej się studzą nawzajem, żeby jeden nie przesadził, drugiemu kłopotów nie narobił.

A zdarza się, że przyznał się ktoś niewinny pod wpływem bicia?

Zdarza się. Widzisz, to są przykre sytuacje, kiedy się okaże, że napierdalałeś niewinnego. Czasami były zbiegi okoliczności, w których musiałem powiedzieć facetowi „przepraszam". Powiedziałem mu, że liczę, że nie będzie składał skargi, bo działałem w dobrej wierze i byłem przekonany, że mam do czynienia ze sprawcą. Facet miał do mnie pretensje, ale przyjął przeprosiny i nie złożył skargi. A dwa dni po zwolnieniu przyszedł tylko i wyłącznie po to, żeby mi przywieźć dużego pięciolitrowego kega niemieckiego piwa i wódkę Absolut.

**To ci jeszcze wódkę przywiózł za to, że go na-
pierdalałeś?**

Ja go napierdalałem najmniej, bo byłem młody.
Praktycznie czterdzieści osiem godzin chłop przesie-
dział i całe te czterdzieści osiem godzin ktoś go męczył, napierdalał i tak dalej. A jako że tyle wytrzymał i inne dowody nie potwierdzały jego udziału
w zdarzeniach, stwierdziliśmy, że faktycznie może
jest niewinny. No i oczywiście na mnie jako młodego zrzucili: „Dobra, to jeszcze go tam trochę po-
męcz, pogadaj z nim, a jak się nie przyzna, to go
zwolnij". A że byłem tym, który go zwalniał i niby
mu uwierzył, to chłop mi przywiózł takie prezenty.
To był pierwszy tydzień mojej pracy w kryminalnym. Byłem przekonany, że to nie on, a dynamiczne
rozpytania również wykazały, że jest niewinny, bo
przy takich akcjach już dawno by się poddał. No
i za to, że chłopa zwolniłem, czyli wykonałem swoje
ustawowe czynności, dwa dni później do mnie przyleciał, wdzięczny, że go uratowałem, bo był pewien,
że tamci by go zajebali.

**Czym tłumaczysz przechodzenie policjantów
na stronę bandziorów? Chwilą zapomnienia?**

Nie ma zapomnienia. Ktoś się rodzi bandytą,
ktoś się rodzi policjantem, ktoś się rodzi księdzem,

a ktoś kurwą. Jak powiedzieli w jednym filmie: ma to dobre strony, bo można się poznać. Słuchaj, są ludzie, którzy pracują w policji, a mogliby być bandytami. Tak naprawdę można powiedzieć, że są bandytami, ale pracują w policji i powstrzymują się od robienia bardzo złych rzeczy lub nie dają się złapać. Tylko taka jest różnica. Oni nie są prawdziwymi policjantami. Prawdziwy policjant nie bierze w łapę. Są ludzie, którzy przychodzą do policji tylko po to, żeby brać w łapę, żeby okradać ludzi z depozytów, nadzorować handel narkotykami pod płaszczykiem policjanta, czyli bezkarnie. Są też tacy, którzy stoją na rozdrożu. Taki facet idzie do policji, bo nie boi się dostać wpierdol i nie boi się spuścić wpierdol komuś. Jest twardym facetem, ale zostając policjantem, jeszcze nie wie, czy jest facetem szanującym prawo czy zbójem. Gość wstępuje do policji, widzi, że policjant ma gówno i jest tak i tak. Potem poznaje rabusiów, u których jest tak i tak. Więc wybiera drogę do rabusiów. Jest policjantem, a zbójom to potrzebne, bo chcą mieć w grupie kogoś, kto pracuje w policji. Moim zdaniem, jak ktoś ma zakodowane, że chce być uczciwym człowiekiem, bo naoglądał się *Czterech pancernych*, *Bolka i Lolka*, *Zorro* i ma wykreowany wzorzec pozytywnego bohatera, który owszem, może być brutalny, ale ma swoje zasady, zgodne z przyjętymi normami, to taki człowiek może przejść na drugą stronę tylko w kilku sytuacjach. Na przykład, kiedy ktoś go zaszczuje, doprowadzi do takiego momentu, kiedy nie ma wyjścia. Ja sam bardzo łatwo mógłbym przejść na drugą stronę. Nie żeby współpracować z bandytami, ale mógłbym stać się zabójcą. Bez najmniejszego problemu. Wystarczy, że ktoś zagroziłby mojej rodzinie i chciałby zrobić jej krzywdę. Gwarantuję ci, że już nie będę policjantem. Stanę się wtedy po prostu myśliwym, który będzie polował i odpierdalał ich po kolei. Myślałem o tym bardzo wiele i dla bezpieczeństwa swojej rodziny jestem w stanie zaryzykować odsiadkę albo życie, żeby tylko mieć pewność, że ktoś, kto jest dla mnie najważniejszy na świecie, będzie bezpieczny. Nie zawaham się pozamiatać wszystkich, którzy mogą im zagrozić. Wiesz, Patryk, w jakiej byłem sytuacji, więc dużo myślałem, czy czasem nie przyszedł taki czas, że dla bezpieczeństwa własnej rodziny muszę podjąć decyzję, że ktoś zniknie z powierzchni ziemi. Dużo myślałem, ale to nie był jeszcze moment, w którym zagrożenie było stuprocentowe. Uważam, że mój syn nie czułby się z tego powodu szczęśliwy, ale życie beze mnie byłoby dla niego lepsze niż utrata życia w wieku czternastu lat. Albo przeżycie koszmaru, bo go porwą i zrobią mu krzywdę. Dużo lepiej jest stracić ojca na jakiś czas albo w ogóle, ale tego czegoś nie przeżyć. Nie pozwoliłbym zrobić krzywdy swojemu dziecku. Żonie też nie – żmija z niej straszna, ale tyle lat ze mną wytrzymała, wspierała w takich sytuacjach, że zasługuje na to, by żyć i żebym ja jej to życie zapewnił. Ale powiem ci szczerze: potrzebowałem dwudziestu lat służby, żeby dojść do tych wniosków.

STRZEC BEZPIECZEŃSTWA PAŃSTWA I JEGO OBYWATELI, NAWET Z NARAŻENIEM ŻYCIA

Jak się dla ciebie zaczęła sprawa z grupą mokotowską?

Nadkomisarz Marek Tupalski, Wydział Kryminalny: Na Mokotowie były wymuszenia haraczy. Praktycznie cały czas – bardzo duża, ciemna liczba. Doszło przez ten rozkwit do takiej przestępczości zorganizowanej, że ludzie wiedzieli, że gdziekolwiek otworzą jakąś działalność gospodarczą, muszą płacić. Nie ma opcji, żeby nie płacić. Byli jacyś tam uparci oportuniści, którzy twierdzili, że jest policja, jest demokracja i bandyta nie będzie ich zmuszał. Ale ogólnie rzecz biorąc, stanowili mniejszość. Powiedziałbym: nikczemną mniejszość. Ludzie wychodzili z założenia, że policja jest skorumpowana, bandyci są wszechmocni. A jeśli nawet nie policja, to sądy i prokuratura są skorumpowane. I w praktyce zgłaszanie sprawy na policję nic nie da, bo policja nie ma środków, bo prawo jest złe, bo nie mają samochodów, broni. A nawet jak się znajdzie jakiś mądry policjant, to albo go przekupią, albo prokurator weźmie w łapę, więc ludzie wychodzili z założenia, że trzeba płacić i nie ma sensu zgłaszać tego na policję. Ci, którzy byli w stanie płacić, płacili. Ci, którzy nie dawali rady, musieli zrezygnować z interesu. Historia zawsze była taka sama. Przychodziły jakieś zbóje i mówiły, kto tu rządzi. Na początku oni się nie bali niczego. Przychodzili centralnie w biały dzień i mówili: „Słuchaj, masz płacić tyle i tyle, kurwa, haraczu i tyle wpisowego. Powiedzmy na początek tysiąc papiera. A później po dwieście papierów miesięcznie. Bo jak nie, to ci, kurwa, spalimy ten bałagan albo połamiemy nogi, i tyle. Masz dwa tygodnie na zebranie kasy". I wychodzili, a za jakiś czas się odzywali. Mówili: „Przyjdziemy we wtorek", a we wtorek nie przychodzili i odzywali się na przykład w sobotę. Telefonicznie się dogadywali i przysyłali jakiegoś leszcza po hajs. Jak byli pewni, że wszystko jest okej, to wpadali sami. Jeśli mieli wątpliwości, wysyłali bezdomnego, który przychodził tylko odebrać kasę. I zostawiali numer telefonu do kontaktu, w razie jakby coś się działo. Ale jak coś było nie tak i właściciel prosił o interwencję, to nikt od gangsterów się więcej nie pojawiał i słuch o nich ginął. Jak nie zapłaciłeś, wpuszczali ci do lokalu kwas masłowy, który strasznie śmierdzi i praktycznie dopóki nie wywietrzeje, nie jesteś w stanie prowadzić działalności. Albo petardę wrzucali – jak jebnęło, to wszystkie szyby poszły. W pewnym momencie zaczęli masowo podpalać kioski i lokale. Niektóre parokrotnie – ktoś wyremontował i znowu podpalali. I powiem ci szczerze, zaczęło mnie to wkurwiać – to jedna rzecz. Druga to, że do niektórych lokali sami sobie wpadaliśmy i one miały być nietykalne. A któregoś razu ruszyli jakiś lokal, do którego widzieli, że bardzo dużo policjantów chodzi.

Ten kebab?

Inny. I powiem ci szczerze, wtedy mnie wkurwili. A najbardziej tym, że zaczęli chodzić po stoiskach, takich dzikich targowiskach przy metrze, i na przykład od babci, która sprzedaje rzodkiewkę z własnego ogródka albo sznurowadła, krzyczeli po sto dolarów. Babina sprzedawała, żeby sobie dorobić do renty, bo ledwie koniec z końcem wiązała. I szału dostałem, jak się okazało, że kiedy nie mogła płacić beki, bo ta beka była wyższa niż jej miesięczny zarobek, to normalnie w biały dzień wyjebali jej z kopa całe stoisko i powiedzieli, że ma wypierdalać. Na oczach wszystkich z bazaru. Rozumiesz? Jak mi ludzie o tym powiedzieli, to dostałem piany. A wcześniej, jak jakiegoś gnoja z mokotowskich mieliśmy za drobne przestępstwo, to mówiłem: „Przekaż temu i temu, że jak, kurwa, się nie uspokoją z tymi haraczami, to kamień na kamieniu im z chałupy nie zostanie. To jest ostrzeżenie". Nic to nie dało. Wiedziałem, że po haracze chodzi Lepa, Jogi, Arczi, wiedziałem, że może chodzić Oskar Z. Ale wiedziałem też, że nad nimi wszystkimi stał Dax. To była dużo groźniejsza i bardziej znana figura w gangu mokotowskim.

Dax przez x czy ks?

Oglądałeś *Krwawy sport*? Film z Jean-Claude'em Van Dammem.

No.

Tam był Dux. Główny bohater nazywał się Frank Dux. A temu dali ksywę Dax. Nie wiem, czy on sam ją sobie wymyślił, czy dostał. Tamtego bohatera pisało się Dux. Gangster Dax miał opinię człowieka niebezpiecznego, bezwzględnego, pojeba, który jak wisisz pięćdziesiąt złotych, to w biały dzień na oczach dzielnicowego jest w stanie obrzucić ci dom granatami. Mówili, że to bezwzględne zwierzę, strasznie brzydki, wstrętny postrach Mokotowa, masakra. Lepa, Oskar i Jogi dla mnie nie byli nie-bezpieczni, bo znałem ich z czasów, kiedy wyry-wali babciom torebki i byli takimi zwykłymi rze-zimieszkami, leszczami. Teraz latali dla Daxa, ale Dax poszedł siedzieć.

Za co?

Za wymuszenie haraczu. Tylko że wtedy już ro-bił wymuszenia na dużych firmach, które miały po-ważne obroty. Przychodził do właściciela i mówił: „Słuchaj, ty jesteś w tej chwili naliczony na przykład na sto tysięcy papierów". Rozumiesz? Jednorazowo taki strzał. Jesteś naliczony, i już. A jak nie, to je-dziem z tobą. I Dax z jeszcze jednym gościem zo-stali zatrzymani i aresztowani na takim poważnym haraczu przez CBŚ, więc pojechałem do CBŚ-u. Tam był taki gość (nazywał się Winiarek), co się zajmo-wał mokotowskimi. Mówię mu:

– Słuchaj, mamy na Mokotowie dużo wymuszeń haraczy, chciałbym z tym coś zrobić. Słyszałem, że to robi Lepa, Arczi, Oskar, Jogi, Molek, taka ekipa, ale wiem, że robiliście Daxa. Powiem tak: przy-puszczam, że macie jakąś większą wiedzę, a zwy-kłe wymuszenia ze sklepów to pewnie nie wasz poziom. Więc jak byście mi pomogli i powiedzieli, od czego zacząć, komu siąść na garb, to mam dla was taką propozycję: wiem, w której siłowni trenuje

Piotr B., pseudonim Paluch, taki dość wysoki facet, bandyta, i trenuje tam Wojtek S., pseudonim Szela, i jeszcze paru gangsterów. Powiem wam, gdzie trenują i jakimi samochodami jeżdżą. Powiem więcej: jestem w stanie zorganizować wam dostęp do kluczyków od ich samochodów na godzinę i gwarancję, że oni do tych samochodów nie podejdą i nie będą ich widzieli.

– Jak to? – pyta.

– Słuchaj, znam właścicielkę fitness clubu, w którym trenują, na tym klubie ktoś chciał wymusić haracz, w związku z powyższym właścicielka z nami po cichu współpracuje. Oni tam przychodzą. Cały zespół jest fajny, chętnie z nami współpracuje, mają tam szafki zamykane na kod. Wchodzisz i dostajesz taki magnetyczny pstryczek do szafki jak na basenie. Bandyci te kluczki i telefony zostawiają w szafkach, jak idą pakować. I ja mogę mieć taki magiczny przycisk do ich szafki. Będziesz mógł sobie spisać wszystkie telefony, IMEI, wszystko. Mało tego, będziesz mieć kluczyki od samochodu, możesz otworzyć ten samochód, założyć mu GPS-a, przeszukać, założyć podsłuch, zamknąć ten samochód, a gwarantuję ci, że nie wyjdą z siłowni, bo wtedy będą mieli trening z moim trenerem. A jakby chcieli gdziekolwiek wychodzić, to po pierwsze on ich zatrzyma, a po drugie da znać, że chcą wychodzić. Pasuje wam taki układ?

Na to on do mnie tak:

– Słuchaj, ten Paluch to nas nie interesuje. Nie takie drobne sprawy.

– Słuchajcie, to jest facet, który zapierdala narkotykami na kilogramy. On jest zarejestrowany przez CBŚ w Krakowie, odpierdala międzypaństwowy handel bronią.

– Nie, nie, nie. Ten temat nas nie interesuje. Natomiast powiem ci tak: zdradzę ci tajemnicę. Ale czy w ogóle twój naczelnik wie, że tu jesteś?

– No tak. A czemu pytasz?

– Bo wiesz, muszę sporządzić notatkę z tego, że tu jesteś i ze mną rozmawiasz. Wiesz o tym?

– No dobra, sporządzaj, nie mam nic do ukrycia, Boże święty, co, nie wolno mi tu być?

– Wiesz, u nas to nie jest tak jak u was. My tu musimy dbać, żeby nic nie wyciekało. Ja ci powiem tak: zdradzę ci tajemnicę. Coś ci pokażę.

Otwiera komputer i coś pisze. Wyskakuje zdjęcie Arcziego. A pod nim jakiś tam Adam W.

– Co? – pytam.

– No – on mi na to. – Arczi ma legalnie wydane prawo jazdy na nazwisko W.

Pokazuje drugą osobę. Patrzę: zdjęcie Lepy.

– To Lepa – mówię.

– A popatrz, co napisane: Jarosław N.

On też ma legalnie wydane prawo jazdy na takie nazwisko.

– Słuchaj – mówi mi dalej – o tym wiesz tylko ty i my. Jeżeli to się rozniesie, będę wiedział, kto to sprzedał. Daję ci tę informację, bo ci zaufałem, chłopaku. I mam do ciebie tylko jedną prośbę: jeżeli złapiesz jednego albo drugiego, to ja tu na biurku mam taki magiczny telefon. Jak mi podasz numer budki telefonicznej, z której dzwoniono po haracz, to ja ci powiem, kto dzwonił w sprawie tego haraczu. A jakbyś miał bliżej do pracy do CBŚ-u, to jestem w stanie ci to załatwić.

Wychodzimy z CBŚ-u ze spotkania, wracamy do komendy, wrzucam sobie wyszukiwanie Lepy w systemie i wyskakuje mi centralnie Jarosław N. Okazuje się, że dostęp do tych danych mają nawet załogi patrolowe. Każdy policjant w kraju. Czyli do tajemnicy, o której wiem tylko ja i CBŚ, ma dostęp każdy policjant, nawet z patrolówki. Gość po prostu potraktował nas jak chłopców i zrobił sobie z nas jaja. Albo był pierdolnięty, o czym nie wiedzieliśmy. Krew mnie zalała, wkurwili mnie do tego stopnia, że się zapiąłem i powiedziałem tak: po pierwsze to ja ich, kurwa, połapię, a po drugie zrobię to tak, że zagram temu Winiarkowi na nosie. Wiedziałem, że oni mają dostęp do wszystkich porejestrowanych bandziorów, więc postanowiłem prowadzić rozpracowanie przeciwko konkretnym osobom w taki sposób, że żaden z figurantów nie był zarejestrowany. Materiały rozpracowania prowadziłem więc w takim

stanie, że był tam groch z kapustą, czyli ja wiedziałem wszystko, ale każdy, kto przyszedł i popatrzył w materiały, nie domyślał się niczego. A wiesz,
w którym momencie pojawiały się dane figuranta?

Przy zatrzymaniu?

Właśnie. Jak czarni mu pukali w drzwi. Zawsze
robiłem to tak, że nigdy do końca nie było wiadomo,
nad kim pracuję. Większość spraw, które później
przynosiły mi jakieś sukcesy, to były sprawy na jakimś patencie, który wymyśliłem. Z mokotowskimi
za każdym razem było tak, że oni przychodzili wymuszać haracz tylko za pierwszym razem, a jak ktoś
składał zawiadomienie u nas w komendzie, to już
więcej się nie zjawiali. Albo dzwonili nie wiadomo
kiedy, albo się nie odzywali i nagle rozpierdalali
szyby, podpalali lokal, tak jakby ten lokal był pod
ich obserwacją. Nie wiedzieliśmy, kto obserwuje,
kiedy i jak. Robiliśmy kilkakrotnie różnego rodzaju
zasadzki. Na przykład w kebabie u Maho. Zacząłem
wykorzystywać sprzęt techniki operacyjnej, żeby
to miało ręce i nogi. Wypożyczyłem z Wydziału
Techniki Operacyjnej radiomagnetofon, zwykły jam-
nik, kaseciak, w którym zamiast jednej z diod była
ukryta kamerka. Nagrywała jednocześnie obraz
i dźwięk. Do tego w zestawie była walizka, która
bezprzewodowo łączyła się z tym magnetofonem

i przekazywała obraz z kamery w diodzie. Śmieszna sytuacja się zdarzyła, gdy musiałem to kiedyś odebrać wieczorem, żeby mieć na obserwację od rana. Na Żoliborzu wziąłem magnetofon z kamerą od chłopaków, pojechałem do domu do Radości, a na drugi dzień miała być zasadzka. W domu pokazałem dla jaj jamnika Ance.

– Popatrz, jakie cudo. Tu stawiasz, tu patrzysz, cud techniki – mówię jej.

Anka popatrzyła. No, fajnie, tu się włącza, tu wyłącza. Fajnie, fajnie. Nawet nie przypuszczałem, że to się przyda. Akurat mieszkaliśmy w Radości, a teściowie budowali tu dom. Wpadliśmy tam na chwilę pokazać moim rodzicom, jak idą postępy na budowie. A gość, który budował dom dla teściów, jak nas zobaczył, mówi:

– O, skoro jesteście, a już mury stoją, to napijmy się pod te mury.

Kurwa, jak się zrobiliśmy z moim starym... W domu nie było ogrzewania, bo to były same ściany, więc na środku stał piecyk gazowy, a na nim szklanka. Majster polewał po pół szklanki, a wódka stała cały czas na gorącym piecyku, a w dodatku facet dwa razy latał po flaszki. Czyli opierdoliliśmy we czterech ponad dwa litry w bardzo krótkim czasie. Gość już wcześniej pił, więc przy nas praktycznie nie zamaczał ust. Człowieku, ja się nakurwiłem jak szpadel. Po prostu jak szpadel. Nawet nie wiedziałem, że moja żona i matka na plecach ciągnęły mojego ojca do domu. Całe szczęście nie było daleko. Ja w tym czasie zostałem, bo żona gościa, który budował, wypiła jeden kieliszek i powiedziała, że nie może już prowadzić, a że ja jestem policjant, to żebym jej samochód podprowadził pod dom. Nie było daleko, ze dwa kilometry. Najebany jak szpadel, ale wsiadłem do tego samochodu. Nawet nie pamiętam, że jechałem. Wsiadłem podobno i jeszcze mnie kobieta chwaliła, że lepiej zaparkowałem po pijanemu niż ona na trzeźwo. A później przez te pół Radości najebany jak bąk wróciłem do domu. Tak byłem naprany, że podobno całą noc latałem między łóżkiem a łazienką, rzygałem do wanny, cudowałem, mniejsza o to. Rano budzę się z takim kacem, podnoszę się z łóżka, otwieram oczy, patrzę: ósma trzydzieści. A ja miałem od siódmej być w robocie. Zasadzka na kebab. Ja pierdolę. Kurwa mać. Wstałem, ale jeszcze napierdolony, człowieku, masakra, co tu, kurwa, robić?

– Ja pierdolę, Anka, Anka! – wrzeszczę. – Ania! Anka przychodzi i pyta:

– Co ty, ochlaptusie?

– Ja pierdolę, Ania, dawaj, kurwa, wieź mnie do roboty, ja muszę, ja pierdolę, spóźniłem się na zasadzkę, muszę chłopakom sprzęt zawieźć...

– Śpij, dziecko, sprzęt już dawno zawieziony, ja im nawet pokazałam, jak to się obsługuje.

Rozumiesz? Ona wiedziała, że mam rano zasadzkę, ja leżałem najebany jak szpadel, chłopaki
pewnie dzwonili na mój telefon: gdzie jestem i tak
dalej, co ze sprzętem, a ona powiedziała, że już
jedzie. Zajechała i mało tego: wytłumaczyła im,
jak się ten sprzęt obsługuje. Bo ja jej dzień wcześniej pokazywałem. Nie było trudno obsługiwać ten
sprzęt, bo tu trzeba włączyć, tam wyłączyć, mniejsza o to. Ale ogólnie rzecz biorąc, dała radę, stanęła
na wysokości zadania. Tak że cała zasadzka wyszła.
Jedyne co, to, że nie było jednego człowieka na zasadzce, ale z tym to sobie dali radę. Inną kwestią
śmieszną było to, że na drugi dzień, jak już prze-
trzeźwiałem, to siedziałem sobie z ćwiartką i z tą
walizeczką na zapleczu, a tam, gdzie była sala do
obsługi ludzi, żeby nic się nie rzucało, stał tylko
magnetofon i nie było policjantów, sami klienci.
W pewnym momencie zaczęła nam padać stacja
i przyjechał policjant, taki młody, podać nam ba-
terie do krótkofalówki. Podszedł do właściciela kebabu, który wiedział, że jeden ze sprawców jest
rudy, mniej więcej wygląda tak i tak, tyle i tyle ma
wzrostu. Nie widział wcześniej zbója na oczy, bo
to pracownicy mu przekazali, że przyszli po haracz,
jak go nie było. No i Turek strasznie był napięty
na tych od haraczu. I powiedział (on tak śmiesznie opowiadał, po polsku mówił, ale z akcentem):
„Jak oni do mnie przyjdą, ja obetnę nożem chuj

i wsadzę w usta". Buńczuczny był. Więc siedzimy sobie na zapleczu, Turek przy kasie i widzę, że ten rudy chłopaczek od nas idzie, podchodzi do Maho, właściciela, i coś zaczyna mu szeptać. A Maho się przygląda i krew go zalewa. Widać było, jak momentalnie mu skoczył gul. Nagle sięga pod ladę po nóż, taki zajebany nóż do kebabu, odwraca się, patrzy na frytki w oleju i bierze ten koszyk z frytkami. Jak to zobaczyłem, myślę sobie: o, ja pierdolę. Uchylam drzwi, mówię:

– Maho, zostaw go!

Turek się odwraca, a ja powtarzam:

– Zostaw, to policjant.

– O Jezu, Jezu, sorry, sorry. – Odłożył frytki i nóż.

Wpuścił młodego do środka. On wchodzi: siema, siema, tego, tamtego. Na co ja:

– Zdajesz sobie sprawę, że jeszcze trochę, a miałbyś obcięty łeb i byłbyś poparzony olejem z frytek?

– Jak to? – pyta młody.

– Coś ty powiedział temu Turkowi?

– No nic, podszedłem i mówię, że coś miałem przekazać chłopakom na zapleczu.

– A on widocznie zrozumiał, że tobie ma coś przekazać.

Zawołałem Maho i mówię:

– Co ty chciałeś zrobić?

– Ja myślałem, że to ten bandyta, ja chciałem go jebnąć frytkami i obciąć mu łeb. Nie wiedziałem, że to jest policjant. Ja bardzo przepraszam, zapraszam do mnie na obiad, chodź na kebaba.

Maho zrozumiał tylko, że ktoś przyszedł, że jest od chłopaków, że przyszedł po coś i chce to odebrać na zapleczu. Ten młody podszedł i tak konspiracyjnie mówił, że mu do ucha bełkotał. Te wszystkie zasadzki nie wychodziły, ogólnie rzecz biorąc.

Dlaczego?

Później okazało się, że mokotowscy mają tak wszystko pochwytane, że nawet leszcze bezdomni, żuliki spod sklepu, co chlają piwo, przynoszą im informacje. I powiem ci tak: w pewnym momencie wpadłem na lepszy pomysł. Jeżeli oni chodzą po wszystkich nowo powstałych miejscach, to znaczy, że pan Marek musi wydrukować tysiąc wizytówek, pojeździć po wszystkich takich miejscach i wszędzie dotrzeć do właścicieli – nie do pracowników, tylko do samych właścicieli – i powiedzieć krótko: „Gdyby ktoś przyszedł po haracz, proszę do mnie dzwonić. Nie na policję, nie do firmy ochroniarskiej, tylko bezpośrednio do mnie na komórkę". Wymyśliłem sobie taki patent, że nie umawiamy się w komendzie, bo może być tak, że zbóje przychodzą po haracz, a później zostawiają jakichś frajerów, którzy obserwują i jak widzą, że właściciel jedzie na komendę, to dają mokotowskim cynę i haracz jest spalony. Dlatego mówiłem im, że gdyby ktoś przyszedł po haracz, to mają dzwonić bezpośrednio do mnie, umawiamy się na mieście w jakiejś restauracji, nie tego samego dnia, tylko następnego, a w nocy, gdzieś koło trzeciej, czwartej nad ranem, po cichu w lokalu zakładam technikę, ukryte kamery, ukryte mikrofony, tak żeby nikt oprócz właściciela i mnie o tym nie wiedział. I jak zacząłem jeździć po tych różnych punktach, działy się dziwne rzeczy.

Do jednego lokalu przychodzę, nie zastałem właściciela, gadałem z pracownikiem, powiedziałem tylko, że gdyby ktoś dzwonił w sprawie haraczu, proszę przekazać właścicielowi, żeby się ze mną skontaktował. Następnego dnia dzwoni jakiś typ:

– Siemasz. Słuchaj, byłeś tam u mnie w takim zakładzie fryzjerskim, tam i tam, i zostawiałeś jakieś namiary.

– Wiesz – mówię – w sytuacji, jakby tam przyszły jakieś chłopaki z Mokotowa na przykład i złożyły jakąś tam propozycję nie do odrzucenia, to chciałbym się spotkać i pogadać co i jak i tak dalej.

– Aha, aha, aha. No dobra. No wiesz, ja wyjechany jestem teraz, ale jak będę z powrotem, to byśmy się złapali i byśmy pogadali. A ty skąd jesteś w ogóle?

– No, z Mokotowa jestem.

Wiesz, ja, mówiąc, że jestem z Mokotowa, miałem na myśli, że z komendy z Mokotowa.

– Ale skąd z Mokotowa? Od kogo? – pyta tamten.

– Jak to: od kogo?

– No, od kogo z Mokotowa? Skąd z tego Mokotowa?

– No, jak skąd? No, kurwa, z Malczewskiego. Z Malczewskiego z kryminalnego.

I nagle cisza w telefonie.

– Dobra, to nara. – I rozłącza się.

W tym momencie zrozumiałem.

Że dzwonił ktoś z tej grupy?

Skończyły mi się wizytówki, więc zostawiłem karteczkę i powiedziałem, żeby właściciel w sprawie haraczy się ze mną skontaktował, więc właściciel przekazał mój numer gościom z grupy, którym płacił haracz. Później, jak już poznałem mechanizm, wiedziałem, że u nich jest normalne, że na przykład do jednego salonu przychodzą różni goście trzy, cztery razy, bo nie wiedzą, że już ktoś z tego miejsca bierze.

Aspirant sztabowy Roman Murzyło, Wydział Dochodzeniowo-Śledczy: Jak potem mieliśmy założony podsłuch na telefonie jednego z tych gości, usłyszałem pewną rozmowę, ale do tego dojdziemy. Wówczas się zorientowałem, że do Marka dzwonił gangster, który brał haracz z pewnego lokalu. Myślał, że Marek też jest gangsterem, i chciał wybadać

76

kto to. Rozmawiał grzecznie, bo nie wiedział, z kim z grupy przestępczej gada. Jak usłyszał, że Marek jest z kryminalnego, momentalnie telefon poszedł do kosza – i karta, i aparat. Więcej nigdy nie był aktywny.

Nadkomisarz Marek Tupalski, Wydział Kryminalny: Innym razem udało mi się trafić w miejsce, gdzie pewna kobieta powiedziała:

– Słuchajcie, spóźniliście się naprawdę niewiele. Byli w moim zakładzie fryzjerskim, szczerze mówiąc, nie chciałam im płacić, ale nie liczyłam na to, że policja w jakikolwiek sposób mi pomoże, tym bardziej że mąż skontaktował się z dzielnicowym z miejscowego komisariatu, który stwierdził, że cudów to on raczej nie stworzy w tej sytuacji. Mąż powiedział mi, że zadzwonił do kolegi, który ma inną działalność tutaj, na tym terenie, i dowiedział się, że niestety każdy musi płacić, ale kolega pogada z gościem, który od niego bierze kasę, i załatwi, żeby po prostu było taniej. Ja bym nawet wam złożyła na nich zawiadomienie, ale mój mąż wplątał już w to kolegę, który nam załatwił, że kosztuje mnie to połowę stawki, którą na początku ode mnie chcieli. Interes idzie na tyle dobrze, że jestem w stanie płacić. Denerwuje mnie to, też ich strasznie nie lubię, ale w tej sytuacji, jeżeli wam pomogę i złożę zeznania, ściągnę kłopoty na kolegę męża, a potem na siebie.

Ale możemy się umówić tak, że będę udawała przed nimi głupią i im normalnie płaciła, ale za każdym razem kiedy się u mnie pojawią i podadzą swój telefon, przekażę wam wszystko, co wiem.

I to była jedna z moich najlepszych informatorek w życiu. Zupełnie przypadkowo pozyskana i nie za kasę, bo nigdy nie wzięła za to złotówki. Chodziło jej o satysfakcję, że ich pozamiatam. Za każdym razem interesowało ją, kiedy trafią za kraty. Chciała o tym przeczytać w gazetach. Spytała, czy jeżeli mi pomoże, mogę jej zagwarantować, że ich pozamykam. Powiedziałem:

– Słuchaj, dołożę wszelkich starań.

– Nie, ja nie chcę, żebyś dołożył wszelkich starań. Nie chcę ci pomagać, a oni będą chodzić na wolności, a później się jeszcze dowiedzą, że coś masz ode mnie, i będą mi potem męża z piasku odkopywać. Nie o to mi chodzi, żebyś wykrył, kto mnie zabił. Bo będzie jasne kto, jak się dowiedzą, że ci przekazuję informacje. Chodzi o to, żebyś ich zamknął. Żebym wreszcie kiedyś miała spokój.

– Dobra – mówię – obiecuję ci to.

Dzień później ta kobieta dała mi telefon – okazało się, że do Jogiego. Jak potem ustaliłem, ten sam telefon służył Jogiemu do kontaktu z pięćdziesięcioma innymi punktami, z których brał haracze. Mało tego, on z tego telefonu kontaktował się też z innymi członkami grupy. Bo wtedy jeszcze nie było tak, że nosili jedenaście aparatów i były telefony jeden na jednego: na przykład ty znasz telefon do mnie, ja znam do ciebie, ale nie znasz już telefonu do Kazka, za to ja znam telefon do Kazka, Kazek zna telefon do mnie i wszystko jest jeden na jednego.

Aspirant sztabowy Roman Murzyło, Wydział Dochodzeniowo-Śledczy: Wtedy z podsłuchu na jednym telefonie wyszliśmy na pięćdziesiąt punktów, z których Jogi brał haracze. Byłem chyba drugą osobą w komendzie, która zakładała podsłuch. Z niego dowiadywaliśmy się na przykład, że na Bartyckiej jakiś gość, który ma zwykłe stoisko i sprzedaje żaluzje, dzwoni do Jogiego i mówi:

– Słuchaj, widziałem tutaj takie białe seicento, z CBŚ-u, baba i gość, oni się tu kręcą, tak że uważajcie, bo ja ich widziałem na CBŚ-u.

Jakiś stojak, menel spod sklepu, dzwoni i mówi:

– Słuchaj, byliście może w tym sklepie mięsnym po bekę? To już tam nie idźcie, bo tu psy były, widzieliśmy dzisiaj.

– Aha, no, dobra, dobra, Stasiu, dzięki.

Nadkomisarz Marek Tupalski, Wydział Kryminalny: Każdy im w dupę wchodził. Wielu ludzi wychodziło z założenia, że oni są tak mocni i niebezpieczni, że lepiej znać ich jako przyjaciół niż jako wrogów. Inna baba, która płaciła im haracz, dzwoniła na telefon Jogiego i mówiła:

– Słuchaj, czy ja mogę rozmawiać z Piotrkiem, bo Piotrek do mnie tu przychodził po kasę, ale jest problem.

– Poczekaj, poczekaj, to ja ci go dam.

I daje drugiego gościa, Oskara, który mówi:

– No, co tam?

– Cześć, kochanie, ja dzwonię z Wróbla, z zakładu fryzjerskiego, z którego zbierasz bekę, słuchaj, problem mam taki: dzwonię do ciebie z budki telefonicznej, bo za moim byłym teraz chodzą, więc nie wiem, czy ja też nie mam ogona, i nie wiem, czy nie obserwują zakładu i czy mój telefon nie jest na podsłuchu. To jakbyś tam przyjeżdżał do mnie po pieniądze, to musimy się umówić przez kogoś, żeby przypału nie było, żeby nic ci się nie stało.

Niewiarygodne.

No.

Jak się w tamtych czasach zakładało podsłuch?

Aspirant sztabowy Roman Murzyło, Wydział Dochodzeniowo-Śledczy: Wtedy to był system izraelski, zgrywanie materiału mogło się odbywać nie na płyty, tylko wyłącznie na kasety magnetofonowe, mimo że muzyka z dysku CD już funkcjonowała. Technicy to z dysków optycznych zgrywali i mogli tylko na kasety. Miałem w pracy stos kaset z podsłuchów i często, wracając do domu, włączałem sobie kasetę i słuchałem. Notabene nie do końca jest to zgodne z przepisami, bo przecież to wszystko poufne. Ale wiedziałem, że trzymam wszystko przy dupie, więc trochę inaczej się do tego podchodziło. W każdym razie później tę laskę zwieźliśmy do nas na komendę, bo chcieliśmy, żeby złożyła zawiadomienie, że płaci haracz. Zarzekała się jak żaba błota. Puściłem jej to nagranie i pytam:

– A czyj to, kurwa, głos?

A ona zaczyna płakać i mówi:

– Chce mnie pan zamknąć, to niech mnie pan zamyka, a jak nie, to nie mam panu nic do powiedzenia i stąd wychodzę.

Rozumiesz? Bandyci przychodzą, zastraszają ludzi, biorą od nich pieniądze, a oni mało, że im płacą, to jeszcze pomagają.

Czym to tłumaczycie?

Nadkomisarz Marek Tupalski, Wydział Kryminalny: Syndrom sztokholmski. Jeżeli terrorysta weźmie cię na zakładnika, twoje życie jest w jego rękach i on praktycznie może zrobić z tobą wszystko, to jeżeli będzie cię choćby raz na jakiś czas normalnie traktował, to w pewnym momencie, żeby uniknąć stresu, postarasz się nawiązać z nim bliższy kontakt. Psychika ludzka jest tak skonstruowana, żeby od stresu uciekać. Mamy ogromne zdolności przystosowawcze. Dlaczego jesteśmy w stanie znieść niewolę taką, siaką i owaką. Stres najpierw cię denerwuje i próbujesz się przed nim jakoś bronić, później zaczynasz się z nim oswajać, w pewnym momencie szukasz wyjścia i dopiero jeżeli będzie jeszcze większy, mogą nastąpić reakcje obronne, które sprawią, że naprawdę masz wszystko w dupie. Nawet swoje życie. Albo ty zabijesz drania, albo on ciebie. To, na co patrzyłem, to moim zdaniem typowy przykład syndromu sztokholmskiego. Niektórzy, wiedząc, że i tak będą musieli płacić haracz, woleli iść pierwsi do bandytów i powiedzieć: „Słuchajcie, chcę otworzyć tutaj takie i takie punkty i wiadomo, że będę musiał wam płacić bekę, więc przyszedłem sam, za to pozwólcie mi płacić mniej na lepszych warunkach". Grupa mokotowska już dawno jest pozamiatana. W dzisiejszych czasach nikt nie płaci haraczu, bo to idiotyczne, może tylko agencje towarzyskie. Ale wyobraź sobie, że są tacy, którzy mają zwykły sklepik, prowadzą go od piętnastu lat i tak się przyzwyczaili, że trzeba płacić bandytom, że jak przychodzą do nich po zakupy jakieś chłopaki, które kiedyś bandytom kanapki nosiły, to właściciele proponują: „Ty, słuchaj, ten siedzi, ten siedzi, to kto teraz będzie bekę zbierał, co? Może ty byś zbierał?". Sami tę kasę dają. Lepa siedział siedem lat, wyszedł, a jeden gość go zobaczył na ulicy, podleciał i mówi: „Dla ciebie jest odłożone. Rozumiesz, dla ciebie za te siedem lat jest odłożone". Są tacy idioci. Myślą, że jak będą trzymać z gangsterką i dla gangsterki będą fair, to wtedy są nietykalni. A później jest zdziwienie. Przykład dziewczyn z agencji towarzyskiej. Przychodziły chłopaki po haracz, laski im płaciły. W pewnym momencie wpadają do agencji towarzyskiej jacyś Czeczeńcy i mówią: „Od dzisiaj płacicie nam". Zabrali, ile pieniędzy było w agencji, i powiedzieli, że za miesiąc przychodzą po następną ratę. Do widzenia. No to laski do mokotowskich:

– Ty, kurwa, tacy i tacy byli.

Miesiąc mija, dziwki dzwonią do mokotowskich:

– No, co tam? Bo oni wydzwaniają, że przyjdą po pieniądze.

– Wiesz, my nad tym pracujemy.

– Ale jak to: pracujecie?

Aż w końcu usłyszały od Oskara wprost:

– Teraz jest inaczej, kurwa, kiedyś to byśmy ich wzięli od razu do lasu wywieźli i zakopali. Ale teraz, kurwa, jak pojedziemy i weźmiemy ich za łeb, to zaraz nam się policja do dupy dobierze.

Więc laska się wkurwiła w pewnym momencie i powiedziała:

– To za chuja ci, kurwa, płacę?

A prawda była taka, że ci Czeczeńcy chcieli przejąć haracze ze wszystkich agencji. I byli na tyle bezczelni, że mokotowscy się ich wystraszyli. Arczi spotkał się z jednym z Czeczeńców i zaczął mu jechać, kim to on nie jest, żeby wypierdalał i tak dalej. A facet mu na to: „No i co z tego? Chcesz się ze mną strzelać? Chcesz się ze mną bić? Co ty chcesz mi zrobić? Czym ty mnie straszysz? A kim jest grupa mokotowska? Ja jestem z Czeczenii, rozumiesz? Ty mnie nie wystraszysz. Tyle mam ci do powiedzenia". I Arczi odszedł. Tak wyglądała rozmowa gościa z zarządu grupy mokotowskiej ze zwykłym kozojebcą. Laska z agencji towarzyskiej wkurwiła się do tego stopnia, że mało, że złożyła zawiadomienie o tym, że przyszli Czeczeńcy, to jeszcze z największą przyjemnością dołożyła, że do tej pory przez rok brali od niej kasę mokotowscy. I wskazała centralnie którzy. Powiedziała, że ich pierdoli i już się nie boi. Skoro się boją jakichś obsranych Czeczeńców, którzy całe życie ruchali kozy w górach, to co ona ma się ich bać? Świat się zmienił przez ostatnie lata, stosunki między policją, pokrzywdzonymi a przestępcami się zmieniły o sto osiemdziesiąt stopni. Przedtem na agencje było więcej napadów. Na przykład taki pojeb Fama jeździł po agencjach towarzyskich, umawiał się jako klient, a później wpadał z dwoma dupkami metodą „na policjanta", że niby są policjantami, że niby robią wjazd, dziewczyny wiązali, kuli, opierdalali agencję i tak dalej. Fama był na tyle głupi, że miał faktycznie broń palną... Był na tyle głupi, że jak CBŚ zrobiło na nich zasadzkę, to uciekł, wjechał w przystanek, starszą panią przyjął na maskę, przewiózł ją sto pięćdziesiąt metrów i uciekł. Był na tyle głupi, że jak czarni go brali, to musieli trzy tasery naraz zastosować, bo mając na sobie dwa, Fama jeszcze biegł. Dostał z dwóch taserów jednocześnie, pieścili go prądem, a on robił „aaaaa" i biegł. Jak w filmie.

W zwolnionym tempie?

Nie w zwolnionym, ale zgięło go, darł się, że go pieści, ale biegł. Wyobraź sobie taką sytuację: oni stoją pod Silver Screenem. Fama wychodzi i tylko spojrzał kątem oka, od razu mu się komplikator włączył. A jak oni do niego ruszyli i krzyknęli: „Poli...", to jego już nie było. Nie zdążyli nawet powiedzieć „... cja". On już był w biegu. A wychodził z laską z kina. Wychodzisz z lalą z kina, to o czym gadasz? O filmie, no i patrzysz na laskę, że fajne cyce, będziesz dzisiaj dymał... A on kątem oka zobaczył dwóch typów, którzy mu się nie spodobali, i od razu zrywa.

Aspirant sztabowy Roman Murzyło, Wydział Dochodzeniowo-Śledczy: Jeśli chodzi o mokotowskich,

to jak zaczęliśmy słuchać nagrań z podsłuchów, ze-
braliśmy wiedzę na temat wielu punktów, które
płacą haracz. Wiedziałem, z kim się Jogi widuje,
gdzie, jak i czym jeździ.

**Nadkomisarz Marek Tupalski, Wydział Krymi-
nalny:** Chcieliśmy go pozamiatać. Jogi był na tyle
głupi, że brał haracz z jednego solarium, ale z chci-
wości podniósł facetowi stawkę o sto procent. I gość
mu powiedział:

– Słuchaj, nie będę w stanie tyle płacić.

A płacił mu od półtora roku. Na co Jogi:

– Jak nie będziesz w stanie, to spierdalaj stąd.

Przyszedł za miesiąc i mówi:

– Ty, co ty tutaj jeszcze robisz?

– Mogę ci płacić bekę jak do tej pory – odpowiada
facet – ale interes nie idzie tak dobrze, dwa razy
tyle ci nie zapłacę, bo nie zarobię nawet na czynsz.

– To spierdalaj stąd. – I obił go po ryju. – Za tydzień cię tu nie ma, bo jak nie, to cię, kurwo, spalę
żywcem.

Gość nie wytrzymał i poszedł do terroru złożyć
zawiadomienie. I jak Jogi przyjechał za tydzień, to
terror już na niego czekał. Złapali go na gorącym
i aresztowali. Mój materiał nie poszedł na marne.
Dotarłem do innych pokrzywdzonych, którzy płacili
haracze. I wyobraź sobie, Patryk, że ja jako policjant
po dwa, trzy dni namawiałem pokrzywdzonych,

żeby złożyli zawiadomienie. Rozumiesz kuriozalność sytuacji? Policja jest po to, żeby im pomóc. Oni powinni powiedzieć: „*Hello*, policja". A tu nagle policja przychodzi:

– Proszę pana, od pana podobno biorą haracz.

– Ode mnie? W życiu.

– Człowieku, co ty mi pierdolisz? – mówię. Puszczam mu nagranie.

– No, biorą, ale ja nie mogę. Ja mam żonę, ja mam dzieci, kurwa, oni mnie zajebią.

– Człowieku, my jesteśmy z policji, nie z harcerstwa. My ich pozamiatamy. Mamy dwa wyjścia: albo ty sobie tu handlujesz, składasz nam zeznania, a ja zamiatam bandytów, albo nie składasz zeznań i dla mnie jesteś źródłem utrzymania bandytów, więc trzeba cię usunąć. Jeżeli handlujesz nielegalnie, bo handlujesz na jakimś dzikim bazarze koło metra, to ja cię, kurwa, pozamiatam. Ja cię zajebię strażą miejską, rozumiesz?

A on ma łzy w oczach, dorosły chłop mi się popłakał i mówi:

– Człowieku, ja już sobie, kurwa, grób kopałem. Rozumiesz, co to jest? Wywieźli cię kiedyś do lasu i grób sobie kopałeś?

W pewnym momencie zacząłem mieć dylemat, czy powinienem tym ludziom pomagać. Tak, jakbym ja im psuł jakiś porządek, do którego się przyzwyczaili. Więc zrobiłem inaczej.

– Ile płaciłeś miesięcznie? – pytam.

Mówi, że tyle i tyle, później tyle i tyle, a później tyle i tyle.

– Dobrze. Od kiedy tyle, od kiedy tyle, a od kiedy tyle? Dodać, dodać, dodać. Popatrz. Czym jeździsz?

Patrzy na mnie i pyta:

– Ale co to jest?

– To są pieniądze, które już im dałeś. Widzisz, ile dałeś? No, policz sobie. Sto dolarów miesięcznie od każdego stoiska, później sto pięćdziesiąt, później dwieście od każdego stoiska. Ile tych stoisk masz? Przez tyle i tyle miesięcy, weź sobie policz.

– Ja pierdolę. To ja, kurwa, w szopie mieszkam, mam samochód za dwa tysiące, nie stać mnie na remont, zapierdalam o trzeciej nad ranem z tymi jabcami, a im dałem dwieście tysięcy przez kilka lat?

– No.

– To ja im, kurwom, nie podaruję. Ale pomożecie mi w razie czego?

– Chłopie – mówię – dopóki pracuję w policji, to nie pozwolę, żeby ci włos z głowy spadł.

Zdawałem sobie sprawę z tego, jaką odpowiedzialność na łeb przyjmuję. A wtedy jeszcze nie było programów ochronnych. Ci ludzie czasami nadużywali mojej gościnności, bo kiedy na przykład mieli problemy ze strażą miejską, to po mnie dzwonili. Jak jeden został przez straż zawinięty, to z budy, z paki straży miejskiej, jak go wywozili, dzwonił:

– Marek, ratuj, porwali mnie.

Ja już w samochodzie pędzę, mówię:

– Artur, kurwa, cokolwiek widziałeś, skąd się wzięli, powiedz przynajmniej, w którym kierunku jedziesz, cokolwiek, coś, słyszysz?

Człowieku, jeszcze dziesięć minut i ja bym atakował z bronią strażników miejskich, wyciągałbym go z lodówy straży miejskiej. Bo byłem przekonany, że bandyci podjechali na stoisko, zawinęli go w jakiegoś busa i gdzieś wiozą. I dopiero jak zacząłem mu zadawać szczegółowe pytania, to wyszło. Bo najpierw:

– Jak to jest, że ty masz telefon?

– Bo jeden – on mi na to – miałem skitrany w kieszeni i nie znaleźli.

A jak zacząłem go dokładnie wypytywać, kto, co i jak, to w końcu powiedział:

– Bo to straż miejska mnie, kurwa, zawinęła.

– Ty chcesz, żebym ja odjebał strażnika miejskiego? Czy ty głupi jesteś, kurwa? Na który komisariat cię wiozą? – pytam.

Ale była też taka sytuacja, że jak facet złożył zeznanie i parę osób na jego zeznaniach się położyło, to w pewnym momencie dzwoni do mnie o pierwszej w nocy (a mieszka na jakiejś wsi zabitej dechami w okolicach Wyszkowa):

– Marek, kurwa, światło u mnie zgasło na ulicy, a widzę, że pod lasem jakiś samochód stoi.

– Dobra – mówię. – Zaraz będę działał, spokojnie, kurwa. Jakby coś się znowu działo, to dzwoń. Na drugi telefon.

Bo miałem, jak robiłem te sprawy, trzy telefony. Jak on złożył zawiadomienie i wiedziałem, że mogą się na nim próbować mścić, napisałem do miejscowości powiatowej, na której terenie on ma tę swoją wiochę, że jest taka i taka sytuacja i żeby objęli szczególnym nadzorem jego posesję. Odpisali, że ten teren nie jest objęty nawet stałym nadzorem służby patrolowej, że tam patrolówka nie jeździ. Jak ktoś zgłosi interwencję, to oni wtedy dojadą za godzinę. Ale do mojego naczelnika zadzwonił osobiście komendant z pobliskiego miasteczka i powiedział:

– Proszę pana, ja rozumiem, ja przeczytałem tutaj, wie pan, nazwiska, ksywy, ja już rozumiem, o co chodzi. Propozycja moja jest taka: funkcjonariuszowi, który prowadzi tę sprawę i ma kontakt z pokrzywdzonym, proszę przekazać telefon bezpośrednio do mnie na komórkę. Akurat w miejscowości, gdzie mieszka ten człowiek, mieszka też dwóch moich policjantów. Jeden jest dzielnicowym, ale drugi jest z kryminalnego. Obaj dostaną polecenie, że mają broń zabierać do domu i w razie czego jestem w stanie ich wydzwonić, będą szybko interweniować, zabiorą broń i kamizelki kuloodporne do domu.

I wyobraź sobie autentyczną akcję: pokrzywdzony dzwoni do mnie o pierwszej w nocy w którąś sobotę. Dostałem od komendanta z Wyszkowa pozwolenie dzwonienia o każdej porze dnia i nocy, więc dzwonię i mówię:

– Proszę pana, taka i taka sytuacja, zgasło światło na ulicy, jakiś samochód tam stoi pod lasem. Pokrzywdzony twierdzi, że coś się dzieje.

– Tak? Dobra.

Nie było w ogóle żadnej rozmowy, czy jestem pewien, czy nie jestem. Ja tylko: „Dobra, już działam". Za dosłownie trzy minuty dzwoni do mnie pokrzywdzony i mówi:

– Ty, już widzę, kurwa, że mój sąsiad z pompką w ręce i w piżamie zapierdala do nich.

Rozumiesz to? Piżama, gumiaki, pompka w ręce i zapierdala. Andrzej, ten pokrzywdzony, jak mi to później opowiadał, mówił: „Człowieku, takiego czegoś jeszcze nie widziałem". Ale lepszy widok był, jak ten samochód, co stał pod lasem, zaczął spierdalać. Nie chcieli świateł włączać, żeby się w oczy nie rzucać, i słychać było tylko, jak ruszył silnik, gość cisnął gaz i zakurwił w jakieś drzewo. Ale tylko cofnął i pojechał dalej w pizdu. Później chłopaki tam pojechali, ekipa policyjna. Okazało się, że ktoś na całej ulicy korki wyjebał. Obcięli normalnie w skrzynce kłódkę i wyłączyli światło. A rozkurwili sobie o to drzewo z pół samochodu. Coś chcieli zrobić, ale byliśmy czujni.

Miałeś po tym jakieś zatrzymania mokotowskich?

Jak Jogi został zatrzymany, to musiał być ktoś następny. A moje źródło działało. Następny po bekę zaczął przychodzić Molek. Jogiemu doklepaliśmy jeszcze pozostałe sprawy, które u nas miał.

I ile dostał?

Nie uwierzysz. W pierwszej instancji dostał maksa, dwanaście lat.

A w drugiej?

Zmniejszyli mu na dziesięć. Odsiedział osiem. Dlatego mnie tak nienawidzi. Zacząłem zbierać informacje o Molku, z Molka weszliśmy na Oskara, Lepę i Sokoła. Zaczynało się to układać, ale zrobiło się tak skomplikowane, że ciężko było to ogarniać w dwie osoby, więc wybraliśmy sobie dochodzeniowca, co do którego mieliśmy pewność, że nic nie sprzeda. Jeden z pokrzywdzonych, jak już z nami współpracował, zdecydował się, że nam wystawi centralnie Sokoła na gorącym uczynku, jak przekazuje mu haracz. Sokół umówił się w końcu na Mokotowie i przyjął od niego pieniądze. Chłopaki jednym samochodem ustawili się w ulicy Zwierzynieckiej,

ja swoją prywatną vectrą stałem od ulicy Meloma-
nów. Sokół przyszedł, pokrzywdzony miał na sobie
założony rejestrator. Mieliśmy przygotowany pakiet
banknotów studolarowych. Dopóki nie zacząłeś się
im mocno przyglądać, to się nie kapnąłeś, że to fal-
syfikaty. I Sokół wziął te pieniądze, ale zobaczył,
że jeden z chłopaków się za bardzo wychylił polo-
nezem. Zderzak samochodu z dwustu metrów do-
strzegł – zza budynku wystawała przednia lampa.

Cywilnego poloneza?

I to z boku, nie z przodu. Sokół tylko rzucił: „Co
ty, kurwa, psy na mnie nadałeś?", i już przepierdalał się przez bazar.

Z pieniędzmi?

Tak. Ja wyjeżdżam prywatną vectrą z Meloma-
nów w ulicę Nehru i akurat on przebiega – jadę,
a ten mi wbiega centralnie pod maskę. Ja już komi-
niarkę na łeb zaciągnąłem, zahamowałem, bo bym
go rozjechał. Zatrzymał się, popatrzył, jeszcze raz
spojrzał, że ja w kominiarce, zrobił kilka kroków.
Po tamtej akcji dostałem ksywę Batman. Wyobraź
sobie taką sytuację: tam był bazarek, a przy samej
ulicy płotek z druciku wyspawany. No i ja na ten
płotek wskoczyłem, wybiłem się z buta, skoczyłem

i tak z lotu ptaka Sokołowi runąłem na plecy. Z lotu ptaka go wziąłem, rzuciłem na cyce, na oczach całego bazarku na Nehru wyjąłem mu kasę z kieszeni i mówię:

– A to, kurwo, co jest? Zachciało ci się, pało, chodzić po haracze?

Ludzie wylecieli z bud, a ja celowo zrobiłem popisówę: żeby zobaczyli, że gościa, który jest postrachem całego bazaru i Mokotowa, jak szmatę traktuję. Butem stałem mu na ryju.

– Może byś zdjął tego buta z mojej gęby – mówi do mnie.

– Przestań, kurwa, nie płacz. Teraz płaczesz? Taki byłeś bohater? Pokaż, że masz jaja. Gdzie twoje jaja? Taki jesteś mocny? To wystartuj do psa. Potrafisz do ludzi z bazaru?

Człowieku, wiesz, jak to zmieniło sytuację? On co prawda miał ogromne pretensje i w komendzie musiałem mu parę garści wyjebać, bo nie chciał gadać, nie odzywał się, focha mi strzelił. Do tej pory na zdjęciach, które mam w komputerze, można zobaczyć na jego twarzy mój protektor od buta, taki ładny czerwony. Po tej akcji z ludźmi z bazaru rozmawiałem zupełnie inaczej. Kiedyś było: „Panie, ja tu nie będę rozmawiał. Panie, ja nic nie wiem. Panie, tu się dantejskie sceny dzieją". A teraz, jak wchodziłem na bazar, to z daleka: „Ooo, dzień dobry, panie komisarzu, zapraszamy. Jabłuszko, bananika? Proszę bardzo".

Ha, ha.

Poza papierem szepnęli, kto teraz przychodzi, ile bierze. Wszystko wiedziałem. Wiesz, jak moja służba wyglądała? Jedna knajpa, druga knajpa, trzecia knajpa, do południa trochę po bazarach, salon fryzjerski, siłownia, solarium. I szczerze mówiąc, tak naprawdę to można by powiedzieć, że ja byłem celebryta. Jak nie siedziałem w knajpie, nie piłem piwa, to tu zjadłem jabłko, tam mandarynkę. Poszedłem do zakładu fryzjerskiego, to mnie ostrzygli, włosy mi nażelowali, druga pani zapierdala i piłuje mi paznokietki, człowieku, miałem rączki jak miś Paddington. Normalnie jakbym się w życiu pracą nie skalał. A wiesz, co jest najśmieszniejsze?

Co?

Wynosiłem stamtąd taką rzekę informacji, że sobie tego nie wyobrażasz. Laski od fryzjera, manikiurzystki więcej wiedziały niż najlepszy policyjny informator. Na bazarze wiedziałem wszystko: kto, z kim, komu, dlaczego. Wiedziałem nawet, dlaczego jeden gangster z drugim się pokłócił. Jeden brał bekę od jednego gościa, a drugi od drugiego, tamci goście się pokłócili o miedzę, o trzy centymetry miejsca, że ten stolikiem w tę stronę, a ten w tamtą, jak

Kargul i Pawlak. No i jeden nasłał gangstera na tego drugiego, a tamten nasłał swojego i w pewnym momencie gangstery, zamiast się dogadać, zaczęły się między sobą napierdalać.

Kto to był?

Odłam czerniakowski grupy mokotowskiej. Wyjątkowa ekipa, dlatego że wszyscy się wychowywali w okolicy i znali się od takiego kajtka. Dorastali razem, kradli razem, wszystko robili razem. Pochodzili z różnych rodzin, ale byli jak bracia. Wszyscy zostali bandytami i stworzyli bardzo silną, hermetyczną grupę. Sprawiało to wrażenie, że nic – nawet baba – nie jest w stanie wbić się między nich i ich skłócić. Do tej pory nie udało się nakłonić żadnego, żeby zeznał cokolwiek przeciwko drugiemu.

Oni teraz siedzą?

Podkomisarz Paweł Wnuk, Wydział do Walki z Terrorem Kryminalnym i Zabójstw: Obecnie za napad w Wólce Kosowskiej, gdzie strzelali do ochroniarzy. Przy tej sprawie zawinęliśmy też laskę Jogiego. Swoją drogą bardzo ładna dziewczyna. Swego czasu dziwiłem się, co taki kocmołuch robi z taką panną. Była wykształcona, pracowała w jakiejś firmie. Naprawdę piękna. No i podobno czekała na niego. Nie wiem, na jakich to było zasadach: wielka miłość czy wielkie pieniądze.

Jak to jest, te laski za hajsem lecą czy chodzi o ekstremalne emocje: ktoś ją opierdoli, pobije i jest adrenalina, szeroki wachlarz doznań?

Nadkomisarz Marek Tupalski, Wydział Kryminalny: Na pewno im imponuje, że mają faceta, którego wszyscy się boją. Typowy samiec – ma siłę, ma władzę, gdzie pójdzie, tam mu się kłaniają. Mają przy nich ogromne poczucie bezpieczeństwa. Złudne, do momentu aż takim dżentelmenem zaczyna interesować się policja. Przy pierwszych zatrzymaniach te laski zwykle sadzą się do policjanta. Ale później okazuje się, że ich wielki Romeo, postrach całej Warszawy, idzie siedzieć i tak naprawdę gówno – ona zostaje sama. Gość jej nie powie, gdzie jest kasa, bo ją trzyma na coś innego, koledzy też pójdą siedzieć albo nie opiekują się nią tak, jak by sobie tego życzyła. Trzeba iść do pracy. Czasami bywa, że dziewczyna potrzebuje na coś pieniędzy i weźmie sobie forsę, którą miała gangsterowi trzymać. Była taka sytuacja z panną Lepy, która rozjebała kasę. I wyobraź sobie, że koledzy Lepy, którzy byli poszukiwani, wyłapali laskę i tak jej dojebali, że jak przyszła na komendę, to jej nie poznałem. Łeb miała jak bakłażan, cały siny, masakra. Doprowadziłem do tego, że później dostarczyłem tę pannę na sprawę w sądzie i poprosiłem sędziego, żeby w przerwie pozwolił na spotkanie z Lepą. On się z nią poprzytulał, poszeptał jej na ucho, a do mnie wyskoczył z ryjem, że honoru nie mam i babę w męskie sprawy wciągam. Liczyłem na to, że może Lepa sam nie zlecił pobicia swojej panny, że faktycznie ją kocha, ale to on kazał ją pobić. Poprosił przyjaciół, żeby ją stłukli. A że zacząłem za bardzo za tym chodzić, to się bał, że przekabacę pannę na naszą stronę. Szeptał jej, żeby nigdy pod żadnym pozorem nic nam nie mówiła, bo ją wykorzystamy i kopniemy w dupę.

Powtórzyła ci to?

Tak. Po rozmowie ze mną zaczęła się zastanawiać, czy naprawdę on nasłał bandziorów. Później poszła do pracy jako fryzjerka. A Lepa już nigdy do niej nie wrócił. Nie była ładna, dla mnie to zwykły paskud, często lale gangsterów były brzydkie jak chuj. Ale za to wierne. Wiedzieli, że mogą na nie liczyć. Taki na przykład Mikuś – miał prawie czterdzieści lat, a był z laską, która miała dziewiętnaście. Sam o niej mówił, że to zimna, wyrachowana suka. Za skarby świata nic nie powiedziała. Oni sobie wybierają takie laski, które nie dadzą się przerobić. Rzadko zdarza się, żeby któraś się

98

wysypała. Tylko Jogi miał megafajną pannę, ale ona sprawiała wrażenie strasznie zakochanej, zrobiłaby dla niego wszystko.

A jak wyglądał Jogi?

Gruby jak chuj. Nie wyglądał jak przygłup, ale był bardzo otyły. Swego czasu tak gruby, że po prostu masakra. Schudł, jak strzelali do niego w Klifie. Nie wiem, czy kojarzysz taką akcję.

Z Komandosem?

Tak. Jogi to jedyna żyjąca osoba z tej strzelaniny. Tam zginął Bergus Budyń. Trzecia osoba, która została postrzelona w rękę, to był właśnie Jogi. Po tej całej akcji strasznie schudł. Bał się, że przyjdą i go dokończą, więc cała ta sytuacja wywołała u niego straszny stres. Co prawda w pierdlu znowu przytył, ale już nie był takim spaślunem jak kiedyś. Jakby usiadł, to dźwigiem byśmy go podnosili. Był taki tłusty, że miał cztery podbródki. Wyglądał karykaturalnie. Budda przy nim był szczupły. I ta laska była z nim cały czas. Lala pierwszoligowa. W sądzie przy strażnikach rzuciła mu się na szyję i uderzyła z nim w ślinę. Zero żenady, czegokolwiek. Chodziło o to, żeby mu przekazać gryps, tylko jej się trochę wysunął. Zauważyłem to i zrobiłem aferę. Jak gangsterzy byli aresztowani do naszej sprawy i w sądzie ich przeprowadzali, to te wszystkie laski, które stały na korytarzu, wołały: „O Zdzisiu! Romku! Kocham cię! Trzymaj się! Czekam na ciebie!". Policjanci przystanęli i pozwolili im się pocałować. A ja zobaczyłem, że oni się policzkami całują, bo boją się, żeby karteczka nie spadła. I krzyczę: „Gryps, uwaga, gryps!". Wtedy ona go szybko zeżarła. W taki sposób sobie grypsy przekazywali, wypluwali z jednych ust do drugich.

Po Sokole sytuacja zmieniła się o tyle, że przejął sprawę Molek.

Podkomisarz Paweł Wnuk, Wydział do Walki z Terrorem Kryminalnym i Zabójstw: To ten człowiek, który strzelał w Wólce Kosowskiej, on pociągnął za spust i podobno ma nie wyjść do końca życia, bo zapisali mu na koncie usiłowanie dwóch zabójstw. Strzelił do ochroniarza i ochroniarki. A wiesz, jak było z ochroniarzem? Ciężko mu było nosić w kamizelce te wkłady, to wyjął je i chodził bez nich, miał pustą kamizelkę.

Ja pierdolę, co za koleś...

No. Ochroniarka została postrzelona i kamizelka uratowała jej życie. Od momentu kiedy pozamiataliśmy mokotowskich, to takich napadów z bronią nie było. Jak zaczęli wychodzić, znowu się takie rzeczy pojawiły.

A Korek? W jakich on był czasach?

Nadkomisarz Marek Tupalski, Wydział Kryminalny: Korek zaczynał jako włamywacz. Kiedy ja rozpocząłem pracę w policji, to on był już szefem grupy mokotowskiej. Oprócz niego byli jeszcze ludzie ze starego zarządu: Siugop, Siopel, Piłkarz, Kolarz – goście, których ja nigdy na oczy nie widziałem. Korek był dość bezwzględny. Miał Daxa. A Dax – miano największego pojeba. Strasznie nieprzyjemny z wyglądu, ze szramą na ryju. Sam jego wygląd potrafił wzbudzić w człowieku strach. Po drodze byli siepacze: Wojtas, Levis i Bartek W.

Bartek W. był spokrewniony z Oskarem W.? Czemu mają takie samo nazwisko?

Coś ich łączyło, ale dojdziemy do tego. Oskar nazywał się kiedyś Z. Razem z Lepą i kolegami przejął interesy Bartka W. na Ursynowie, kiedy ten siedział w więzieniu. Narkotyki i haracze. Bartek W. odsiedział swoje i wyszedł. Wtedy poszedł do nich po zwroty. Powiedział im krótko: „Panowie, było miło, ale teraz proszę wypierdalać z mojego podwórka. Poza tym proszę o zwrot tego, co czerpaliście z mojego terenu przez tyle czasu". No i chłopaki spowodowali, że Bartek zniknął. I byli jeszcze na tyle bezczelni, że Oskar osobiście poszedł do żony Bartka i powiedział: „Słuchaj, Bartka porwały chłopaki z Pomorza. Kiedyś wzięliśmy człowieka za okup i teraz oni go porwali. Trzeba za niego zapłacić trochę mamony".

Nie pamiętam dokładnie, ale kojarzy mi się dziewięćdziesiąt tysięcy dolarów. Żona zdobyła te pieniądze. Kazali jej zrzucić je z mostu w odpowiednim miejscu. Zrobiła to, ale Bartek się nie znalazł. Oni niby nie wiedzieli dlaczego i Oskar zaczął się nią opiekować. Ona nie wiedziała, że to Oskar porwał jej męża i zabił z kolegami. Dopiero później te informacje zaczęły do niej docierać.

Ona była z Oskarem w związku?

Tak. Hajtnęli się, dlatego on później nazywał się Oskar W.

Przejął jej nazwisko, które należało także do zabitego Bartka?

Właśnie. Potem się rozwiedli, kiedy zamykałem Oskara za wymuszenie haraczu, ale do historii tego zatrzymania jeszcze dojdziemy...

Ona się dowiedziała, że nowy mąż jest zabójcą jej byłego męża?

Na początku nie, ale osobiście z nią o tym porozmawiałem.

Jaka była jej reakcja?

Przemilczała to. Rozmowa była dość dziwna. Oskar przyjechał na miejsce przestępstwa jej samochodem. Ona zjawiła się na komendzie, żeby go odebrać. Ja jej ten samochód wydałem i zapytałem:
– A co tam słychać w sprawie męża?
Bo on wtedy oficjalnie był zaginiony. Zresztą do tej pory nie znaleziono zwłok. No i ona mówi:
– Byłam w CBŚ-u i rozmawiałam z tym Tupalskim...
Ja mówię:
– Z kim?
– Z Tupalskim, z tym, co tych wszystkich mokotowskich zamyka.
– Z Markiem Tupalskim pani rozmawiała?
– Tak, chyba tak.
– Wie pani, szalenie dziwne, bo Marek Tupalski to jestem ja. Nigdy nie pracowałem w CBŚ-u, jestem z Mokotowa i nie przypominam sobie, żebym kiedykolwiek panią widział. Jest pani na tyle ładna, że zapamiętałbym. I niech pani zapyta obecnego męża, co zrobił z poprzednim.

Zamknęła mordę. W pewnym momencie przestałem łapać, co się wokół dzieje. Nie rozumiałem, dlaczego przestępcy rozmawiali o mnie i pompowali się, jeśli któryś miał ze mną do czynienia. Wszyscy się upierali, że jestem z CBŚ-u. Jak zatrzymałem Oskara, to mi powiedział: „Kurwa, po co ty pierdolisz? Przecież wszyscy wiemy, że ty jesteś tajny agent CBŚ-u i że ciebie tu na Mokotów specjalnie przysłali, żebyś nas rozjebał".

Nie mogli uwierzyć, że najbardziej niebezpieczny odłam grupy mokotowskiej pozamiatał zwykły pies z Mokotowa. Dorobili sobie do tego legendę.

Co było po Sokole?

Ściąganie haraczy z różnych miejsc przejął Molek. Młody chłopak, miał starszego brata z większą kartoteką przestępczą – można by powiedzieć, że to on powinien robić karierę w świecie przestępczym. Ale ten brat miał problem. Uzależnił się od narkotyków. Kokaina i amfetamina. Był tak totalnym ćpunem, że poza tym, że znał chłopaków z Mokotowa, bo to byli jego koledzy z podwórka, to nikt się z nim nie liczył. Z drugiej strony nikt nie chciał mu podskoczyć, bo gość miał znajomości. Jego młodszy brat Molek, który nie ćpał tak ostro, wybił się w grupie. Był gówniarzem, miał dwadzieścia lat, a rozbijał się najnowszym modelem audi a4 i handlował narkotykami na dużą skalę. Przykoksował, a zawsze był takim szczupaczkiem. Moim zdaniem, to człowiek, który w pewnym momencie zaczął sprzątać dla tej grupy. Był cynglem. Dlaczego tak uważam? Jogi był przekonany, że za zamachem w Klifie stał Szkatuła, który zlecił jego odjebanie Komandosowi. Jogi zapowiedział, że nie podaruje mu tego do końca życia. Jak siedział, przejęliśmy gryps o zleceniu zabicia Szkatuły, dlatego Szkatuła tak długo się ukrywał. Nie tylko przed policją, ale przed mokotowskimi, bo był na niego wyrok. Jednym z uczestników spisku, który spowodował strzelaninę w Klifie, był Kiełek, powiązany ze Szkatułą. Młody chłopak, mieszkał na Ursynowie, wynajmował chatę na ulicy Villardczyków, jeździł peugeotem 206.

Aspirant sztabowy Roman Murzyło, Wydział Dochodzeniowo-Śledczy: Telefon Jogiego z podsłuchem dalej działał w grupie i nagrała nam się taka rozmowa: Molek i Lepa stali z telefonem Jogiego na klatce pod mieszkaniem tego gościa, gdy zadzwonił do nich Oskar. Usłyszeliśmy:

– Czy masz jakieś rękawiczki? Żebyś tam żadnych odcisków nie pozostawiał. Masz coś, żebyś na pusto nie stał, żeby on cię nie ogarnął?

– Mam tego twojego małego, wiesz... w gacie se wsadziłem.

Nadkomisarz Marek Tupalski, Wydział Kryminalny: Później znaleźliśmy tę małą broń, browninga, gdy była strzelanina w siłowni Paker na Pradze, w której zabito Chrzanowskiego pseudonim Konik oraz gościa o ksywie Buła z żoliborskich, którzy konkurowali z Mokotowem.

Komandos z Klifu też był żoliborski?

Był z Mokotowa, ale chciał przejąć Żoliborz, który trzymał wtedy Szymon K. z Łomianek. Oni prowadzili ze sobą wojnę, chcieli się naparzać. Parę razy policja ratowała im życie, bo BMW napakowane kałasznikowami czekało na przykład na Komandosa. Przejechał tamtędy radiowóz i dlatego nie doszło do rzezi. Jak Szymon poszedł siedzieć – bo był na tyle głupi, że osobiście zjawił się po haracz – Żoliborz miał przejąć Buła.

Jak następuje takie przejęcie? Ten, który idzie do pierdla, mianuje następcę?

Ten, który idzie do pierdla, ma gówno do powiedzenia. Szymon poszedł siedzieć, Buła stwierdził, że jest najważniejszy w grupie, po czym Bułę ktoś sprzątnął w siłowni Paker. Moim zdaniem to był Szkatuła. Wiedzieliśmy, że jeden z żoliborskich zabójców jeździł peugeotem 206, więc skojarzyłem

rozmowy: że tam ktoś z grupy mokotowskiej czekał na klatce na jakiegoś gościa od 206. Strzelali do
niego, ale chuj przeżył. Najpierw leżał jak warzywo,
a teraz udaje kalekę. Udaje, że jest częściowo spara-
liżowany. Rysopis sprawcy, który podawali świadkowie, idealnie pasował do Molka z mokotowskich,
który przejął haracze po Jogim. Młody, wysoki,
szczupły, czapeczka bejsbolowa. Co ciekawe, niemal
wszystkie opisy zabójstw zorganizowanych z ostatnich lat idealnie pasują do Molka. Moim zdaniem
Molek ma niejedną głowę na koncie.

**Podkomisarz Paweł Wnuk, Wydział do Walki
z Terrorem Kryminalnym i Zabójstw:** Najbardziej
chujowa była historia zaginionej dziewczynki, która
była świadkiem zabójstwa. Na Mokotowie na ulicy
Dąbrowskiego zabito matkę tej małej i jej konku-
benta. To była Andzia Surmaczowa i jej konkubent,
ksywa Świr, których zastrzelono w mieszkaniu.
Świadkiem tego morderstwa była dziesięcioletnia
dziewczynka, która potem zniknęła. Co jakiś czas
puszczają w telewizji zdjęcia i rekonstrukcje.

Jak myślisz, co się z nią stało?

Myślę, że mimo wszystko ją odjebali.

Czemu nie na miejscu?

Uważam, że zabójcami byli Molek i Oskar. Ale tylko na dziewięćdziesiąt dziewięć procent ustalono, że to oni dokonali tego zabójstwa. Nie było dowodów procesowych. Ta mała była świadkiem wszystkiego i zadzwoniła do znajomego matki Mikołajczyka.

Ukryła się?

Tak, była schowana w tym mieszkaniu. Oni jej nie widzieli. Zadzwoniła do Mikołajczyka, a ten, wiedząc, że Oskar jest znajomym Andzi i że Andzię ktoś puknął, zadzwonił do Oskara. Nie wiedział tylko, że to Oskar był zabójcą. No i przyjechał tam Oskar z Molkiem. Ktoś widział, jak z mieszkania wychodziła ta dziewczynka w towarzystwie Mikołajczyka, Molka i Oskara. Wsiedli w samochód i odjechali. To był ostatni raz, kiedy widziano tamtych ludzi. Od tamtej pory nie znalazł się ani Mikołajczyk, ani dziewczynka.

Kto był głównym celem napaści? Ten Świr czy Andzia?

Jedno i drugie.

Dlaczego chcieli ich sprzątnąć?

Oskar Andzię popychał i często się u niej chował. A kiedy Oskar poszedł siedzieć, Świr przywłaszczył sobie część jego interesów. Oskar musiał też odsiedzieć częściowy wyrok za Świra. Miał pretensje i go pozamiatał. Przy okazji zabił też Andzię. Operacyjnie ustalono, że to oni. Niby gówniarze, ale ludzie mocni i bezwzględni.

Ile mieli lat?

Kiedy zacząłem się interesować Molkiem, to miał dwadzieścia parę.

A Oskar?

Też był przed trzydziestką. Oskar, mimo że młodszy ode mnie, jest megasiwy jak gołąb. Pokażę ci zdjęcie.

Faktycznie miał dużo stresów, kurwa...

No. Ci ludzie porywali biznesmenów, obcinali im palce, wysyłali rodzinie. Zawsze byli ostrożni i hermetyczni. Najważniejsze rzeczy działy się tylko w ich gronie. Dzięki temu im się udawało i trzeba było ciężko pracować, żeby cokolwiek im udowodnić.

Nadkomisarz Marek Tupalski, Wydział Kryminalny: Jak pracowaliśmy nad Molkiem, pojawili się kolejni: Lepa i Mikuś, na którego niektórzy mówili Szwagier. Okazało się, że Szwagier zna Bajbusa, dzięki czemu wyszedłem też na grupę Krzysztofa M. ksywa Bajbus. Miał swój odłam zbrojny grupy mokotowskiej. Lubił się otaczać osobami wysportowanymi, takimi jak na przykład Antek Ch., zawodnik MMA, który funkcjonował centralnie u niego w grupie. Kiedyś na włamaniu zszedł im człowiek. Poszli na kradzież, zastali właściciela mieszkania i go zatłukli. Antek siedział za to włamanie. Oglądałem jego walkę, gdzie całe trybuny krzyczały: „Byłeś gangsterem, a jesteś kurwą, frajerem!".

Bo Antek Ch. złożył obciążające zeznania w tej sprawie, odbił od grupy i wrócił do swoich sportów. Oprócz Antka Bajbus miał karateków i innych sportowców. No i młodego policjanta. Chłopaczek miał z nim kontakt, zanim wstąpił do policji. Bajbus wydał mu zgodę i polecenie, żeby wstąpił do policji. Gdy ich zawijaliśmy, ten młody był w trakcie kursu przygotowawczego. Był już policjantem, przydzielonym do patrolówki KRP 7 w Legionowie. Później okazało się, że trzy załogi, które obsługiwały całą dzielnicę, zjeżdżały się o określonej porze w jedno miejsce na kebab. Przez pół godziny można było swobodnie przewieźć narkotyki.

Podkomisarz Paweł Wnuk, Wydział do Walki z Terrorem Kryminalnym i Zabójstw: Ten małolat odkupywał też od innych policjantów mundury, dzięki którym obrabiano Chińczyków w Wólce Kosowskiej. Potrafili opierdalać im całe tiry metodą „na policjanta". Przychodzili, machali legitymacją i służbową bronią. Po tych napadach grupa Bajbusa została zatrzymana. Opowiem ci o nim zabawną historię. W pewnym momencie do Mikusia dzwoni gość z Płońska:

– Słuchaj, bo nam tu do Płońska przyjechało jakichś dwóch. Jeden mówi, że ma tak na imię, drugi, że ma tak. Oni chcą tu kogoś łamać i twierdzą, że mają zgodę od Bajbusa na połamanie tego gościa.

A Mikuś mówi:

– Dobra, dobra spoko, to ja zadzwonię do Bajbusa i zapytam. Jeżeli potwierdzi, to okej.

No i dzwoni Mikuś do Bajbusa:

– Ty, kojarzysz takich typów – jeden Darek, drugi Marek? Przyjechali do Płońska i mają zamiar kogoś połamać. Podobno dałeś im zgodę.

– Eee tam, jakieś kurwy się podszywają! Dawaj tam, jechać z nimi!

– No dobra, to jedziem z nimi!

I goście w Płońsku tych dwóch typów połamali. A za jakieś dziesięć minut Bajbus oddzwania i mówi:

– Ty, kurwa, faktycznie, ja ich kojarzę, taki chłopaczek ode mnie ich przyprowadził. Weź ich odwołaj!

A Mikuś na to:

– Ale już za późno. Są połamani.

Goście tydzień wcześniej przyszli do Bajbusa: „Panie Bajbus, ktoś z Płońska jest nam winien kasę, chodzi o jednego gangstera. Płońsk jest pod strefą wpływów Mokotowa, wszystko, co w Płońsku i Płocku, jest mokotowskie. Jak chcemy jechać i go połamać, to musimy zapytać pana jako ich przełożonego o zgodę".

Goście zgodę dostali, pojechali na miejsce, ale Bajbusowi się zapomniało, więc przypadkiem ich połamali. Chłopakowi się pomyliło, takie drobne nieporozumienie.

Po zatrzymaniu odłamu zbrojnego Mokotowa Bajbus miał postawione ciężkie zarzuty i dostał propozycję nie do odrzucenia, czyli został świadkiem koronnym. Gdy zaczął zeznawać na Korka, zastrzelono mu żonę. W biały dzień o szesnastej żona Bajbusa szła ulicą, podjechał samochód, kilka strzałów, trup na miejscu, matka małego dziecka. Takie pozdrowienie od Korka.

Nadkomisarz Marek Tupalski, Wydział Kryminalny: Robiąc Molka, równolegle zbieraliśmy dowody na Lepę, na którego materiał procesowy wyszedł nam dużo wcześniej. Równolegle do naszej sprawy związanej z wymuszeniami haraczu na Mokotowie osobne czynności prowadził terror. Powstała do tego specjalna grupa zadaniowa, składająca się z funkcjonariuszy Komendy Głównej oraz funkcjonariuszy terroru i wydziału zabójstw. Mieli rozpracować serię porwań z obcinaniem palców, uznaną w historii polskiej policji za dzieło najbardziej bezwzględnego gangu porywaczy.

Chłopaki z terroru nie mieli jeszcze materiału procesowego, ale wiedzieli, gdzie siedzi Lepa, mieli namierzone jego mieszkanie. My mogliśmy go już zamknąć, ale nie mieliśmy pojęcia, gdzie jest. Dogadaliśmy się z chłopakami z terroru i podali nam jego adres. Było im na rękę, żeby go zatrzymać już w tym momencie. Liczyli, że uda im się wbić na jego miejsce kogoś swojego do grupy albo że będzie z tego jakiś interes operacyjny. Wiedzieli, że jak Lepa pójdzie siedzieć, to powstaną jakieś ruchy, które coś spowodują. Chłopak kupił sobie mieszkanie na Józefosławiu. To osiedle było na ulicy Magnolii, blok numer 9. Tam stoją niskie dwupiętrowe bloki, w których masz bezczynszowe mieszkania, ułożone po cztery na klatce schodowej. Czasem pół piętra to jedno mieszkanie. Lepa miał lokal sto metrów, własne wyjście do ogródka i garaż. Czyli ten chłopaczyna był właścicielem mieszkanka, które kosztowało wtedy pięćset coś tysięcy. Kupił je za gotówkę. Kiedy przyszedł do biura dewelopera i wyjął gotówkę z kieszeni, baba go zapamiętała, bo rzadko się zdarza, żeby ktoś miał pięćset tysięcy w gotówce poupychane w kieszonkach; z każdej wyjmował jakieś pliki. Zaatakowaliśmy go w tym mieszkanku.

Chłopaki chcieli do niego wtargnąć od strony tarasu, bo drzwi miał antywłamaniowe i wiadomo było, że będzie z nimi zabawa. Liczyli, że zaatakują go od ogrodu, ale chłopak miał też żaluzje antywłamaniowe. Normalnie nie stanowią one problemu, ale te były kurewsko dobre. Nie były sztywne, mocne, tylko zrobione z takiego tworzywa jak guma. Odkształcały się i wracały na swoje miejsce jak sprężynki. Nie można ich było rozerwać, więc czarni naprawdę się pierdolili z tymi żaluzjami. Cały atak na mieszkanie miał trwać ułamek sekundy, a zajął piętnaście minut. Wiedzieliśmy już wtedy, że mamy kretów w policji na Mokotowie.

Aspirant sztabowy Roman Murzyło, Wydział Dochodzeniowo-Śledczy: Był policjant, który centralnie odbił nam się na drutach, czyli wyszedł w podsłuchach. Był policjant, który nie dość, że stał na bramce i waflował się ze zbójami, to na dodatek na jego oczach zbóje handlowały narkotykami.

Nadkomisarz Marek Tupalski, Wydział Kryminalny: W pewnym momencie się kapnęli, że robimy na nich zasadzki i jakieś ciche akcje. Po pierwszych zatrzymaniach bali się przychodzić do lokali, bo nie wiedzieli, czy tam na nich nie czekam. Wiedzieli, że jest taki upierdliwy pies, który przy nich grzebie. Więc prosili tego policjanta z patrolówki, żeby im ustalił, czy mogą iść po haracz czy nie. I wiesz, co on zrobił? Wysłał na adres salonu fryzjerskiego, gdzie haracz był wymuszany, załogi patrolowe. Krzyknął do operatora Stołecznego Stanowiska Kierowania, że w tym zakładzie wymuszają haracz i że widział dwa samochody – beemkę i mercedesa, wyładowane karkami. Powiedział, że prosi o wysłanie patroli, bo pewnie jadą tam zrobić rozpierduchę.

To jakiś debilny pomysł.

Siedziałem i usłyszałem przez stację:
– Słuchajcie, jest wymuszenie haraczu. Kto jest blisko, niech tam podjedzie.
Powiedziałem:
– Wstrzymaj wszystkie załogi nieoznakowane i oznakowane. Kryminalny słyszał i kryminalny tam pojedzie. Zabierz stamtąd wszystkie załogi. Nikt nie ma prawa tam podjechać.
Odpowiedź brzmiała:
– Dobra, wy przejmujecie temat.
Podjeżdżamy na miejsce i okazuje się, że stoi tam załoga wywiadowcza z Ursynowa, która usłyszała korespondencję. Wiedzieli, że chcemy to przejąć, ale wjebali się pierwsi. Mówię do nich:
– Dobra, chłopaki, możecie jechać.
Oni obruszeni, że tak przyjeżdżamy i ich wypierdalamy. Na co ja:

– Chłopaku, weź, kurwa, ten swój samochodzik, który stoi piętnaście metrów od lokalu i przestań nam robić przypał, bo jeśli ktoś nas obserwuje, to już dawno wie, że psy przyjechały.

Pogoniłem ich, a z właścicielką się dogadałem, żeby z nikim nie rozmawiała. Miała złożyć zawiadomienie dopiero, kiedy zatrzymamy sprawców. Czynności operacyjne podjęliśmy od razu.

Aspirant sztabowy Roman Murzyło, Wydział Dochodzeniowo-Śledczy: W nocy, około trzeciej, czwartej nad ranem założyliśmy technikę w lokalu – podsłuch na telefon stacjonarny, kamery i mikrofony. Umówiliśmy się, że będziemy czekać. Jeśli będzie trzeba, to nawet i dwa tygodnie. Prędzej czy później muszą się pojawić.

Nadkomisarz Marek Tupalski, Wydział Kryminalny: Za jakiś czas kobieta do mnie dzwoni i mówi:

– Słuchaj, ty przysyłałeś tu jakichś policjantów?

– Nie, dlaczego?

– Bo przyjechali jacyś dwaj goście, mówią, że z policji, są w cywilkach i nie chcą pokazać legitymacji, bo lokal może być obserwowany. Wiedzą, że tu było wymuszenie haraczu, i pytają się, czy wszystko jest okej.

– Słuchaj, to może być podpucha ze strony przestępców albo rzeczywiście przyjechali policjanci, tylko nie wiem, skąd mają informacje, że u ciebie był wymuszany haracz. Powiedz jednemu z tych policjantów, żeby podszedł do telefonu, i powiedz, że dzwoni policjant z kryminalnego z Mokotowa. Jeżeli to jest bandyta, ucieknie, a jeżeli policjant – będzie ze mną rozmawiał.

No i ona poprosiła jednego z nich, on podszedł i powiedział, że jest z wydziału wywiadowczego KSP. Ja mówię:

– Chłopie, kto cię, kurwa, tam przysłał?

– SSK.

– A na jakiej podstawie?

– Podobno miały tu jakieś zbóje jechać.

– Skąd wy w ogóle wiecie, że tu było wymuszenie haraczu?

– Nie wiem. Gadaj z SSK.

– Dobra, spierdalajcie stamtąd po cichu, bo tam jest zasadzka!

Dzwonię do SSK, a oni mówią:

– Słuchaj, jedna z załóg ursynowskich miała takie informacje.

Przekazali mi centralnie, od kogo wypłynęły te informacje – Adam W. pseudonim Bober. Zadzwoniłem na komisariat na Ursynów, nie było akurat tego Bobra, był natomiast jego kierowca. Pytam:

– Podobno mieliście informacje, że kogoś tam widzieliście.

– To nie ja widziałem, tylko mój prawy – Bober. On mówił, że widział.

– A powiedz mi, mistrzu, skąd wiedzieliście, że tam jest wymuszony haracz? Możesz to wyjaśnić?

I wtedy nastała cisza. On się kapnął, że zadałem trudne pytanie. Domyślił się, że ich podejrzewam o złe rzeczy. Zaczął mi wtedy tłumaczyć:

– Słuchaj, ja nie mam z tym nic wspólnego, musisz zapytać Bobra, on ma jakieś swoje informacje.

Facet był przerażony, a ja mu powiedziałem tak:

– Powtórz Bobrowi, że jak jeszcze raz wpierdoli mi się w robotę, to nie będę miał wobec niego żadnych skrupułów. Niech lepiej pilnuje mandatów i parkingów.

Jebany Bober zrobił to po to, żeby mieć pewność, czy tam jest zasadzka. Nikt więcej nie przyszedł po haracz.

Nie było to dla ciebie wystarczająco podejrzane, żeby iść tym tropem?

Dla mnie to nie było podejrzane, tylko oczywiste.

Że jest powiązany z bandytami?

Oczywiście.

Aspirant sztabowy Roman Murzyło, Wydział Dochodzeniowo-Śledczy: Bober już wcześniej mi się odbił na drutach.

Nie chciałeś tego zbadać?

Nie mogłem się tym zająć.

A kto mógł?

Biuro Spraw Wewnętrznych.

Ale nie chciałeś go podjebać?

Podjebałem. Centralnie poszedłem do BSW.

Od razu po tej akcji?

Tak. Tym bardziej że to był drugi raz. Puściłem funkcjonariuszowi BSW nagranie z podsłuchu, na którym słychać było, że Bober ma coś wspólnego z bandytami, i powiedziałem, jakie mam o nim informacje. Podałem, z kim się spotyka, gdzie chodzi na bramki, że na bramkach stoi ze służbową bronią, którą kiedyś groził bandytom z konkurencyjnej grupy, że ochraniał spotkanie grupy mokotowskiej i tak dalej. A policjanci z BSW powiedzieli mi: „Słuchaj, dziękujemy bardzo za informacje, my to wykorzystamy, jest to kolejny kamyczek do ogródka, niedługo będą tego efekty".

Mimo to Bober zdążył sobie spokojnie odpracować do emerytury i odszedł ze służby. A wjebał się wiele razy. Do agencji kontrolowanej przez nowodworskich, do Villi Rosy w Łomiankach, wpadają na przykład chłopaki z terroru z czarnymi. Kogo tam zastają? Bobra. On stał tam na bramce! Oczywiście rżnął głupa, że wpadł do znajomego jako klient. Zamknęli go na czterdzieści osiem godzin, ale chuja im powiedział i niczego mu nie mogli udowodnić, więc po prostu go zwolnili. Za jakiś czas historia była taka, że Bober jechał pijany samochodem. Miał stłuczkę w Śródmieściu w sobotę wieczorem, na oczach ludzi, gdzieś w okolicach metra Centrum. Wysiada, najebany macha szmatą, ludzie go widzą. Został zawieszony, ale za chwilę go odwiesili. To znaczy poszedł na L4. Posiedział na zwolnieniu, później wrócił i pozwolili mu przejść na emeryturę. Nie rozumiem tej akcji w ogóle. Czemu nikt nie zrobił mu gnoju, na jaki zasługiwał? Nie wiem, czy mamy takie chujowe BSW, bo to nie jest pierwszy raz, jak BSW dostaje ważne informacje i chuj z tym potrafi zrobić.

Nadkomisarz Marek Tupalski, Wydział Kryminalny: Dlatego następnego policjanta zatrzymywałem już osobiście. Mówię o tym gościu, który był w grupie Bajbusa. Miała być rozkminka żoliborskich z grupą mokotowską, z Bajbusowymi ludźmi. O coś się posprzeczali i mieli się kłócić na Polach Mokotowskich. Mogło nawet dojść do strzelaniny. Chcieliśmy ogarnąć to sami, ale komendant powiedział, że się trochę pozmieniały układy i musimy pojechać na Ochotę, bo Pola Mokotowskie to akurat ich teren. Jak komendant usłyszał, co ma się dziać, to się zesrał. Zadzwonił po czarnych. Tamci powiedzieli, że na ósmą to oni się nie zbiorą, bo mają akurat zmianę służby. Więc mówię:

– Proszę pana, ja mam bezpośredni telefon do chłopaków z Biura Operacji Antyterrorystycznych. Dzwonimy i będą w ciągu pół godziny.

– Ale komendant społeczny zabronił brać BOA, bo mamy Wydział Realizacyjny.

– Tu chodzi o ludzkie życie! Mogą być postronne ofiary.

– Dobra, to zrobimy inaczej. Puścimy ze trzy oznakowane radiowozy, żeby tam przejechały kilka razy naokoło, to oni się spłoszą i odjadą.

– Kurwa, i tak się łapie bandytów?

W końcu pojechaliśmy atakować sami. Cztery radiowozy od nas i cztery z Ochoty wjechały na Pola Mokotowskie. Nie chcieliśmy ryzykować, żeby przyjechały łby z Żoliborza, więc postanowiliśmy pozamiatać tych mokotowskich, którzy są z bronią. No i rzuciliśmy na cyce z jedenaście osób z różnych miejsc, powiązanych z grupą mokotowską. Broni nie odzyskaliśmy, bo gość, który przechowywał klamki w plecaku, odjechał na motocyklu i był nie do złapania. Jedna z osób, którą zatrzymaliśmy, zaczęła stękać:

– Panowie, panowie! Ja jestem z policji!

Jak dostał kopa w ryj, to chłopaki musieli mnie trzymać, bobym mu zęby wyjebał.

– A co ty, kurwo, szmato, robisz z karkami? Pytam się. Jaki z ciebie jest, kurwa, policjant? Teraz ci się dupa trzęsie, bo zobaczyłeś klamkę? Przed chwilą się tu pompowałeś jak dziad na czereśni. Zdecyduj się – albo jesteś gangster, albo policjant!

Jak go zawinęliśmy na komendę, to zaczął srać żarem, opowiadać, jakie grupa ma plany, jakie roboty zrobiła. Powiadomiliśmy inspektorat, zawiesili go w czynnościach. Po Bobrze i tym policjancie wiedzieliśmy, że mogą być też inne uszy, jakaś wtyka w kryminalnym na Mokotowie. Nie mieliśmy pojęcia, kto to jest, więc zachowywaliśmy środki ostrożności. I teraz ciekawostka. Załatwiłem, że mieszkania Lepy przed rozpoznaniem pilnował WTO. Cały czas była obserwacja, która patrzyła, czy figurant jest w domu, czy go nie ma. Nikt w komendzie nie wiedział, kiedy będzie realizacja. Było to utajnione do tego stopnia, że jednego dnia powiedziano policjantom, żeby przyszli do pracy na pierwszą w nocy, bo stołeczna wymyśliła działania na złodziei samochodowych. Oprócz mnie, Białego i naczelnika żaden z policjantów nie wiedział, po co przyjeżdża. Powiedzieliśmy, że czterech ma zostać w cywilkach, reszta może się przebrać w czarne umundurowanie i wziąć kominiarki, bo będą punkty blokadowe. Tak naprawdę miało to inny cel. Ci policjanci mieli później obstawić cały teren osiedla, bo nie wiedzieliśmy, czy bandyci nie mają tam wynajętych innych mieszkań. Chodziło też o to, żeby miejscowi się nie rzucali, bo to było osiedle nowobogackich. Jak widzą policjantów ubranych w czarne kominiarki, to nie mają odwagi pyskować. Do zwykłych ludzi, którzy machają legitymacjami, mieliby sto pytań, a oprócz tego wszędzie zaczęliby pisać skargi. Z góry też założyłem, że może zostać użyta broń, więc jak ktoś będzie musiał strzelać do bandytów, to lepiej, żeby oni nie widzieli, kto to jest. Kiedy kazaliśmy policjantom ubrać się w kominiarki, łatwiej było utrzymać kit, że to akcja dla samochodówki. Chłopaki były zdziwione, gdy powiedzieliśmy im, że wszystkie telefony komórkowe zostają w pokojach i przychodzimy na odprawę ubrani, trzymając w dłoni tylko krótkofalówki. Potem nikt już nie wraca do pokoju, prosto z odprawy wsiadamy do samochodów i wyjeżdżamy.

Kto to wymyślił?

Ja. A wiesz dlaczego? Żeby nie było takiej sytuacji, że ja powiem, kogo atakujemy, a za chwilę jakiś kret wyśle SMS-a do Lepy, a ten wypierdoli z domu albo pochowa rzeczy, których nie powinno być. Dopiero kiedy weszliśmy na odprawę, powiedziałem policjantom:

– Słuchajcie, ja was bardzo przepraszam, ale musieliśmy to utrzymać w tajemnicy. Tak naprawdę nie jedziemy na akcję z samochodówki.

Był tam taki chłopak z narkotyków, który popatrzył na mnie i zapytał:

– Lepa?

Ja mówię: tak. On już skumał, o co chodzi, bo wiedział, nad jaką grupą pracuję. Popatrzył tylko z uśmiechem i zaczął tańczyć na stole, bo Lepa był celem numer jeden, jeśli chodzi o narkotyki na Mokotowie. Ten chłopak polował na niego jak skurwysyn.

A czym Lepa handlował?

Kokainą, heroiną, wszystkim. Akcja była zrobiona w ten sposób, że powiedziałem im, gdzie jedziemy i że przez stację nie prowadzimy rozmów. Mamy ją tylko na nasłuchu, bo Lepa ma skaner policyjnych częstotliwości. Będziemy jechać Puławską i w pewnym momencie ja im tylko powiem, gdzie skręcamy. Były wyznaczone cztery osoby w nieoznakowanym samochodzie, które mają się zatrzymać niedaleko bramy, wysiąść na pieszo, iść we czterech, udawać pijanych i podejść do cieciówki. Jeden miał zagadać ciecia przez okienko, a reszta miała się wbić do budy, obezwładnić drugiego ciecia i otworzyć szlaban, żeby czarni mogli wjechać.

Kurwa, akcja logistycznie przygotowana zajebiście, wszystko wymyślone.

No, bo brałem też pod uwagę, że bandyci mogą być powiązani z cieciami. Jaki to problem, żeby bandzior podszedł do ciecia, który zarabia osiemset złotych miesięcznie, rzucił mu pięć stówek i powiedział: „Słuchaj, jakby się kręciły psy, to daj od razu znać!"? Na niejednym osiedlu właśnie tak mnie załatwiono cieciami, dlatego wiedząc, że w mieszkaniu mogą być narkotyki, musiałem to zrobić błyskawicznie. Tak wymyśliliśmy, żeby cieciów pokonać. Na szczęście nie mieli zamkniętej dyżurki. Jeden przez okienko z chłopakiem gadał, to ten go wytargał przez okno i trzymał mu klamkę przy łbie. Dwóch pozostałych wykurwiło z buta w drzwi, które w sumie były otwarte. Cieci rzucili, podnieśli szlaban, wjechali czarni, a za czarnymi cała karawana. Czarni szybko otoczyli teren. Ja znałem kod do klatki. To były czasy po Magdalence, więc czarni już dostali nowy sprzęt. W oknach było ciemno, a oni z noktowizorami i z holograficznymi celownikami stali na dole i meldowali, co się dzieje w mieszkaniu.

Lepa na noc opuszczał żaluzje antywłamaniowe, jak siedział w domu?

Tak. Strasznie długo je forsowali. Jak zaczęli się dostawać do środka, to Lepa krzyknął:

– Dobra, dobra, to ja już wam otworzę!

– To, kurwa, otwieraj!

Ale drzwi były już tak młotem pneumatycznym powyginane, że on ich nawet od wewnątrz nie mógł ruszyć, więc czarni je po prostu otworzyli na chama rozpychaczem. Lepa się położył w przedpokoju, mówiąc:

– Dobra, nie pajacujcie! Leżę i czekam w przedpokoju.

Mimo wszystko jak leżał, to go jeszcze obrzucili granatami. Normalnie rzucali w niego.

Flashbackiem? Dziewiątką?

Człowieku, on się zlał. Wchodzę do mieszkania, patrzę – leży Sebastian L., postrach całego świata przestępczego Warszawy. Jeden z najgroźniejszych bandytów w Polsce leży obszczany na ziemi w gaciach. Podszedłem, kopnąłem go i mówię:

– Cześć, Sebek!

Podniósł głowę, spojrzał na mnie:

– Dzień dobry. Spodziewałem się tego.

– Akurat z mojej strony?

– Z pańskiej najbardziej.

Człowiek, którego w życiu nie spotkałem. Widziałem go gdzieś na obserwacjach z daleka, na zdjęciach, a oni wszyscy mnie doskonale znali. Byli w stanie zobaczyć mnie na ulicy ze stu pięćdziesięciu metrów i spierdalać. A ja z nimi nigdy nie zamieniłem słowa twarzą w twarz. To było zastanawiające.

Kiedyś na komendę przywieźli starszego brata Molka, tego ćpuna. Wiedziałem, jak on wygląda, ale nigdy nie miałem przyjemności go zatrzymywać. Przechodzę korytarzem, akurat go prowadzili i on do tych policjantów mówi:

– Panowie, ja jestem niewinny. Zresztą pan Marek wszystko wie. Pan Tupalski wam wszystko powie. Panie Marku, pan powie, że ja takich rzeczy nie robię.

Ja mówię tak:

– Michał, a skąd ty znasz moje nazwisko? Przecież my w życiu ze sobą nie rozmawialiśmy.

– Pana wszyscy znają. Przecież pan mokotowskich zamyka.

Chciałem to robić po cichu, operacyjnie, a w pewnym momencie zrobiła się taka akcja, że cały Mokotów znał moje nazwisko. Wypisywali je na murach, płotach, wszędzie. Miało to swoje plusy i minusy. Jak szedłem gdzieś i się przedstawiłem, to niektórym uginały się nogi. Ale niektórzy od razu się napinali. Z drugiej strony była ogromna zawiść ze strony innych policjantów.

Terror był na was wkurwiony?

Aspirant sztabowy Roman Murzyło, Wydział Dochodzeniowo-Śledczy: Nie. Z terrorem byliśmy cały czas we współpracy. „Dobra, to ty rób ten podsłuch, ja robię ten, jak będzie coś ważnego dla mnie albo dla ciebie, to się wymieniamy informacjami".

To było na tej zasadzie, rozumiesz? Pracowaliśmy nad tymi samymi osobami. Gość miał na przykład trzy telefony. My znaliśmy jeden, oni znali drugi, my podsłuchiwaliśmy jeden, a oni drugi. Gdyby trafiło mi się coś odnośnie do tematów związanych z porwaniami, momentalnie do nich dzwoniłem z informacją: „Słuchajcie chłopaki, jest taka i taka akcja".

A gdy im wyszło coś z haraczami, to nas informowali.

Nadkomisarz Marek Tupalski, Wydział Kryminalny: Tak było z Lepą przy sprawie, o której już opowiadałem. Ja miałem materiał procesowy, oni chcieli go zatrzymać, ale nie mieli podstaw. Ja nie wiedziałem, gdzie jest Lepa, chociaż chciałem go złapać, a oni wiedzieli, gdzie on jest, ale nie mieli za co go przymknąć. U Lepy na przeszukaniu, kiedy zabraliśmy Sebka z domu, była śmieszna akcja. W czasach kiedy telewizory LCD-ki pojawiały się w cenie piętnaście, siedemnaście tysięcy, a plazmy w cenie dwadzieścia, trzydzieści tysięcy, u Lepy był telewizor wielkości czterdziestu czterech cali, wielka krowa. I oczywiście DVD. Chłopaki wrzucili jakieś pornosy i od razu zaczęli oglądać na tym wielkim ekranie. To tak, jakby w kinie oglądali.

W szafce znalazł się jakiś alkohol, ale picia na miejscu nie było. Alkohol był podzielony pół na pół. Pół zostało, a pół wzięliśmy na komendę. Impreza była później, bo tego alkoholu było tam naprawdę do zajebania. Lepa po prostu kolekcjonował gołdę. Miał na przykład wódkę w butelce, która była dokładną imitacją kałasznikowa, tylko że przezroczystą. Kiedy chłopaki zeszli do garażu, zdejmowali nawet kostkę brukową, bo im kazałem. Mieli porządnie przeszukać. Znaleźliśmy około kilograma złota, na stole stał skaner policyjnych częstotliwości, przez który słychać było policyjną korespondencję. Ale Lepa popełnił jeden błąd. Było słychać korespondencję, ale z komendy z Piaseczna. Nie wiem, dlaczego nie ustawił na Mokotów. Była jeszcze kamizelka kuloodporna, jakieś drobiazgi, nic specjalnego. Nie znaleźliśmy ani broni, ani narkotyków. W kiblu były tylko resztki, pełno białego proszku. Wiadomo, że spuścił towar. Coś mi jednak nie pasowało. Zadzwoniłem do prokuratora i mówię:

– On tu ma różne półki, ma obudowaną wannę karton-gipsem. Nie ma broni, a czegoś mi tutaj brakuje. Czy ja mogę mu trochę dokładniej pogrzebać w tym mieszkaniu?

On mówi:

– Słuchaj, możesz mu zdemolować to mieszkanie, możesz zrywać dywany, parkiety, tynki z sufitów. Masz tylko jedno zadanie.

– Jakie?

– Nie zburz budynku.

– Dobra, dziękuję.

W łazience leżał pięciokilowy młotek. Były tam piękne kafelki – mozaika. Wanna również była obłożona kafelkami. Wziąłem ten młotek, popatrzyłem na kolegę i mówię:

– Nie będzie sobie skurwysyn za pieniądze z porwań chałupy urządzał!

Jak zacząłem napierdalać, to obstukałem każdy kawałeczek. Wszystko musiało być rozpierdolone. Rozerwałem całą obudowę wanny, ale nic tam nie było. Wszedłem do salonu, a tam były półki z karton-gipsu, ładnie zrobione, a na każdej z nich położona była szyba, którą pomalowano od spodu na żółto. Miało to chyba takie zadanie, że jeśli na półce zgromadzi się kurz, to łatwiej będzie go zetrzeć ze szkła. W jednym miejscu zauważyłem, że naruszony jest róg. Wszystkie półki były idealnie zrobione, a ta jedna wyraźnie odstawała. Tak jakby ten róg ktoś trochę odgiął i położył z powrotem. Wziąłem tę szybę, spierdoliłem ją na dół, złapałem młotek i jebnąłem w półkę. Wypadł pistolet, amunicja, odstrzelone łuski w woreczku foliowym, kominiarka, rękawiczki. Sięgam dalej i co wyjmuję? Prawie pół miliona złotych w gotówce, dolary, euro i jeszcze trzy komplety dokumentów ze zdjęciami Lepy – każdy na inne nazwisko. Pierwsze z nich to Piotr Śledź, drugie: Andrzej Sokołowski, a trzecie: Jarosław Nawrot. Byliśmy uszczęśliwieni. Chłopaki upierali się, że w garażu niczego nie znaleźli. Po zakończonym przeszukaniu zaplombowaliśmy mieszkanie i pojechaliśmy w pizdu. Nad ranem dzwonią do nas ochroniarze i mówią, że przyjechała laska Lepy, która pozrywała plomby i weszła do mieszkania. Skoro weszła, to znaczy, że czegoś jeszcze szuka. Pytam chłopaków, którzy przeszukiwali garaż:

– Zdejmowaliście całą kostkę w garażu?

– Tak, zdejmowaliśmy.

– No dobra. Kłuliście po tym piasku?

– Tak, kłuliśmy. Niczego tam na pewno nie ma.

Patrzę, a tam stoi fotelik dziecięcy do samochodu. Mówię:

– A ten fotelik sprawdzałeś?

– Sprawdzałem.

– Ale cały sprawdziłeś? Rozbierałeś go?

– Jak to: rozbierałeś?

– Słuchaj, fotelik składa się przeważnie z kilku elementów. Można je rozmontować i w niektórych z nich coś schować, bo są w środku puste.

– A to nie.

Biorę fotelik, rozkładam go i z jednej części wyjmuję taką bułę – 20 deko heroiny. Mówię:

– Kurwa, co to jest? Prosiłem, żebyście przeszukali dokładnie. Kurwa, chłopie, co to jest?

– Nie wiem, jak to możliwe.

Kiedy to powiedział, spuścił łeb. W sądzie nie-stety tego nie uznali, bo znaleźliśmy to na drugi dzień, po drugim przeszukaniu przy pozrywanych plombach. Adwokaci wybronili Lepę z tej heroiny. Powiedzieli, że policja mogła to podrzucić albo ktoś inny w nocy mógł to schować. Tak że za narkotyki nie dostał wyroku. Nie dostał dwóch cyferek, tylko dziewięć lat. Odsiedział sześć i wyszedł na przerwę w karze, żeby leczyć nerki. Mniejsza o to. Mieliśmy Lepę pozamiatanego na tym etapie.

Kolejną osobą, która chodziła po haracze, był Mi-kuś. On nie działał w ten sposób, że przychodził do lokalu i mówił: „Dzień dobry, jestem z mafii. Pro-szę o haracz".

Przychodził do lokalu, zaprzyjaźnił się z właści-cielem, siedział, udawał dobrego klienta. Od czasu do czasu wpadali tam młodzi łysi ludzie z bejsbo-lami i lali klientów kuflami po łbach. Mikuś raz, drugi zobaczył taką sytuację, a za trzecim powie-dział właścicielowi:

– Wie pan co? Pan to właściwie nie ma tu ochrony. Ja jestem w stanie tę sytuację rozwiązać. To będzie kosztowało.

Gdyby przyszedł i powiedział: „Masz nam płacić haracz!", byłoby to ewidentne wymuszenie. Bo był taki okres, że jeżeli nie istniała realna groźba, to nie chcieli stawiać zarzutów za haracz. A co tu posta-wić? Chęć pomocy? Dlatego tak zaczęli działać. Co prawda później prokuratura przejrzała na oczy i za to też stawiała zarzuty. Dla przykładu: Mikuś brał haracz z jakiegoś lokalu, ale chciał go podwyższyć. Kiedy właściciel nie był skłonny płacić więcej, nasyłał swoich leszczy, żeby wpierdolili klientom parę razy. I proponował właścicielowi, że może postawić na bramce swoich ludzi, ale to będzie kosztowało dużo więcej. Takim sposobem na bramce znalazł się Bober.

Nasz policjant.

Dokładnie. Bandyci go postawili na bramce. Któregoś razu była taka rozpierducha na bramce, a właścicielka dzwoni do Mikusia i mówi: „Słuchaj, jest już, kurwa, Sebek, jest już Jogi, jest już Bober, podobno jeszcze Oskar jedzie". Tak właśnie rozmawiała z Mikusiem.

A kto robił tę rozpierduchę?

No właśnie Mikuś, aby podnieść czynsz. Co jakiś czas robił takie rozpierduchy. Udało nam się nakłonić tę babę, żeby złożyła zawiadomienie. Innego gościa, który handlował na bazarze, też namówiliśmy do złożenia zeznań. Wiesz, w jaki sposób?

No?

Myślę, że nie do końca legalny i elegancki. Facet handlował warzywami na Mokotowie. Miał jedenaście stoisk, więc te wszystkie warzywa i owoce sezonowe, które musiały być sprzedane w ciągu dwóch dni, kupował za kwotę piętnastu, dwudziestu tysięcy. W czwartek kupował towar na Broniszach. W piątek i sobotę musiał to sprzedać, bo w niedzielę było nieczynne. Te stoiska były nielegalne. One oficjalnie nie miały prawa istnieć. Przychodziła straż miejska, handlarze płacili pięćdziesiąt złotych mandatu i stali dalej. Tyle razy prosiłem gościa, żeby złożył zawiadomienie. A on próbował mi nawet zastraszać pokrzywdzonego, który zgodził się zeznawać. Postanowiłem załatwić tę sprawę. Wiedząc, że on w czwartek nad ranem zrobił zakupy za dwadzieścia tysięcy, o siódmej rano na każde z jego stoisk wpadła policja ze strażą miejską. Powiedzieli krótko:

– Nie ma żadnego mandatu. Pakować się i wypierdalać! Macie pół godziny. Jeżeli nie, konfiskujemy towar, a wy jesteście zatrzymani.

Zjawił się właściciel, klęknął przede mną i zaczął płakać:

– Proszę pana, dwadzieścia tysięcy. Jeżeli ja nie sprzedam towaru, zgnije. Jak nie pozwolicie mi nim handlować przez piątek i sobotę, stracę dwadzieścia tysięcy. Mało tego, stracę płynność finansową i cały mój interes pójdzie się jebać. Dla mnie jest to ogromny cios. Robi mi pan taką rzecz, że masakra.

Klęczał przede mną i płakał – dorosły facet. Powiedziałem mu tylko jedno:

– Pamiętasz, jak ci mówiłem, że lepiej być po naszej stronie niż po stronie bandytów? Ja cię prosiłem trzy razy. Kolejny raz już nie poproszę.

– Dobra, to ja w tym momencie panu wszystko zeznam.

– Więc zabierasz się ze mną na komendę i składasz zeznania. Jeżeli to zrobisz, policjanci odejdą ze stoisk. Jeżeli nie złożysz zeznań, te stoiska nie będą funkcjonowały przez najbliższe dwa dni. Gwarantuję ci. To wystarczy, żebyś zrozumiał.

No i facet przyjechał i jak zaczął zeznawać, to głowa mnie rozbolała. Między innymi dzięki jego zeznaniom położył się Lepa i to on właśnie sprzedał Mikusia. Kiedy Mikuś zaczął do niego wydzwaniać, tamten próbował go wciągnąć w zasadzkę. Gangster jednak wyczuł, że coś jest nie tak, więc zdejmowaliśmy go z ulicy. Ten sprzedawca położył jeszcze inne osoby, na przykład Jogiego. Powiem ci, że chociaż został pozyskany w tak dziwnych okolicznościach, to najwięcej na nich zeznał, do końca rozpraw się nie wycofał i do tej pory jest po naszej stronie.

Ciekawe.

Złożył zeznania na wszystkich, którzy brali od niego haracze. Podał godziny, imiona, nazwiska, ksywy, rozpoznawał ich kolejno na spotkaniach, tablicach i na żywo. Okazał się jednym w najlepszych pokrzywdzonych. Trzeba było tylko przełamać barierę milczenia. To on, kiedy chciał rozpocząć handel na Mokotowie, poszedł do Jogiego i powiedział: „Słuchaj, będę ci płacił haracz, ale skoro sam się do ciebie zgłaszam, to daj mi jakąś niższą stawkę".

Pomysłowy Dobromir, kurwa...

To cwaniak był. Nikt go nie lubił. Zawsze wykańczał konkurencję. Miał swoje szklarnie pod Piotrkowem Trybunalskim. Handlował truskawkami w cenie produkcji. Potrafił te swoje truskawki przywieźć do Warszawy i jak chciał zwalczyć konkurencję, to nie kupował na Broniszach, tylko sam przywoził z Piotrkowa i sprzedawał po takiej cenie, że konkurencja naokoło padała jak muchy. Nienawidzili go. Pierwszy pokrzywdzony Andrzej i ten, o którym teraz mówię, byli największymi wrogami. To oni napierdalali się o stoiska, o te pięć centymetrów w prawo i lewo. Przyjechał do nich kiedyś Jogi i powiedział: „Jak się, kurwa, nie możecie dogadać, to ty jesteś mi winien pięćset papierów i ty tak samo!". Tak rozwiązał problem.

Przez tę kuriozalną sytuację dokonałem cudu. Ludzie, którzy byli ze sobą skłóceni, nienawidzili się za sam wygląd, bili się, opluwali i nasyłali na siebie

różnych ludzi – przez to, że obaj zostali pokrzywdzonymi, zaczęli się wspierać. W pewnym momencie, gdy do jednego przyszły jakieś chłystki i zaczęły
mu wygrażać: „Wiemy, że sprzedałeś chłopaków
z Mokotowa" i tak dalej, drugi zadzwonił i nas wezwał. Wiedzieli, że wdepnęli w to samo gówno, jadą
na tym samym wózku. Pogodziłem dwóch największych wrogów.

Żeby tę sprawę w ogóle prowadzić, potrzebowałem telefonu komórkowego bez ograniczeń, jeśli chodzi o możliwość dzwonienia, wysyłania SMS-ów.
Taki telefon załatwili mi przełożeni. Jak wiadomo,
to były czasy, kiedy policjanci nie zarabiali za dużo,
a komórki były drogie i każdy miał telefon na kartę.
Służyły do tego, żeby odbierać połączenia, a kiedy
była potrzeba wykonania jakiegoś połączenia, to się
bardzo oszczędzało, bo rozmowa kosztowała w chuj
pieniędzy. Jeżeli miałem telefon do zadań służbowych, nie wolno mi było dzwonić za granicę. Ale
połączenia na stacjonarne i komórki mogłem wykonywać bez ograniczeń. Policja za to nie płaciła.

A kto?

Mój komendant wystąpił o dwa telefony do
Komendy Stołecznej Policji. Jeden był dla dochodzeniowca, drugi dla mnie. Dochodzeniowiec telefon dostał, a kiedy ja pojechałem do stołecznej,

powiedzieli, że dla mnie już telefonu nie ma. Komendant zadzwonił do kierownika Wydziału Zaopatrzenia. Kierownik powiedział, że zabrakło drugiego i że jeden starczy, na co mój komendant się wkurwił:

– To wypierdalaj, chuju!

I rzucił słuchawką. Powiedział, żebym się nie przejmował. Za dwa dni zawołał mnie do siebie, dał mi wizytówkę firmy ochroniarskiej, która nazywała się PWPW i mieściła się na ulicy Puławskiej.

– Pojedziesz, wejdziesz do gabinetu prezesa, powiesz, że jesteś ode mnie. Jeśli będzie pytał o tę sprawę z bandytami, możesz coś wspomnieć, tylko oczywiście nie za dużo, tyle, co pojawiło się w gazetach. Możesz pochwalić się wynikami, a on ci wręczy telefon i będziesz go używał.

Tak naprawdę dzięki staraniom komendanta prywatna firma ochroniarska sponsorowała mi telefon. Oni to sobie wrzucali w koszty i mieli to w dupie. Nie mogłem tylko dzwonić za granicę.

Chcieliśmy złapać Mikusia na gorącym, najlepiej podczas odbierania haraczu. Próbowaliśmy tak to zorganizować, żeby przyjechał po kasę do pokrzywdzonego. Domyślił się, że coś jest nie tak, i nie chciał. Parę dni za nim pojeździliśmy, a on ciągle mówił, że wpadnie, ale w końcu nie przyjeżdżał. Jest usługa, która pozwala namierzyć telefon po BTS-ach. Możesz dowiedzieć się, w jakim sektorze jest komórka. Wiadomo, że są lepsze urządzenia, które są wstanie zrobić to dokładnie, ale wtedy takiego sprzętu nie mieliśmy. Była ogólnodostępna dla policjantów usługa, dzięki której namierzałeś dany telefon w zasięgu BTS-a. W mieście ma on zasięg około jednego–dwóch kilometrów. Nie wiedzieliśmy jednak, że telefon może być przerzucany z jednego BTS-a na sąsiedni. Była sytuacja, że raz sprzęt pokazał nam kwadrat ulic. Stoimy na rondzie na Ursynowie, praktycznie przy jedynej ulicy dojazdowej, i czekamy na gościa. Nawigacja powoli pokazywała, że dojeżdża. To już któryś dzień z kolei, kiedy próbowaliśmy go przy tym rondzie namierzyć. Kolega w tym momencie powiedział:

– Jacek, daj mi ten służbowy telefon, ja tylko do żony puknę.

– Dobra, masz.

Wszyscy mogliśmy korzystać z tej załatwionej komórki bez ograniczeń. Pamiętam, że to był siemens. Kolega miał nokię. Nokie i siemensy miały odwrotnie rozmieszczone zieloną i czerwoną słuchawkę. Mało tego, w siemensie było tak, że jak dwa razy nacisnąłeś czerwoną słuchawkę, to wyłączałeś telefon. Kolega zadzwonił, a potem niechcący nacisnął dwa razy czerwoną słuchawkę:

– O kurwa, wyłączył mi się telefon. Daj PIN.

– Jaki, kurwa, PIN? Nie mów mi, że do służbowego telefonu.

– No, niechcący mi się wyłączył.

– To, kurwa, bardzo ci dziękuję. Nawigacja chodzi na służbowy telefon, wszystkie SMS-y powinny schodzić na służbowy. A wiesz, gdzie jest PIN do tego telefonu?

– Gdzie?

– W komendzie, a my jesteśmy na Ursynowie.

Moglibyśmy gnoja złapać, bo już dojeżdżał, był prawie koło nas, wypatrzylibyśmy go dzięki tej nawigacji, ale gość wyłączył telefon. Cała robota poszła się jebać. Musieliśmy jechać na komendę. Nie było sensu wracać na rondo, bo kiedy włączyliśmy telefon, okazało się, że Mikuś już jest u siebie w domu, a tego adresu nie mogliśmy namierzyć. To było duże blokowisko, nie sposób było znaleźć jego mieszkania, bo nawigacja pokazywała kwadrat ulic. W kolejne dni jeździłem za Mikusiem swoim prywatnym samochodem – oplem vectrą. Dwa razy najechałem na niego w taki sposób, że prawie się zderzyliśmy, ale się nie jorgnął. Nie wiem, jak to możliwe. Bandyci byli w stanie wyhaczyć obserwację w ciągu trzech godzin, a jak jeździłeś za nimi prywatnym samochodem, to nie orientowali się, że ich śledzisz. Nie docierało im do łba, że jakaś zwykła vectra na praskich numerach może mieć cokolwiek wspólnego z policją. Nie zwracali na to uwagi, bo to był zbyt popularny samochód. Jeździliśmy za nim trochę, a skoro nie chciał się spotkać z naszym pokrzywdzonym, to jebnęliśmy go na ulicy. Zatrzymał się pod

Pubem 22, w którym też brał haracz. Pub związany był z łobuzami z Mokotowa i z Ursynowa. Właściciele lokalu utrzymywali z nimi dobre kontakty. Jak Mikuś się zatrzymał, wyskoczyłem z samochodu w kominiarce. Oczywiście byłem pierwszy, bo zanim moi otyli koledzy wytoczyli się z samochodu, to ja już wisiałem Mikusiowi u szyi. Próbowałem go rzucić na maskę, ale to był kawał chłopa, wyższy ode mnie, ze sto dwadzieścia kilo wagi. Efekt końcowy był taki, że wisiałem mu u szyi jak ratlerek i w sumie dyndałem się na nim. On natomiast stał sztywno i oponował. Nie pozwalał się wywrócić do momentu, aż dostał parę butów od chłopaków. Spętaliśmy go, znaleźliśmy kilka telefonów, klucze. Sprawdziliśmy na nawigacji, gdzie może mieszkać. Znaleźliśmy przy Mikusiu pilota od bramy i klucze od furtki. Jeździliśmy po sektorach, które pokazywała nawigacja, i naciskaliśmy guzik, żeby sprawdzić, która brama się otworzy. Zatrzymaliśmy go o dwudziestej, a do czwartej nad ranem łaziliśmy po Ursynowie i sprawdzaliśmy wszystkie bramy garażowe i furtki. Nic nie pasowało. Na drugi dzień udało nam się ustalić, gdzie chłopak mieszka. Okazało się, że gdy był w mieszkaniu, to przechwytywał go sąsiedni BTS i pokazywał, że znajduje się dwa kilometry dalej, dlatego nie mogliśmy go namierzyć. Kiedy znaleźliśmy to mieszkanie, okazało się, że zostało posprzątane przez kolegów. Mikuś trzymał tam towar, broń, kamizelkę kuloodporną. Był na tyle chytrym skurwysynem, że oprócz towaru, którym handlował dla ekipy, zawsze dokupił sobie coś na własny rachunek. Koledzy wiedzieli, że ma na przykład schowane dziesięć kilo, więc wpadli i zabrali broń, kamizelki i towar. Ale nie wiedzieli, że chytry chuj Mikuś ma jeszcze pięć kilo hery skitrane w innym miejscu. I to go zgubiło. Na przeszukaniu znaleźliśmy heroinę. Ależ on, kurwa, przeklinał.

On to mieszkanie kupił?

Wynajął. Na tę laskę, zimną dziewiętnastoletnią sukę.

Nie próbował zrzucić winy na nią?

Przyjął na siebie, był elegancki. Pytaliśmy pannę, ale nie chciała powiedzieć, czyje to, więc ją spudłowaliśmy. Mikuś to pojeb, który cały czas ma do mnie pretensje i się odgraża. Był zameldowany w Ząbkach. Na ten adres pojechali policjanci, jeden miał brodę, a ja też nosiłem wtedy brodę. Policjanci nie zastali na miejscu jego żony, tylko czternastoletniego dzieciaka. Gadali z tym chłopakiem i powiedzieli, że jak nie otworzy drzwi, to mu je wypierdolą. Te informacje do Mikusia dotarły – jak siedział w więzieniu, odwiedziła go żona. On się do mnie później strasznie sadził, że ja mu dzieciaka straszyłem i że mi tego nie popuści. Ta lala, która była u niego w mieszkaniu, ta jego kochanka, to była naprawdę wstrętna, zimna suka. Zaczęła mi pyskować, a ja jej powiedziałem: „Zamknij się, suko, bo w ryja dostaniesz! Nie odzywaj się do mnie w ten sposób!".

Ona też Mikusiowi o tym powiedziała i znowu miał do mnie straszne pretensje. Jak poszedł siedzieć, to panna wyjechała do Anglii i popełniła samobójstwo. Powiesiła się. A on przypiął sobie to wszystko do mnie. Ogólnie rzecz biorąc, jak się widzimy i mu przypomnę, że na mnie psioczył, to dostaje białej gorączki i odgraża się, że on tak tego nie zostawi.

On już wyszedł, tak?

Ale znowu go położyli. Groził mi ostatnio w budynku prokuratury, w obecności policjantów z wydziału narkotykowego KSP.

Ja mówię:

– Krzysztof, znowu mi grozisz?

A policjant z narkotyków:

– Ja nic nie słyszałem.

Ja tak spojrzałem na niego i rzuciłem:

– Kurwa! I ty nosisz legitymację? A idź ty w chuj!

A powiedziałem Mikusiowi tylko tyle:

– Krzysztof, za drugim razem, jak będziesz się nakręcał, sprawdź informacje. I raz ci powiedziałem:

nie kłap dziobem! I nie kozacz się tak, bo nie jesteś szybszy od kulki. Jeśli chcesz, proszę bardzo: będziesz na wolności, zapraszam.

Po Mikusiu z powrotem wsiedliśmy na Molka i chcieliśmy jeszcze złapać Arcziego. Arczi był młodym, wysokim chłopakiem, bardzo dobrze się napieprzał, był kick bokserem. W międzyczasie urwał nam się telefon Molka, ale odkryliśmy, w której agencji towarzyskiej bywa. Mieliśmy tam swojego człowieka i kiedy Molek się w tej agencji pojawiał, od razu byliśmy informowani. W tamtym czasie powiadomiły nas chłopaki z terroru, że wydane są listy gończe na Molka i Arcziego. Tym, którzy już siedzieli, doklepywaliśmy tylko kolejne zarzuty.

To musi być wkurwiające dla gościa, kiedy siedzi i dochodzą mu kolejne wyroki.

Jogi na przykład dobrowolnie poddał się karze. Wiedział, że nie wyjdzie z tego obronną ręką. Dostał dwa lata bezwzględnego więzienia. To nie jest wysoki wyrok jak na wymuszenie haraczu. Ale zanim odsiedział te dwa lata, dojebaliśmy mu następną sprawę, aresztowaliśmy do niej i dostał dwanaście lat. Dziwisz się, że chłopak ma do mnie pretensje? Mówił: „Można zabić każdego policjanta. Myślisz, że jak ktoś to zrobi, to jest już, kurwa, skończony? Gówno prawda".

Kiedy ci tak powiedział?

W budynku sądu, w garażu, jak czekaliśmy na ogłoszenie wyroku w rozprawie. Próbowałem go podpytywać o te sprawy z Klifem, z Komandosem, no i tak zeszło. Zapytałem:

– Kurwa, ty naprawdę uważasz się za takiego kozaka? Myślisz, że odjebiesz psa i będziesz sobie żył dalej?

Na to Jogi:

– Zabić policjanta to nie problem.

On oczywiście powiedział, że mi nie grozi, ale skoro już na takie tematy rozmawiamy, to wcale nie znaczy, że jeśli ktoś zabije policjanta, to jest skończony i na pewno go znajdą.

To był moment, kiedy pomyślałeś, że ta groźba może stać się prawdziwa?

Miałem to gdzieś, byłem zbyt butny, żeby wierzyć, że faktycznie mogą się na mnie porwać. Różne osoby próbowały za mną jeździć. Potrafiłem bezczelnie zajechać drogę i wysiąść z samochodu. Widziałem, jak spierdalali. Był okres, kiedy przez miesiąc chodziłem w kamizelce kuloodpornej, bo doszły nas informacje, że mnie i jednego kolegę z dochodzeniówki trzeba uciszyć. A to były słowa Arczego, jednego z najbardziej niebezpiecznych z tej ekipy. I jakoś to wszystko przeszło.

Później była sprawa Oskara. Zjawił się właściciel sklepu przy Puławskiej i twierdził, że chcą od niego haracz. Szczęśliwie zdarzyło się, że miał sklep spożywczy, a obok był pustostan po piekarni, który należał do gminy. Z dawnych czasów znam dyrektora zarządu budynków na Mokotowie. Zadzwoniłem i mówię:

– Panie dyrektorze, wy tu macie taki pustostan. Nie dałoby się pożyczyć nam kluczy? Chcielibyśmy zrobić zasadzkę. Przydałby się też prąd. Na jakieś dwa, trzy dni.

– Panie Marku, pan mówi – pan ma. Napisze pan tylko pisemko i zapraszam do siebie. Klucze czekają! Powie pan tylko, kiedy wysłać technika, żeby wam prąd podłączył.

Pomieszczenie było jak piwnica, nie miało okien, za to dwie pary drzwi – od zaplecza i drugie, zaklejone papierem. Wewnątrz nie było nic. Na ścianie wisiała tylko umywalka, stara, blaszana. Nie było nawet toalety. Musieliśmy tam wejść, wytrzymać do zmroku, żeby nic nie wzbudzało podejrzeń. W związku z tym byliśmy zmuszeni wstrzymać się ze sraniem i lać do tej umywalki. Była zamontowana wysoko, więc trzeba było stanąć na palcach. Wyglądało to dość ciekawie, jakby ktoś ruchał ścianę. Część ludzi paliła, część nie. Pomieszczenie było małe. Jeden w pewnym momencie prawie nam zemdlał. W trakcie zasadzki musieliśmy na

chwilę otworzyć drzwi i pozwolić gościowi wyjść.
Wcześniej, o czwartej nad ranem, w lokalu został
zamontowany sprzęt. Na zapleczu u dyrektora stał
magnetofon kasetowy. Taki sam jak w kebabie. My
za ścianą wszystko widzieliśmy i słyszeliśmy dzięki
walizeczce. W sklepie stał karton mleka. Nikt nie
wiedział, że jest pusty, ma wyciętą małą dziurkę,
a w dziurce kamerę. Tak się właśnie robi kamu-
flaż dla kamery czy podsłuchu. Jak stoi w sklepie
pięćdziesiąt kartonów z mlekiem, to kładziesz pięć-
dziesiąty pierwszy i nie wzbudza podejrzeń. Oczywiście trzeba postawić je tak, żeby nikt nie zdjął.
Przyszedł gość, wszedł na zaplecze i zaczyna gadać
o pieniążkach. Jak zobaczyliśmy, kto to jest, ochuja-
liśmy z wrażenia. Przyszedł sam Oskar. Gość, który
porywał ludzi, obcinał im palce, zbierał okupy po
milion euro, mordował i zapierdalał narkotykami
na dziesiątki kilogramów – przyszedł po haracz do
sklepiku, rozumiesz? Był przekonany, że wszystko
będzie okej, bo on w tej okolicy mieszkał. Jak właściciel go zobaczył, to powiedział:
– Ja cię znam. Ty tu mieszkałeś.
– No tak, bo ja do pana przychodziłem po zakupy. Powiedzieli mi, że ma pan problem.
Czemu Oskar tak powiedział? Bo obok była agencja towarzyska. I właściciel sklepu lubił sobie podup-
czyć, a że miał obok agenturę, to chodził tam i ruchał te biedne dziewczyny, aż furczało. Jak przyszli

do niego po haracz, poszedł do właścicielki agencji i się pożalił, że ma problem. Wtedy przyszedł do niego Oskar i powiedział, że ma tę informację od właścicielki agencji. Zadeklarował się, że mu pomoże, dlatego poszedł tak na pewniaka. Pogadał chwilę i wyszedł. Ale za chwilę wrócił i powiedział:

– Słuchaj, ja ci wszystko załatwię, tylko wiesz, nie ma nic za darmo, coś trzeba im dać. Ile masz przygotowanych pieniędzy?

– Mam tu tysiąc.

– No dobra, daj ten tysiąc, ja im, kurwa, dam i jakoś załatwimy tę sprawę.

Oskar zaczął rozwijać pieniądze, które były zawinięte w dwa woreczki, a zanim dokończył, to do sklepu wpadli policjanci i ja, krzycząc ile pary w płucach:

– Oskar, na glebę! Gleba!

On tylko łeb podniósł i mówi:

– Kurwa, to ty! Wiedziałem, że to ty!

– Skoro wiedziałeś, to po chuj przychodziłeś? Oskar, spodziewałem się tu, kurwa, ćpuna, jakiegoś leszcza, ale ciebie?

– Ale chciałeś mnie zamknąć. Przyznaj, cieszysz się, że to ja?

– Tak. W mojej układance wychodziło na to, że teraz ciebie trzeba zamknąć, ale nawet nie przypuszczałem, że będę miał takie szczęście. Nie myślałem, że na haraczu cię zatrzymam!

Wiesz, co on zrobił na rozprawie? Wstał i powiedział sędziemu: „Słuchajcie, ja dużo poważniejsze rzeczy robiłem, a wy mi chcecie tutaj obsrany haracz przybijać?".

Oskar dobrowolnie poddał się karze, bo dowiedział się, że mamy wszystko ponagrywane. Dostał trzy lata bezwzględnego więzienia. Ale potem dokleiliśmy mu kolejne.

Po paru dniach dostaliśmy informacje o Molku i o Arczim. W piątek przyszły do nas z terroru nakazy aresztowania. Wiedzieliśmy, że bandyci mogą się pojawić w pewnej agencji, więc zacieraliśmy ręce. Pomyślałem wtedy: kurwa, najdalej w poniedziałek będą w agencji. No, chyba że wpadną w weekend.

Zadzwoniłem do swoich ludzi i poprosiłem, żeby dali znać, jak tylko się pojawią. O pierwszej w nocy pojedziemy, czarni ich wykotłują i będziemy mieli z głowy całą grupę.

Następnego dnia była sobota. Idę do kiosku, patrzę – „Super Express", a w nim na pierwszej stronie: „Milion złotych za porywaczy", i wypisane nazwiska oraz ksywy Molka i Arcziego, a obok twarze obu poszukiwanych. Od tamtej pory nikt ich nie widział. Molek przypadkiem po kilku latach został zatrzymany w samochodzie pochodzącym z kradzieży metodą „na śpiocha". Miał przy sobie fanty. Złapano go na autostradzie pod Wrocławiem. Arczi natomiast ukrywał się bardzo długo. W międzyczasie zdążył przejść operację nogi i został zatrzymany w Wilanowie przez policjantów z CBŚ-u.

Wszyscy poszli siedzieć, a następnie zaczęli pojedynczo wychodzić. Wyszedł Jogi, za jakiś czas Arczi. Okazało się, że na Dworcu Centralnym ABW legitymuje Arcziego, który odbiera Jogiego z pociągu z Holandii. O co chodziło? Chłopaki testowali nowy kanał przerzutowy narkotyków z Kolumbii, a Jogi był w Holandii jako zakładnik za towar. Odbudowywali szlak narkotykowy.

W pewnym momencie dzwoni do mnie pewna osoba i mówi:

– Słuchaj, nie uwierzysz, kurwa! Były tutaj w siłowni te wszystkie kurwy mokotowskie, wzięli właścicielkę pod ścianę, wypytywali o ciebie, powiedzieli, że interesuje ich wszystko – miejsce zamieszkania, dzieci, żona.

Pomyślałem sobie: dobra, najwyżej się postrzelamy. Ale jak się dowiedzieli o tym moi przełożeni, od razu dali mi ochronę. Wiedziałem, że wiąże się z tym wiele ograniczeń, ale nie chcieli odpuścić. Do niedawna ochronę ludzi określała niejawna instrukcja i wszystkie czynności były objęte ścisłą tajemnicą. Jeśli ktoś był zagrożony, policja przeprowadzała czynności sprawdzające, czy zagrożenie jest realne czy nie. Jeśli uznała, że tak, podejmowała czynności ochronne. Czasami zmienia się tożsamość, wywozi w pizdu poza kraj, czasami wystarczy, że zmieni się tylko miejsce zamieszkania. W moim wypadku była to konieczność ochrony osobistej. Za ochronę świadków koronnych odpowiada ZOŚKa, czyli Zarząd Ochrony Świadka Koronnego CBŚ. Natomiast dla normalnych osób, które mogą czuć się zagrożone, policja nie stworzyła żadnego specjalistycznego wydziału, a uważam, że powinna. Bo praktycznie czynności ochronne wykonują ci sami policjanci, którzy prowadzą pracę operacyjną albo robotę patrolówki. Przeważnie są to wywiadowcy, którzy jeżdżą bez mundurów i zajmują się łapaniem złodziei na gorącym uczynku, czasami wypisywaniem mandatów. Zastanawiałem się, jak o ochronie powiedzieć żonie, więc zrobiłem to operacyjnie. Przyszedłem do domu i mówię Ance:

– Nie uwierzysz! Zaproponowali mi ochronę.

– Tobie, a czemu?

– Pamiętasz, była kiedyś taka gadka o tym, że Korek zrobił listę osób, które naraziły się mokotowskim. Że była lista prokuratorów, sędziów i policjantów do odstrzału.

– No, coś tam było.

– No, a później Bajbus zaczął zeznawać na Korka i zabili mu żonę.

– No, było coś takiego.

– Właśnie. I teraz wyszło kilku z tych, których pozamykałem, więc Komenda Główna dmucha na zimne i wszystkim policjantom, którzy mieli z nimi do czynienia, od razu proponuje ochronę. Żeby unikać sytuacji zagrożenia życia.

– Ale na czym polega ta ochrona?

– No wiesz, chcesz wyjść z domu, to cię zawiozą.

– Ty, wiesz co? Czemu nie? Będzie opieka dla dzieci i jeszcze samochód za darmo.

Dopiero po miesiącu czy dwóch trwania ochrony dowiedziała się, że faktycznie zagrożenie istnieje.

Od kogo?

Zaczęła się domyślać po gadkach chłopaków, którzy nas chronili.

W końcu powiedziałem jej po prostu prawdę. Ochronę mieliśmy pół roku.

A jak ona ich traktowała?

Były jaja! Moja żona robiła sobie po prostu z tej ochrony żarty. Dla niej to byli chłopcy, którzy mieli ją wozić samochodem. Myślała, że jest księżniczką, a oni będą wychodzić i drzwi otwierać. Tłumaczyli jej, że kiedy dadzą znać, to ma schować łeb pod siedzenie i otworzyć usta. Ona do nich:

– Kurwa, jesteście bezczelni, zaraz w ryj dostaniecie!

– Nie, to nie tak, jak pani myśli. Jak będziemy strzelać w samochodzie przy zamkniętych szybach, to jest tak duży huk, że lepiej otworzyć usta, żeby bębenków nie rozwaliło.

Na początku był dystans, a potem się okazało, że moja stara jest bardziej zakumplowana z policjantami niż oni sami ze sobą. W pewnym momencie zaczęła dezintegrować ten wydział.

Nosili jej zakupy?

No! Któregoś razu tak jej ciężko było znosić tę ochronę, że pozwoliłem, aby sobie coś kupiła. Miała dostęp do karty. Wygoliła ją do zera. Na ciuchy i buty wydała dwa tysiące. Jak przyjechałem do domu, to ci policjanci do mnie:

– Kurwa, nigdy więcej z nią na zakupy! Ja pierdolę! Człowieku, gdybyś ty widział, jak my tu wchodziliśmy. Ona, paniusia, wychodzi w butach na takiej szpilce, cyk z samochodu na chodniczek i idzie w stronę domu. A my musieliśmy za nią targać te wszystkie torby.

Jak po centrum handlowym zapierdalali, to musiał być Meksyk.

Widzisz... prawda jest taka, że powinniśmy wychodzić tylko wtedy, kiedy jest naprawdę megapotrzeba. A ona zaczęła sobie układać chłopaków. Ochrona ochroną, ale żyć jakoś trzeba. Inną sprawą jest to, że chronił mnie taki wydział, w którym po prostu kładli na to lachę. Bardziej interesowały ich ploteczki niż robota.

Myślisz, że w tym czasie obserwowali wasz dom? Były jakieś podejścia?

Były podejścia, żeby zebrać o mnie informacje od osób ze mną związanych, ale miałem to gdzieś. Albo zrozumieli, że po prostu nie opłaca im się to, albo to było tylko pompowanie się nawzajem, że niby te informacje zbierają. Może chcieli mnie postraszyć, żeby dotarło do mnie, że zbierają informacje na mój temat. Dowiedzieli się, że jestem objęty ochroną. Wiedziała cała moja ulica. Do tej pory do moich córek spływa jakieś echo – dlaczego ja miałem ochronę? Miejscowe żuliki wymyślają jakieś chore akcje. Podobno trzymałem z żoliborskimi i mokotowscy mnie za to ścigają.

Zorientowałeś się, że między jednym z policjantów a twoją najstarszą córką tworzy się romans? Czy w ogóle nie było żadnych symptomów?

Żadnych. To znaczy wiesz, moja najstarsza córka Iwcia zadzwoniła, mieszkała już sama, policjanci siedzieli, a Anka, moja żona, robiła sobie jaja:
– Córcia, jakie ja mam tu towary! Same przystojniaki! Policjanci lepsi niż u tatusia w wydziale!

No i Iwcia przyleciała. Hi, hi, hi, ha, ha, ha, gadka szmatka, a reszta odbyła się za naszymi plecami. W pewnym momencie jeden z chłopaków z ochrony zaczął mi podpierdalać, że Iwona spotyka się z drugim policjantem. A ci, którzy byli tego dnia, tak naprawdę przyszli tylko na zamianę, bo chłopaki, którzy na stałe nas chronili, mieli jakieś szkolenie. Po prostu z innej sekcji przysłali kogoś zamiast nich. No i akurat jeden zgadał się z Iwcią. Przez jakiś czas spotykali się w ukryciu przed nami. Później zacząłem to sprawdzać, namierzać, a pewnego razu pojechaliśmy do Iwci znienacka. Zadzwoniliśmy domofonem, wpadliśmy do domu i mówię od razu do niej:

– Dobra, mów, gdzie on jest.

– Ale co?

– Mów, kurwa, gdzie. Dzwoń po tego gałgana. Co ty myślisz, że ja o tym nie wiem? Iwona, ja wiem od dawna. Jeśli jestem objęty ochroną, to informują mnie o każdym twoim kroku. Powiedz temu, kurwa, policjantowi, żeby wrócił do domu. Gdzie on jest?

– Stoi dwa piętra wyżej. Jak usłyszał, że idziecie, to uciekł.

– Wołaj go.

Dzwoni do niego:

– Nie bój się, przyjdź. Ale nie bój się, oni wiedzą. Nie bój się, ojciec chce z tobą porozmawiać.

Wchodzi taki zbity pies:

– Dzień dobry.

– Zobaczymy, czy dobry. Co to za konszachty za moimi plecami? Co ty myślisz, kurwa, że ja się nie dowiem? Nie rozumiem tylko jednej rzeczy.

– Ale czego pan nie rozumie?

– Po co się ukrywasz? Nie mogłeś powiedzieć, że podoba ci się moja córka? Dlaczego miałbym mieć coś przeciwko temu, żeby się z tobą spotykała?

– Wie pan, bo jak byłem na ochronce, to...

– Ty, ale jesteś w stałej ekipie do ochrony?

– Nie.

– No to, kurwa, jaki problem? Nie rozumiem.

Bał się, bo była taka akcja, że chłopaki z jego wydziału pilnowali jakiejś laski gangstera. I ona przekabaciła policjanta, pierdolnęła się z nim i go wyjebali z roboty. Inny ich kolega pilnował pewnego pana zbója. Straszny pan zbój, kawał skurwysyna, odsiedział za usiłowanie zabójstwa policjanta, później wyszedł, zaczął kręcić jakieś lody, a ostatecznie stał się skruszonym gangsterem. Zanim dostał status świadka koronnego i przejęła go ZOŚKa, przez chwilę był ochraniany przez takich samych chłopaków ze stołecznej jak ja. I wyobraź sobie, że jeden z tych policjantów na tyle się zaprzyjaźnił z panem gangsterem podczas ochrony, że odkupił od niego warsztat oponiarski i się zwolnił z policji. Gangster i policjant się zgadali, bo wiesz, są policjanci, którzy starają się swoim zachowaniem dać do zrozumienia, że oni też nie są z pierwszej lepszej bajki i cały temat „miasta" rozumieją. A ten był dobrze zorientowany – kto, co, jak, gdzie, kiedy. I ten gangster mu w pewnym momencie mówi: „Jaki ty bystry chłopak jesteś! Wiesz, ja mam taki zakład typu wulkanizacja, a to nie jest głupi interes, więc może byś go sobie wziął, co?".

Gangster, który kiedyś strzelał do emeryta policyjnego, teraz policjantowi z ochronki sprzedaje warsztat oponiarski. Notabene ten policjant, będąc jeszcze policjantem, w tym warsztacie przygniótł sobie wyważarką palec i odszedł z policji na rentę. Jak babcię kocham. U Iwci na ślubie był z tym palcem. Środkowym, fuckowym. Tak że trudno się dziwić, że narzeczony Iwonki też się bał, że jak się dowiem, że ze sobą chodzą, to się wkurwię i go wyjebią. Sprawiał wrażenie normalnego człowieka. A później okazał się kurwą, mendą, chujem i hazardzistą.

Całą pensję przepierdalał?

Nie całą. Ale jak miał trzy tysiące pensji, to osiemset złotych potrafił przejebać na maszyny. Jak się ma na utrzymaniu żonę, która nie pracuje, bo wychowuje nowo narodzone dziecko, to chyba nie jest mało.

Po jakim czasie zaszła w ciążę?

Po roku. Bo Iwcia to tak:
– A my z Przemulkiem chcielibyśmy się pobrać.

– Chcecie, to się pobierzcie, tylko nie liczcie na wesele. Niedawno kupiliśmy ci mieszkanie i spłacamy kredyt. Uderz się w czoło. A w ogóle to się zastanów. Nie znasz tego człowieka za długo. Zastanów się, czy to jest odpowiedni czas, żeby się z nim wiązać.

Od razu ze sobą zamieszkali – Iwona miała swoje mieszkanie, to wiesz. Uderzyła do dziadków z problemem wesela. Liczyła na to, że sypną kasą. Dziadkowie też powiedzieli, żeby się waliła na łeb, więc Iwonka rozwiązała problem po swojemu. Po jakimś czasie poinformowała wszystkich, że jest w ciąży. Ja rozegrałem sprawę w ten sposób:

– No to gratuluję, Iwciu, fajnie. Powiedz, kiedy się urodzi. Gdybyście robili jakiś ślub czy coś, to też daj znać. Oczywiście nasza sytuacja finansowa jest niezmienna, więc na pieniążki nie licz.

Dziadkowie niby powiedzieli to samo, a później stwierdzili, że czuliby się źle, gdyby rodzice Przemka zorganizowali wesele, a oni przyszliby na krzywy ryj. I jak dziadek pierdolnął wesele za czterdzieści tysięcy, to aż furczało. Pieczone prosiaki z petardami powkładanymi w dupę. Tak, człowieku, prosiaki z petardami w dupę. A rok później Iwcia z Przemulkiem się rozeszła.

DOCHOWAĆ WIERNOŚCI KONSTYTUCYJNYM ORGANOM RZECZYPOSPOLITEJ POLSKIEJ

Ciągali was w absurdalnych sprawach po sądach?

Nadkomisarz Robert Krzysztoń, Wydział ds. Odzyskiwania Mienia: Goniliśmy nad ranem jakiś mały samochód, nie wiem, czy to było tico czy jakieś cinquecento. Trzech gości w środku. Dość często złodzieje tak się poruszali. Takimi niepozornymi samochodami. A poza tym gość jechał trochę dziwnie. Mógł być nagrzany. Jak nie złodziej, to nagrzany. Zatrzymaliśmy go za skrzyżowaniem Sobieskiego i Sikorskiego. Kierowcę poprosiliśmy do radiowozu, chcemy rozpocząć czynności, a ci jego kumple przychodzą i zaczynają nam coś pieprzyć, że on niewinowaty i żeby go puścić. Mówię do nich:

– Panowie, idźcie, chcemy porozmawiać z kierowcą, nawet jeszcze nie zdążyliśmy słowa z nim zamienić, a wy utrudniacie. Do was na razie nic nie mamy, posiedźcie w samochodzie.

No to poszli. Ale uszli kawałek i znowu wracają, i znowu pierdolą głupoty. Mówię do nich:

– Idźcie do samochodu, nie poprawiacie sytuacji kolegi, tylko cały czas pogarszacie. Zaczynacie nas wkurwiać.

Zero reakcji, a jeden nawet pyta, ile trzeba dać, żebyśmy go puścili, i grzebią po kieszeniach.

– Ale dlaczego chcecie go wykupywać, jak podobno niewinowaty? No dlaczego?

Nadal zero reakcji. Wysiadłem z radiowozu, wziąłem za kołnierz jednego, za kołnierz drugiego, zawlokłem do samochodu, poupychałem ich na tylnym siedzeniu, zabezpieczyłem, żeby nie wychodzili. Wracam do radiowozu, patrzę, a Marek – ten mój kierowca – wyskakuje z pojazdu i leci z taką specjalistyczną niemiecką pałką gazową w moim kierunku. Mija mnie, patrzę, gdzie leci, i widzę, że tamci już się wygramolili z auta i idą za mną. Marek doskoczył do nich i każdemu pizdnął z pałki gazem. Chłopaki zaczęły kaszleć i trzeć oczy. Posiadały w kucki na pasie zieleni i pluły między nogi.

Wracamy do radiowozu, a w tym momencie podchodzi do nas jakiś gość po cywilnemu, taki w wieku, ja wiem, czterdzieści parę lat i mówi do nas:

– Gestapowcy, skurwysyny widziałem, jak żeście bili tych ludzi. Kurwy jedne, jesteście załatwieni, od jutra bruk szlifujecie.

Trochę się zdziwiłem tą napaścią. Taka furia i takie słownictwo do mundurowych? Myślę sobie: a co my robimy innego, jak nie szlifujemy bruku, ale pytam go grzecznie:

– Przepraszam, a pan to turysta?

– Ja ci dam, kurwa, turystę, gestapowcu pierdolony!

– Pański dowód osobisty poproszę.

– Jaki, kurwa, dowód, za co dowód?

– Za znieważenie funkcjonariusza państwowego na służbie.

– A czym ja pana znieważyłem?

– Jak to: czym? Myśli pan, że nazwanie umundurowanego policjanta gestapowcem, skurwysynem i kurwą to nie są znieważenia? Dowód osobisty proszę!

A on w tym momencie wyjął z kieszeni takie coś jak karty magnetyczne, pierdolnął na maskę radiowozu i mówi:

– Se wybierzcie.

Zebrałem te kartki, próbuję coś odczytać w świetle latarni i widzę, że to wszystko w innych językach popisane, głównie po łacinie. Vaticano coś tam Giovanni Paulo Secondo. Pytam go:

– A co to?

– Ja jestem księdzem z osobistej świty Jana Pawła II!

– Uważa więc ksiądz, że słownictwo, które przed chwilą zaprezentował, przystoi duchownemu? Nie mówię, że wobec nas, policjantów, ale w ogóle. Przecież to jest rynsztok w najgorszym wydaniu.

– Ja przecież nic takiego nie powiedziałem. Macie na to świadków, macie nagrania!? Pani Mario, czy ja kogoś znieważyłem? – zwrócił się do kobiety, która wysiadła z samochodu i biernie przyglądała się sytuacji.

– Ja się nie wtrącam, nic nie widziałam i nie słyszałam.

– No widzi pan? A my mamy dwóch świadków w postaci tych panów, co tutaj siedzą. Widziałem, jak żeście ich bili!

W międzyczasie chłopaki się wypluli dostatecznie, gaz im już tak nie doskwierał i jeden z nich, taki trochę bystrzejszy, mówi:

– Niech się ksiądz odpierdoli i nie sieje fermentu. Nikt nikogo tutaj nie bił!

– Ale przecież ja widziałem!

– W dupie ksiądz był i gówno widział. [śmiech] Niech ksiądz idzie, bo nam ksiądz tutaj robotę psuje.

Rad nie rad, ksiądz wyjął w końcu dowód i spisaliśmy go. Pamiętam do dzisiaj, jak się nazywa, powiedzieć ci? Coś tam podszczekiwał w międzyczasie, ale zabrał panią Marię i pojechał. Pani Maria była cała w nerwach. Pewnie nie zależało jej na rozgłosie. Może była mężatką i romansowała z księdzem?

Na gosposię nie wyglądała. Powiedzieliśmy mu na koniec, że się spotkamy w sądzie.

Chłopaki myśleli, że po takiej akcji to już się z nami dogadali, żeby tego kolegę wypuścić. Ten z kolei się tłumaczył, że w lakierni pracuje i się lakieru nawąchał. Twierdził, że na badaniu alkotestem zawsze mu wychodzi jak po wypiciu alkoholu. Zawieźliśmy go do szpitala czerniakowskiego na pobranie krwi. Nie wiem, co mu wykazało i jak się dalej sprawa potoczyła...

Potem pojechaliśmy na Malczewskiego do komendy. Opisałem zdarzenie w notatce i oddałem oficerowi dyżurnemu.

Po służbie wróciłem do domu i położyłem się spać. Nie wiem, ile pospałem, godzinę czy półtorej – telefon. Dzwoni oficer dyżurny z Mokotowa i pyta:

– Gdzie jesteś?

– W domu! A gdzie mam, kurwa, być, Tadziu, jak dzwonisz na mój domowy telefon. [śmiech]

– Musisz szybko jechać na przesłuchanie do prokuratury.

– Ale ja dopiero po nocce zjechałem.

– Wiem, kurwa, ale Stary, jak przeczytał twoją notatkę, to tak się wkurwił, że zjebał mnie tutaj na funty, że was puściłem do domu. Mówi, że do prokuratury macie jechać natychmiast i złożyć te, no, wyjaśnienia, znaczy nie wyjaśnienia, tylko macie być przesłuchani w charakterze świadków, kurwa, złożyć zeznania.

– To nie może poczekać to do jutra? Zjebany jestem. Z tymi ciulami i z tym księdzem tośmy, kurwa, mieli przepychanki chyba od drugiej do szóstej rano.

– Nie! Już tam załoga po Marka pojechała. Za chwilę będą po ciebie, ubieraj się i złaź pod blok.

Dojechaliśmy do tej prokuratury, no i prokuratorka mówi:

– Nie wiem, po co taki raban ten komendant robi. A bo to mało takich spraw jest, że ktoś policjantom naubliża albo że się pobije z policjantami? W chuj takich spraw. Ale widocznie mu na czymś zależy.

– Pani prokurator, ale o co chodzi? Facet coś pomieszał. Coś może mu się przywidziało. Jechał samochodem, zobaczył interweniujących policjantów, a że jest księdzem i miał przy boku towarzyszkę, no to chciał być bohaterem, takim, wie pani, macho. Pomyślał, że wyskoczy auta i obrońcą uciśnionych będzie, ale mu się popaprało.

– Bardzo wam zależy, żeby tego księdza karać?

– W dupie to mam. Ja chcę mieć święty spokój, nie chcę być ciągany po żadnych sądach, po żadnych prokuratorach. Notatkę napisaliśmy na wszelki wypadek, gdyby ksiądz chciał nas obsmarować. Gdybyśmy olali sytuację, a on by napisał skargę do stołecznego, to byśmy mieli ciepło. A tak mamy dupokrytkę, czyli notatkę z opisem zdarzenia. A co pani z tym zrobi, to już nie nasza sprawa. Naciskać na karanie nie będziemy.

– No to co ja mam zrobić?

– Umorzyć przed wszczęciem, i tyle.

– To co mam napisać: że nie czujecie się obrażeni?

– Pani prokurator, jak ja byłem młodym policjantem i ktoś pierwszy raz powiedział na mnie „ty chuju", to się, kurwa, obraziłem. Ale jak przyjechałem do domu, to stanąłem przed lustrem, popatrzyłem i widzę, że ja ni chuja do chuja nie jestem podobny, więc przestałem na to zwracać uwagę.

Pamiętam, jak innym razem się bili złodzieje z lokatorami. Złodzieje próbowali się włamać do samochodu, ale lokatorzy mieli jakąś społeczną służbę, skrzyknęli się i ich zaskoczyli. Było chyba trzech złodziei i lokatorów kilkunastu, ale i tak się bali, nie tylko ich otoczyli i nie wypuszczali. Przepychanki słowne szły, jedni drugim ubliżali. Jak przyjechaliśmy tam w dwie załogi, to rzeczywiście te „kurwy" i „chuje" leciały, ale nie do nas. Natomiast dziewczyna z dochodzeniówki, która nas rano przesłuchiwała, żeby nabić punktów – bo wiesz, tak się robi w policji statystykę – dopisała w protokole, że nam ubliżali. To jest dodatkowy punkt: znieważenie funkcjonariusza publicznego na służbie.

I po przesłuchaniu nikt tego nie czytał, bo mówisz jej, ona pisze, a później, żeby szybciej do domu, to nie będziesz tego czytał, tym bardziej że sporo było napisane... I mijają ze trzy miesiące. W chuj czasu od tamtej sprawy. Przychodzi mi wezwanie, że mam się stawić na rozprawę. Jadę. Sędzia pyta, jakimi słowami nam naubliżali zatrzymani. Zdziwiłem się i odparłem, że nie ubliżali. Nikt nam nie ubliżał. Na to sędzia:

– Na skutek niezgodności zeznań proszę odczytać: karta ta, strona ta, linijka ta.

No to babka czyta. Czyta, czyta, czyta, no i faktycznie wychodzi na to, że oni nas wzywali od chujów, skurwysynów, kurew i tak dalej. Mówię, że to nieprawda.

– To czemu świadek zeznał do protokołu?

Ja na to, że nie tak zeznawałem.

– To dlaczego to zostało tak zapisane? Przecież świadek podpisał protokół.

– Podpisałem – mówię – bo nie czytałem tego, co zostało zapisane.

– Jak to? Świadek podpisał i nie przeczytał?

– Ale Wysoki Sądzie, to była nocna służba, rano zjechaliśmy, przesłuchiwali nas do godziny dziesiątej czy jedenastej. I to jeszcze była zima, my byliśmy zmarznięci, głodni, prawie kilka godzin na mrozie spędziliśmy z tymi złodziejami i z mieszkańcami. Myślałem tylko o jednym: jechać do domu. Jak mnie koleżanka przesłuchała, to myślałem, że napisała w protokole to, co ja powiedziałem, a nie, że sobie ubarwi, spróbuje punktów nałapać dodatkowych. I nie czytałem, tylko podpisałem w ciemno. A teraz prostuję: ubliżali sobie nawzajem z tymi lokatorami, ale nie ubliżali nam. Szły różne obelgi, ale szły bez-osobowo. Wobec mnie żaden z tych oskarżonych nie użył żadnej impertynencji.

I widzę kątem oka, że ci goście na sali aż się z wrażenia poruszyli.

Złodzieje, tak?

Tak. Jak przyszedłem na salę, to patrzyli na mnie jak na bandytę. A teraz już kumpel jestem. Co ciekawe, myśmy z kolegami się nie namawiali. Potem weszli ci trzej pozostali policjanci, którzy byli ze mną, i zeznali tak samo jak ja: że nie było nic takiego, żeby ktoś nam ubliżał, tylko ta koleżanka wszystkim nam wpisała to w przesłuchania. Oczywiście żaden z nas nie czytał.

Potem wyszedł za nami z tego sądu jeden koleś z policji sądowej i mówi:

– Gratuluję, panowie. Coś nieprawdopodobnego, jak pracuję dwadzieścia trzy lata w policji sądowej, to po raz pierwszy wchodzi czterech policjantów i mówi to samo. Zawsze to jest takie pierdolenie, jakby zeznawali do różnych interwencji. Ręce do oklasków same się składają.

Później tych złodziei spotkałem u siebie pod blokiem. Taki bar jest na Chełmskiej. Taki w podwórku, malutki. Dwa stoliki małe ustawione. Ja sobie tam zawsze lubię przesiadywać. Patrzę: wchodzą.

Ci złodzieje z tej sprawy?

Tak. Mówię: będzie awantura, bez bijatyki nie obejdzie się. Ale oni usiedli, „dzień dobry", „dzień dobry", potem przyszedł taki mój znajomy...

Tobie powiedzieli „dzień dobry"?

Tak. Przyszedł mój znajomy, taki miejscowy watażka, zakumplowany z mafiosami...

Policjant czy nie?

Nie, taki tam miejscowy, wiesz, mieszkaniec osiedla. Znaliśmy się, pożyczał ode mnie kasety wideo. Widzę, że on z nimi zakumplowany. I oni coś tam do niego szeptają. A on mówi:

– Panowie, to jest policjant, ale to jest policjant, który ma wszystkich policjantów pod sobą.

A jeden z tych złodziei wstaje i mówi:

– Ja pamiętam, jak się pan zachował w sądzie. Gdyby pan chciał wtedy nas udupić, tobyśmy pierdzieli w pasiaki do dzisiaj.

No i miałem szacun.

Drugi z tych złodziei miał na nazwisko Barwiński. Za jakiś czas dupnęliśmy go na Ursynowie, ludzie go wskazali jako włamywacza do samochodów. To było w święta Wielkiej Nocy. I mówię:

– Ty, Barwina, zmieniłeś teren działania na Ursynów? Przecież wiesz, że ja tutaj pracuję.

– Panie Robercie, ja nic nie zrobiłem.

– Jak to nic nie zrobiłeś?

Poszedłem do tych, co go wskazali, i mówię:

– Słuchajcie, na pewno to on?

Chłopak był i dziewczyna. Ona mówi, że na sto procent.

– No to będziecie zeznawać w sądzie.

– E, nie, wie pan, ja to się boję... – oni na to.

Do czego ten gość się włamał?

Włamał się do tira i ukradł CB-radio, wybił szybę, coś tam jeszcze zapierdolił. Ale CB-radio to widzieli, bo antenę zdejmował z samochodu, oni stali na przystanku, a tir niedaleko zaparkowany. Ale jak go zdjęli, to on wtedy tego CB-radia nie miał przy sobie. Albo przekazał, albo gdzieś miał samochód zaparkowany i schował to.

Barwina prosił mnie o litość, prosił i prosił, a ja mówię:

– Słuchaj, Barwina, święta są dzisiaj. Ponieważ tamci boją się iść do sądu zeznawać czy im się nie chce zeznawać, to ja ci robię dzisiaj święta, puszczę cię, ale jak cię dorwę gdzieś na swoim terenie i będziesz robił coś sprzecznego z prawem, to procesów nie będzie nad tobą. Zabiorę cię do najbliższego śmietnika, wsadzę ci łeb pod klapę kubła, pierdolnę ci w potylicę i załatwię za wymiar sprawiedliwości wszystkie tematy związane z twoimi ciemnymi sprawkami.

Minęło ileś czasu. Jestem w domu, słyszę strzały. Wypadam na balkon, patrzę na podwórko, a tam stoi człowiek otoczony bandą jakichś nygusów. On strzela do nich, a oni do niego. Napierdalają jak w westernie: jeden dyliżans w środku, Indianie go otoczyli i się napierdalają. Ale widzę: trup się nie ściele, więc chyba sobie z gazówek tę sprawiedliwość wymierzają. Więc ja za pistolet i na dół. Jak wypadłem zza budynku, to oni się przenieśli w kierunku Sobieskiego, na trawnik. Jak już nie mieli z czego strzelać, to wyrwali spod drzewek takie kołki do podtrzymywania i zaczęli napierdalać gościa tymi kołkami. Ludzi się pojawiło nagle ze trzydziestu, jacyś przygodni z przystanku przybiegli popatrzeć, kto kogo napierdala. Wpadłem tam, wydarłem się:

– Policja, stój, bo strzelam!

Wtedy jeden z nich tak runął na glebę, że kołek mu został w powietrzu – z taką szybkością się położył. Ale inny, co bił, mówi:

– Ja cię pierdolę, chcesz, to se strzelaj.

Więc mu w kolanko pociągnąłem. Kurwa! Niewypał. Przeładowałem, kulka wyskoczyła. Jak zobaczył, że ja nie żartuję, że chciałem mu strzelić w nogę, to już leżał.

Ktoś po kryjomu zadzwonił po policję i w tym momencie z jednej i z drugiej strony podjechały radiowozy. Chłopaki od razu mnie rozpoznały, bo byłem znany z tego, że strzelam...

– Co jest? – pytają.

Odpowiadam, że lali tu gościa. A facet wstaje i mówi, że ma pretensje tylko do tego, do tego i do tego – wymienia trzech, co tymi kołkami go bili. Widzę, że podnoszą tego, co się pierwszy błyskawicznie położył, a to Barwiński.

– Ty – mówię – co ja ci obiecałem ostatnio?

Na Malczewskiego ich zawieźliśmy. Tego gościa, którego bili, na przesłuchanie. Dziwne to przesłuchanie, bo siedzimy i ciekawi jesteśmy, o co poszło, o co kaman w ogóle. A on mówi tak:

– Panowie, mam nadzieję, że jesteście dżentelmenami. [śmiech]

– Panie – pytam – widział pan kiedykolwiek wśród policjantów dżentelmenów? Co mi pan tu pierdoli. Albo pan mówi, albo... A w ogóle gdzie jest pistolet?

A on na to, że nie ma żadnej broni.

– Panie – nie wytrzymuje – za chwileczkę, jak mnie pan wkurwi, każę ich wypuścić, pana też wypuszczę i dokończą dzieła. Przecież widziałem na własne oczy, jak pan strzelał do nich, a oni strzelali do pana.

A on, że to tylko gazówka była.

– A ma pan zezwolenie na gazówkę? – pytam.

– Nie mam.

– A gdzie pan kupił tę gazówkę?

– No, na bazarze sobie kupiłem.

– A dlaczego?

– Bo ja kiedyś byłem zastępcą komendanta ORMO.
I ktoś do komendanta wysłał moje intymne zdjęcia.
Ale ja na tych zdjęciach nie byłem z kobietą, tylko
z mężczyzną. Jak sobie robimy laskę. No i w związku
z tym, że to było nietolerowane, to kazano mi się
zwolnić. Ja wtedy faktycznie miałem orientację taką
promęską. Teraz mam odwrotnie, bzykam się już
tylko z kobietami. Ci panowie, co mnie bili, to są
jeszcze z okresu, kiedy się bzykałem z facetami. Podobno powiedziałem w pewnym środowisku, że jeden z nich mi laskę robił. No i on się wzburzył, powiedział kolegom, że ja rozpowiadam nieprawdziwe
informacje, i przyszli do mnie, żebym to sprostował,
żebym wycofał, powiedział, że to jest oszczerstwo,
i tak dalej. Patrzę, a ci, co najwięcej krzyczą, to tak:
ten mi robił ze trzydzieści razy lachę, tego to z piętnaście razy w dupę ruchałem... No i tak w zasadzie
nie widzę ani jednego, który by czegoś ze mną nie
miał wspólnego w większym lub mniejszym stopniu.
Takie środowisko. Więc mówię: „Ty mi robiłeś lachę,
ciebie ruchałem i nadal mam coś prostować?". No to
wyjęli pistolety. Ja też miałem pistolet, więc wyciągnąłem swój i zaczęliśmy się strzelać...

Jak on to opowiadał, to ja pod kaloryferem leżałem. A on mówi:

– Czemu się, panowie, śmiejecie?

– Człowieku – mówię – to chodź tutaj, ja będę to
opowiadał, a ty słuchaj tego „przecież ja cię w dupę
ruchałem". Przecież to się można polać...

A z Barwińskim jaka była puenta?

A, Barwina... Mówię:

– No i co, Barwina, miałeś się nie dać złapać nigdy. Czemuś tak szybko się rzucił na trawnik do
poddania?

– Panie Robercie, jak ja pana zobaczyłem, to
mi się te święta przypomniały, co pan mnie puścił.
I już się widziałem z tą głową w tym koszu od
śmieci, z tą klapą, kurwa, i potylicą...

No i znowu mnie wzruszył i go puściłem. [śmiech]

Potem poznałem się z Generałem. Dostałem propozycję zagrania z nim w jakichś mistrzostwach
Polski policji w brydżu. On był wtedy komendantem stołecznym. Pojechałem z bratem, a on z takim
swoim partnerem ze Szczecina. Zagraliśmy, już nie
pamiętam, jaki był wynik, lepszy, gorszy, coś tam
nawalczyliśmy. Ale mu się spodobało moje granie
i nasza znajomość przeniosła się na grunt prywatny.
Nie wiem, czy mnie polubił jako brydżystę, czy
uznał za wartościowego policjanta, zaproponował

mi w każdym razie objęcie funkcji komendanta komisariatu na Ursynowie albo na Centralnym. Na Centralnym było straszne bagno. Syf taki, że powiedziałem, że ni chuja, nie pójdę, bo to nie jest dla mnie domena. A na Ursynów nie mogę, bo tam pracowałem z chłopakami przez półtora roku, no i się wódkę piło i na baby się pojechało, to teraz nie pójdę i nie powiem, że mają przestać wódkę pić, i nie zacznę rządzić tymi, z którymi jestem poukładany po przyjacielsku.

Na Ursynowie pół roku jeździłem na radiowozie jako oficer i wszyscy mnie pytali na mieście, na czym się wpierdoliłem, że jeżdżę jako ten prawy. A ja na własną prośbę. Poszedłem do komendanta i powiedziałem, że mam dość pracy z nieletnimi, że już mnie to wkurwia, jeszcze nie jestem taki stary, żeby nie popracować sobie jako policjant. Że zawsze moim marzeniem było łapać bandytów, a nie siedzieć za biurkiem. I jak ruszyłem na miasto, to półtora miesiąca później nie było ani jednego włamania do samochodu. Jak pogoniłem jednych złodziei, zacząłem za nimi napierdalać i wystrzelałem cały magazynek, to poszła fama, że jest jakiś czub na Ursynowie i napierdala do wszystkiego, co się rusza. Że roweru nawet ukraść nie można, bo będzie strzelał. I było oddziaływanie pedagogiczne? Było. Jak było za cicho w nocy, to jechaliśmy sobie ze dwa, trzy razy strzelić w powietrze, żeby obywatele wiedzieli, że policja pracuje. Nie śpi, kurwa.

Minął rok i po roku ten komendant stołeczny zaproponował mi objęcie innej jednostki. Też nie bardzo mi się chciało tam iść, bo wykonywałem właśnie pracę wykładowcy w szkole policyjnej. Najlepsza robota, jaka mi się trafiła w czasie służby w policji.

Można było realizować cele na kanwie takiej zabawy w policjantów i złodziei. Organizowałem dynamiczne zajęcia. Wiesz, wszystko było filmowane, stąd może też moje zamiłowanie do filmu. Z punktu widzenia pedagogiki to także było uzasadnione, bo to, co robiłem ze swoimi słuchaczami, później było szeroko komentowane w całej szkole i ludzie z innych kursów przychodzili do mnie z prośbami o przeprowadzenie podobnych zajęć. A ja miałem taką metodę, że robiłem scenki. Jak w plutonie było dwadzieścia pięć osób, dzieliłem je na pięć grup. Nie ma tak, że patrole są pięcioosobowe, tylko po dwóch ludzi, ale to nie przeszkadza, bo w patrolu pięcioosobowym każdy będzie miał też jakieś swoje zadanie, na przykład asekurację – zawsze jak jest dwóch policjantów, jeden powinien asekurować. Więc dostawali zagadnienie do rozwiązania. Interwencje były filmowane, po wszystkim szliśmy do sali pedagogicznej, puszczany był film i omawiali błędy. A tych błędów znajdowało się w ciul. Nie było grupy, która by swoje interwencje przeprowadziła bezbłędnie. I po obejrzeniu, wytknięciu błędów zamienialiśmy scenkę w grupach.

Zamienialiście się rolami, tak?

Ta sama scena, ale inni aktorzy. Nie zmieniali się tylko pozoranci. Pozoranci byli zawsze ci sami. Znowu nagrywaliśmy, znowu omówienie, okazywało się, że błędów było dużo mniej, ale jeszcze były. Znowu się zamieniali. Jak każda grupa zrobiła swoje pięć scenek, to ostatnią scenkę wszyscy robili bezbłędnie. Już się nie było do czego przypierdolić. Oczywiście w naturze tego się tak nie robi, skraca się, ale wszystko miało być tak, jak każe przepis. Przepis mówi: ostrzec, ostrzegamy. Przepis mówi, jakimi słowami ostrzegamy, i takimi ostrzegamy. Zanotować, to notujemy. Pouczyć, to pouczamy. I wszystko było perfekt. A jak ci ludzie poszli później na ulicę, dawali sobie zdecydowanie lepiej radę w podejmowaniu decyzji i w podejmowaniu interwencji niż ci, którzy wychodzili tylko po zajęciach teoretycznych.

Jednym się trafiło, że im dwieście osób chciało odebrać zatrzymanego sprawcę – ci policjanci później przyszli do mnie z flaszką i mówią, że chcieliby wypić i porozmawiać.

– Nie tutaj – mówię.

– To gdzie możemy pana komisarza zaprosić?

– No jedźmy gdzieś na rybkę jakąś czy na kiełbaskę do jakiejś smażalni. Możemy wtedy porozmawiać.

I tam mi mówią tak:

– Panie komisarzu, jak staliśmy z tymi pistoletami wycelowanymi w tłum, to się nie baliśmy. Jakby ktoś dygnął, to byśmy napierdalali. Czuliśmy za sobą prawo. Że działamy na zasadzie prawa. I ci ludzie, kurwa, do nas nie podeszli.

Możesz nigdy nie strzelić. Możesz się bać strzelić. Możesz mieć niechęć do zabijania ludzi, do strzelania do ludzi, ale w danym momencie musisz tak odegrać swoją rolę, żeby każdy był przekonany, że go zabijesz. Możesz nie mieć naboi w pistolecie, ale z twojej twarzy musi emanować pewność, że będziesz powietrzem strzelał, ale będziesz zabijał. I tak było.

Jak objąłem komisariat, zrobiłem coś takiego, że u mnie nie mogło być kolejki. Wchodzę do komisariatu, patrzę, a tu siedzi siedem osób. Jeszcze wtedy poczekalnia była wątpliwej jakości, jak na Dworcu Wileńskim. Później już zrobiłem poczekalnię z prawdziwego zdarzenia. Ale powiedziałem do dyżurnych, że jak wejdę i zobaczę w komisariacie kolejkę ludzi oczekujących na przyjęcie, to przestają być dyżurnymi.

– To co mamy robić?

– Przesłuchujcie. Jak siedzisz w nocy, co ty masz do roboty? Dlaczego ludzi odkładasz na rano? Co ci ubędzie wziąć papiery, przesłuchać człowieka? Co, spać ci się chce? Obywatel nie ma prawa poczuć się odrzucony, on ma mieć świadomość, że jak przychodzi na policję i prosi o interwencję, to cała policja warszawska rusza szukać jego żony, dziecka, samochodu, roweru, czegokolwiek. Ja wiem, że nie znajdziemy, i ty o tym wiesz, ale ten człowiek ma czuć, że jest najważniejszy, kurwa, na świecie w tym momencie. Ma myśleć, że w tym momencie wyruszyły wszystkie radiowozy i wszyscy działają na jego rzecz.

No i tak robili. Nie było kolejki.

Wprowadzałeś też jakieś innowacyjne techniki wydobywania prawdy od zatrzymanych?

Mówisz o biciu? Któryś z naszych prawników, tych znanych, powiedział, że bicie też jest formą przesłuchania. Natomiast jest to poniżające zarówno dla tego, który bije, jak i dla tego, który jest bity. Poniżające dla tego, który bije, ponieważ widać jego słabość psychiczną, nieumiejętność prowadzenia rozmów, krótko mówiąc: głupotę. Posuwanie się do przemocy jest typowe dla ludzi o niskiej świadomości, niskim intelekcie. Nie zawsze trzeba bić, bo ci przestępcy są generalnie mocni w gębie, w grupie.

Zatrzymani, stają się potulni jak baranki. Sypią kumpli z prędkością światła, bo nie ma dla nich nic gorszego niż świadomość, że on został złapany, tamci będą chodzili na wolności i się cieszyli, a wszystko jemu się przybije. Więc sypią swoich kumpli natychmiast, a później im mówią, że tak byli torturowani przez policjantów, że im tam jajca w szufladę wkładali, że im szpilki pod paznokcie wbijali, że im tam palce wyłamywali i różne inne rzeczy. I to się przenosi tak z pokolenia na pokolenie, że policja bije. Gówno prawda. Nie powiem, zlałem kiedyś jednego frajera, ale zlałem go tylko dlatego, że był chamski. Dostał parę liści za to, że się odzywał nie w taki sposób, jak trzeba.

W jakich okolicznościach?

Cały czas mówił do nas: „Ty chuju, kurwo". I tak sobie leciał w chuja. Mówi: „No, co mi, kurwo, zrobisz?", „I co, zbijesz mnie, kurwo?". Takie zachowanie. A jak dostał ze sześć liści w pysk, to już mi mówił „panie władzo". Już była kultura. Lekcja nie poszła w las. Można każdego wyedukować. Ja już paru ludzi edukowałem. Nie, żeby mi to sprawiało przyjemność, absolutnie nie, nie mam jakoś tak w naturę wpisanego, żeby pobić, znęcać się. No ale jak trzeba, jestem do tego zdolny. Z baranka mógłbym się w potwora przemienić.

Nie próbowali potem tacy pobici składać skarg? Postępowań robić?

Nie, on się nawet cieszył, bo jak przypucował wszystkich kumpli, to był wdzięczny, że miał jakiegoś sińca na ciele, który mógł pokazywać jako obraz tego zezwierzęcenia policji, która tak go lała. Mówię ci: pojedynczo to są cienkie bolki. Była taka sytuacja, że banda chuliganów napadała na młodych ludzi. Nie na dziewczyny, samych chłopaków okradali. Jak szedł chłopak z dziewczyną, to dziewczynę puszczali wolno, a chłopaka z kurtki, z zegarka, łańcuszka, butów rozbierali do skarpety. Co miał cenniejszego, to mu zabierali. Oczywiście pieniądze też. No i było już kilka takich zgłoszeń. Pojechaliśmy ich szukać i patrzymy: idzie taka wataha dwudziestu pięciu chłopa. Jak nas zobaczyli, to się rozbiegli. Pojechaliśmy za jedną grupą. Udało się złapać jednego, ale wiesz, więcej nie upolujesz. Miałem jednego, więc byłem pewien, że powie mi wszystko. Wiedziałem, że to mięczak i pęknie, bo jak go goniłem, to mi w dziurę w płocie na budowie chciał wskoczyć, ale utknął. A jak dostał kopa w dupę, to darł mordę, żebym go nie bił. Więc go za nogę wyciągnąłem i do radiowozu. Jedziemy, nikt do niego nic nie mówi, a on się sam zaczyna nakręcać:

– Myślicie, kurwy, że coś wam powiem? Możecie mnie zajebać, nic wam nie powiem. – I tak sobie tam pierdolił.

Wprowadziłem go do celi i mówię:

– Słuchaj, teraz podasz mi nazwiska swoich kolegów.

– Możesz mnie, glino, zabić, i tak ci nic nie powiem.

– Słuchaj, kretynie, powiesz mi to po dobroci albo cię będę lał. Tylko teraz uważaj: jak cię pierdolnę w udo, będzie bolało. Pierdolnę cię i nawet się nie pomasujesz, bo masz ręce skute z tyłu, a za chwilę cię pierdolnę po raz drugi w to samo miejsce.

– Nie jestem kretynem – on na to – zrobię obdukcję, pójdziesz siedzieć.

Jak mu zajebałem w to udo... Nie zdążył japy otworzyć, więc mu zajebałem po raz drugi. I śpiewał, śpiewał, piał, żeby tylko już nie dostać więcej. Nie nadążałem notować nazwisk. Do rana mieliśmy zatrzymaną całą grupę.

– Widzisz – mówię – jak ci powiedziałem, że jesteś kretynem, to się obrażałeś, mówiłeś, że nie jesteś. Patrz, mogłeś to wszystko powiedzieć bez bólu. I tak powiedziałeś, a teraz muszę napisać notatkę, że użyłem pałki służbowej w trakcie zatrzymania cię. Jeszcze dostaniesz dodatkowy zarzut za to, że stawiałeś czynny opór.

Byliśmy tylko we dwóch, nikt tego nie widział. To nie była popisówka, że na oczach ludzi to zrobiłem. I gość nie poskarżył się nikomu, nawet tatusiowi, bo tatuś przyszedł go odbierać z komisariatu.

Ale kolegom pewnie powiedział, że tak go biliśmy, że musiał wychlapać wszystko, przecież umierał. Z tego, o czym ci opowiedziałem, nie jestem oczywiście dumny, ale nie wymyśliłem tego, wzięło się to skądś. Kiedyś byłem świadkiem przesłuchania prawdziwego bandyty. Oczywiście nie chciał powiedzieć, gdzie są łupy z haraczy, napadów na ludzi. Widać było, że to twardziel, menda taka. Dostał wpierdol łomem. Takim kilkukilogramowym.

W co dostał?

W udo. O mało się nie porzygałem na ten widok. Miałem wtedy dwadzieścia jeden lat. Jak to zobaczyłem, o mało nie rzuciłem pawia.

Dlaczego?

Bo to był dla mnie szok.

Widziałeś ślad po tym uderzeniu?

Nie. Facet był w spodniach. Dostał łomem w udo tak, aż myślałem, że mu ten przesłuchujący policjant nogę złamał. I natychmiast mu poprawił. Widziałem, że gość zsiniał, ale nawet nie wydał z siebie odgłosu. Ja się na tego policjanta rzuciłem i nie pozwoliłem bandyty uderzyć więcej. Mówię:

– Zostaw mi go, ja go przesłucham.

– On ci nic nie powie...

A ja miałem cukierki miętowe i zacząłem mu je do pyska wciskać i mówię:

– Żryj.

On je chciał wypluć.

– Jak wyplujesz, to ja stąd wychodzę i on cię będzie lał. Żryj te cukierki.

I tak pięć miętówek mu wpierdoliłem do pyska, on jadł, jadł i tak się zastanawiał przez chwilę, o co chodzi z tymi cukierkami. Po chwili już wiedział o co, bo go morda bardziej bolała w środku niż to, co dostał łomem.

Dlaczego?

Ponieważ jak zjadałeś dwa takie cukierki, to drugiego już wypluwałeś. Tak cię pysk szczypał. Nie wiem, co one miały w sobie, ale to były lotowskie cukierki i stewardesy je rozdawały w trakcie lotu. Miały chyba pobudzać wydzielanie śliny, żeby nie zatykało uszu od ciśnienia. W każdym razie wymyśliłem sobie zakłady, że więcej niż pięć cukierków nikt nie zje. Do trzech nikt nie doszedł. I wiedziałem, że jak temu zbójowi pięć wepchnę, jak opierdoli te pięć cukierków, to musi się poddać. Dałem mu wybór: albo cukierki i japa boli, albo będzie go mój kolega napierdalał łomem. I on poprosił, żeby mógł zeznawać, że on już będzie mówił. [śmiech] Wypluł te cukierki, wody mu dałem, popłukał sobie pysk i zaczął opowiadać. Okazało się, gdzie jest samochód z fantami. Podjebał jeszcze dwie lale, które czekały na niego na lotnisku. Podjebał je, podjebał fanty, wskazał miejsca, gdzie, co i jak. Wszystko przypucował.

Jedyna możliwość ukarania takiego bandyty jest wtedy, jak go policja zatrzyma i mu wpierdoli, bo później to zbóje się już tylko śmieją. Wymiar sprawiedliwości w postaci sądów czy prokuratur to taka ściema. Wracając do przesłuchań... Opowiem ci o paru elementach – można je nazwać psychologicznymi – jak nie bić człowieka, a uzyskać od niego przyznanie się i podkablowanie kumpli.

Mieliśmy na przykład takiego złodzieja samochodowego. Szedł w zaparte – możemy go zabić, nic nie powie. Wchodzę do chłopaków, którzy go przesłuchują, i biorę na korytarz jednego z nich. Mówi, że tamten nic nie chce powiedzieć. No to wszedłem do pokoju, a wcześniej przygotowałem czterech rosłych kolegów, żeby stanęli pod komendą z bejsbolami przy sportowej furze. Wchodzę więc z tym policjantem z powrotem do pokoju i mówię:

– No co? Będziesz mówił czy nie?

A on, że nie.

– W takim razie, panowie, musimy pana zwolnić.

Na co on, taki zdziwiony, wiesz:

– Ale dlaczego tak szybko?

– Weź no, zobacz – mówię do kolegi – co to za ludzie z bejsbolami stoją przed komisariatem.

A on takie gały. Kolega wyszedł, wrócił za chwilę i mówi:

– A, to właściciele samochodu, czekają na niego.

– Ale jak to: czekają na niego?

– No, bo domyślają się, że on się nie przyzna i że będziemy musieli go wypuścić. Powiedzieli, że się z nim policzą.

– Nie no – mówię – nie mogą tak.

– Oni to zrobią tak, że my nawet nie będziemy wiedzieli, o co chodzi – dodaje kolega.

No i wydaliśmy złodziejowi dokumenty, wszystko mu oddaliśmy, „do widzenia", a on mówi, że nigdzie nie idzie. I że telefon. Jaki telefon?

– Przysługuje mi prawo do zadzwonienia – mówi.

– Ale tylko wtedy, gdyby był pan zatrzymany, ale pan już nie jest zatrzymany, pan jest zwolniony.

– Ale ja chcę zadzwonić.

– Nie – mówię. – Może pan iść.

Wyszedł z komisariatu, zobaczył samochód z tymi „bejsbolistami", a chłopy to jeden góral taki wielki, prawie dwa metry, drugi Tomek, taki farmer, wielokrotny mistrz Polski w rzucie młotem. Jakichś jeszcze też dobrze zbudowanych dwóch dałem. Czwóreczka takich przystojnych. Facet wrócił i mówi, że nie wyjdzie stąd. Albo telefon, albo nie wychodzi.

– Nie, proszę pana, nikt pana tutaj nie będzie trzymał. Nawet nie możemy. Pan już nie jest zatrzymany, pan jest zwolniony. Proszę iść – mówię.

On, że ochronę chce. Ale jaką ochronę? To on mówi, że będzie gadał. To on powie. [śmiech] I się przypucował.

Drugi też nie chciał gadać, ale widać było, że jest na krawędzi. Czegoś mu potrzeba, jakiegoś argumentu. Więc „na prokuratora" go zrobiliśmy. Policjant się przebrał w garnitur, w płaszczyk, kapelusik, teczuszka, neseserek. Przyszedł, wyciągnął kwity, niby pan prokurator.

– Czy mam panu wystawiać papier na sankcję? – pyta. – Jeśli pan zeznaje – wychodzi pan z komisariatu do domu. Nie zeznaje pan – idzie pan na sankcję do aresztu.

– Ale panie prokuratorze, ja musiałbym mieć zapewnienie jakieś.

– Żadnych zapewnień.

– No to ja powiem – mówi tamten.

I powiedział, co wiedział... panu prokuratorowi... z policji. [śmiech]

A potem mówi:

– Ale przecież obiecaliście, że nie pójdę siedzieć...

– Na żartach się, kurwa, nie znasz?

Z nielatami miałem taką sytuację: już nie pamiętam, na czym zostali zatrzymani, a wiadomo było, że ich znam, bo już nie pierwszy raz ich pojmałem. I oczywiste było, że skoro minęło już ze trzy miesiące, to przez ten czas na pewno się musiało im coś uzbierać, więc ich pytam, co jeszcze zrobili. A oni mówią, że nic.

– Nie kłamcie – mówię im – bo wiem, że na pewno zrobiliście. Przecież tyle tutaj włamań do samochodów popełniono. Może nie wszystkie, ale w dużej części to wasza sprawka. Kradzieże samochodów, motorów. A wiem, że jesteście znani motocykliści.

Bo oni kradli, na motorze jeździli dotąd, dopóki była benzyna, a później porzucali ten motor albo dawali jakimś innym kolesiom.

To oni, że nie, że się do niczego nie przyznają.

– No dobrze – mówię – to ty wczoraj skończyłeś siedemnaście lat, więc będziesz odpowiadał jako dorosły i idziesz do pierdla.

Wypełniłem kwity, dyżurny go zabrał. Mówię do drugiego:

– Ty masz szesnaście lat, to idziesz do izby dziecka na przechowanie.

– Nie, ja chcę tak jak tamten – on na to. – Ja chcę z nim iść do więzienia.

– Ty nie możesz iść, ty gówniarz jesteś. Idziesz do małolatów.

A on się nie zgadza.

– Słuchaj, albo mówisz, potraktuję cię poważnie i cię zwolnię, albo idziesz do izby dziecka i będziesz pierdział w pasiastą piżamę.

Nie, on nie powie nic. Dobra, kwity. I pojechał do izby dziecka.

Następnego dnia ich przywieźliśmy. Ten jeden po nocy spędzonej w śmierdzącym anclu wszedł pierwszy.

– To co? – pytam. – Rozmawiamy dzisiaj czy powtarzamy historię?

– Rozmawiamy.

Więc go wziąłem, ale coś tam mu się myliło. Mówił, że nie pamięta wszystkiego i że jakby z tym drugim był, to oni razem będą więcej wiedzieli. No to wziąłem tego drugiego i dałem im dwie kartki papieru.

A młodszy pyta:

– Panie Robercie, jak się przyznam, to nie pójdę już do małolatów?

– Nie, nie pójdziesz.

– No dobra.

Pisali, pisali, pisali, naradzali się ze sobą. Bo chodziło o czyny i kto. Co zrobili i z kim. Aż przyznali się do siedemdziesięciu trzech czynów. Opisali siedemdziesiąt trzy czyny. Podjebali iluś tam kolegów, z którymi byli. Generalnie to prawie zawsze byli ci sami złodzieje, tylko raz było ich więcej, a raz mniej. Tylko w jednym wypadku nie mogliśmy im przybić czynu, bo poszli w zaparte i każdy się upierał, że wie lepiej. Czyli na przykład tak: ja mówiłem, że byłem na kradzieży z tobą i z Fitakiem. Fitak mówił, że był ze mną, ale bez ciebie, bo był czwarty klient. Ten czwarty mówił, że był z tobą, z Fitakiem, ale beze mnie. I nie można było nikomu przybić czynu. Sąd odrzucił ten jeden czyn, bo nie wiadomo było, kto go faktycznie dokonał. Oni, jak opowiadali, to przestępstwa kolegów przedstawiali jako swoje i przyznawali się do czegoś, czego nie zrobili. Jak ich przesłuchaliśmy, to zniknęły okoliczności uzasadniające trzymanie ich w pierdlach, więc ich zwolniliśmy. Następnego dnia mieli przyjść, a my mieliśmy dalej ich przesłuchiwać, bo trzeba było to wszystko już na papier przelewać. Przychodzą rano i mówią, że chcieliby jeszcze jeden czyn zgłosić. Jaki czyn?

– No wczoraj – mówią – jak pan nas wypuścił, to zajebaliśmy takiemu tutaj z bloku naprzeciwko motor. I żeśmy tym motorem pojechali do domu. Ale dzisiaj żeśmy nim przyjechali i ten motor stoi na parkingu.

Dzwonię do dyżurnego i pytam, czy było zgłoszenie. Było... To chuje.

Zadziałało na nich. Tego Fitaka to pierdel śmierdzący odstraszył, bo jak miał wracać na kolejną nockę, to nie chciał. A młody za wszelką cenę chciał być dorosły. Wiesz, byle tylko z gówniarzami nie siedzieć w izbie dziecka. Do więzienia, jakbyśmy go zamknęli, to byłby bohaterem. Ale pierdzieć w pasiaki w dziecięcej piżamie nie chciał. Najmłodszy w grupie był. Ale był najważniejszy, bo był największy z nich, najsilniejszy i ich trzymał żelazną ręką. A tu nagle chłopaki idą do więzienia, a on do małolatów. To dyshonor przecież.

Ale nie zawsze tak to działało. Pamiętam takiego gnoja, którego na różne sposoby próbowaliśmy, różne sztuczki mu robiliśmy psychologiczne i się nie dało. On powiedział nam jedno: „Wy to co najwyżej możecie mi wpierdolić, ale nie zabijecie mnie. Ja wpierdolu się nie boję. A jak wam coś powiem, to tamci mnie zabiją na pewno. Chcecie, to mnie napierdalajcie. Nie będę z wami dyskutował". A jeszcze znał prawo i mówi: „To wy musicie udowodnić winę, a nie ja mam swoją niewinność udowadniać".

Odpuściliście mu po takiej gadce?

Nie, nie odpuściliśmy. Był zatrzymany na gorącym uczynku. Odpowiadał za czyn, który popełnił, ale był z innymi. Tylko on jeden został zatrzymany, a nie chciał nikogo podkablować, więc udowodnienie innym odpadało. Można się było domyślić, kto z nim to robił, bo z reguły ci ludzie działają w tych samych składach, ale nie możesz osądzić kogoś na zasadzie domysłu.

Biliście go?

Nie. Oddaliśmy go prokuratorowi i na sankcję do aresztu poszedł, dalej prokurator sobie z nim wojował.

Czyli co? Przyjąłeś jego racje?

Tak. Jak on się nie boi wpierdolu, to co? Po co go bić? Znaczy podejrzewam, że gdybym zastosował do niego ten motyw z łamaniem nogi, toby się rozgadał. Ale ja się tym brzydziłem, naprawdę.

Nie da się postępować zawsze zgodnie z przepisami. Policjant musi mieć w głowie wewnętrzny zbiór norm i zasad, którymi się kieruje w pracy. Raz dostaliśmy cynk od dyżurnego. Pełnił służbę w nocy. Powiedział, żebyśmy uważali, bo z Cybisa będzie wyjeżdżało BMW, ale jakaś taka limuzyna, na owe czasy wypasiona. I że kierowca jest pijany. No i faktycznie wyjeżdża na nas ten samochód. Zatrzymaliśmy go. Ale nie czuć było alkoholu od faceta, wyglądał normalnie, gadał normalnie.

– Spożywał pan alkohol? – pytam.

– Tak.

Pomyślałem, że kretyn, ale pytam:

– No dobrze, kiedy?

On mówi, że gdzieś koło dwudziestej drugiej trzydzieści wypił lampkę koniaku, może z pięćdziesiątkę. Więcej na pewno tam nie było.

– Wiem, że samochodem przyjechałem, więc nie chciałem pić więcej.

– Ta pani z tyłu piła? – pytam.

– Nie, ona jest abstynentką.

– A ma prawo jazdy?

– Ma.

– A umie jeździć?

– Umie.

– To możecie się zamienić?

– No to się zamienimy.

I się zamienili, i pojechali.

Rano zjeżdżamy do komisariatu, patrzymy: stoi ta fura. Wjechaliśmy na podwórko, a ten gość za nami zapierdala. Podchodzi do nas, rozgląda się, czy nikt nie widzi, wyjmuje dwie koperty i mówi:

– Z okazji świąt Wielkiej Nocy chciałem panom złożyć najserdeczniejsze życzenia. I chciałbym panom wręczyć symboliczne prezenty. Nie wiem, co lubicie, nie znamy się, raz się tylko widzieliśmy do tej pory w życiu. Więc nie ukrywam: są tutaj pieniądze i kupcie sobie za te pieniądze, co chcecie.

– Proszę pana, żadnych takich manewrów – mówię.

– Proszę pana, to nie jest łapówka. To jest prezent świąteczny. Przecież ja tutaj nie musiałem przyjeżdżać. Przecież pan mnie puścił w nocy. I pan nie mówił, że pan mnie puszcza w zamian za to, że ja tu dzisiaj przyjadę. Ja nie mówiłem...

– My nie bierzemy żadnych prezentów – przerywam mu.

– Proszę pana, powtarzam panu, to nie jest łapówka, tylko prezent, każdy może przyjąć. Ja wiem, że pan nie liczył, że ja się tutaj pojawię, w związku z czym tym bardziej pan może przyjąć ten prezent. Wie pan, może by mi pan krzywdę zrobił, jakby pan mi zabrał prawo jazdy. Może by wykazało na krwi, że wypiłem tę pięćdziesiątkę, może by nie wykazało. Ale gdyby wykazało, tobyście mi musieli zabrać prawo jazdy. Jakbyście mi zabrali prawo jazdy, pewnie na rok, to ja przez rok musiałbym zatrudniać kierowcę, bo ja prowadzę poważne interesy i samochód mi jest potrzebny. W większości jeżdżę sam, bo nie piję. A tak musiałbym zatrudnić kierowcę, więc musiałbym stworzyć kolejny etat i tracić pieniądze na pensję dla kierowcy. Więc zrobiliście mi prezent świąteczny i chciałbym się wam zrewanżować.

Ja bym tego nie przyjął. Ale patrzę na Jarusia, z którym jeździłem – on zawsze bidę klepał. A jak ja odmówię, to on też. Bo charakterny był gość. A są faktycznie święta za pasem, to przynajmniej będzie miał na szyneczkę, na jakieś prezenty dla dzieci czy coś.

– Okej – mówię – potraktujmy to jako prezent.

No i piątka, piątka. Pożegnaliśmy się, gość pojechał. Wręczył nam po sto dolarów w tych prezentach, a powiem ci, że sto dolarów wtedy to było sporo pieniędzy. Zachował się naprawdę fajnie i nikt na nim tego nie wymuszał. Rozstaliśmy się... no, tak po ludzku. Ja byłem strasznym przeciwnikiem brania łapówek. Nienawidziłem łapówkarzy.

Dlaczego?

Dlatego że jest wyznaczona pewna granica, której nie powinno się przekraczać. Jeżeli poszedłem pracować do policji, to nie mogę popełniać przestępstw. Takie miałem założenie. Nie będę kradł, nie będę brał łapówek i brzydziłem się ludźmi, którzy to robili. To nie byli moi koledzy. Owszem, musiałem udawać, że między nami jest okej, ale już tych ludzi ani nie zapraszałem do domu, ani się z nimi nie bratałem.

Uważasz, że świat policji i przestępców trzeba oddzielać? Dopuszczasz przyjaźń z gangsterami? Nie mówię o zależnościach, tylko o takich zwykłych znajomościach.

Znajomości między policjantami a bandytami, powiedzmy, takimi jeszcze nieposadzonymi albo takimi, co wyszli z więzienia, to są elementy nieodzowne ze względu na charakter wykonywanej pracy. Jak oni siądą czasem ze sobą przy jednym stole, to nie znaczy, że się kochają i zaraz będą wyświadczać sobie przysługi.

Byłem parę razy w takich sytuacjach, kiedy wiedziałem, że gość, który siedzi naprzeciwko, jest jakimś tam mutantem z „miasta". I nie pała do mnie sympatią ani ja do niego. Ale będąc w otoczeniu innych ludzi, nie następujemy sobie na odciski. Ja nie krzywię się, jak on coś mówi, a on się nie krzywi, jak ja gadam. Swego czasu poznałem tych wszystkich najpoważniejszych gangsterów. Oni wiedzieli, że ja jestem pies, ja wiedziałem, że oni są gangsterami, a spotykaliśmy się na neutralnym terenie, bo w kasynie. Kasyno jest neutralnym terenem i każdy może tam pójść. Graliśmy na jednym stole z najsłynniejszymi „miastowymi" i chuj, mnie czapka z głowy nie spadła, a im też nie ubyło. To nie są przyjaźnie, po prostu przelotne znajomości. A poznali mnie kiedyś, jak stałem na bramce w jednym z pierwszych kasyn, jakie w Warszawie powstało. Przeważnie psy stały wtedy. Jak gangsterzy przychodzili do nas do kasyna, to nas szanowali, a myśmy się do nich nie przypierdalali. Przecież nie było o co. Jak ci panowie tam przychodzili, to dżentelmenami byli. No, poza jednym bokserem, który kiedyś przyszedł i narozrabiał, ale kilku ważnych pozamiatało go i wyprowadziło z kasyna, bo chciał się ze mną bić.

Domyślam się, co to za bokser.

No tak. To było jakiś tydzień czy dwa tygodnie przed tym, jak wypierdolił za granicę. Pobił jakiegoś chłopaka na dyskotece. Ale wtedy to by dostał wpierdol, bo był najebany. Ja byłem duży, to sobie mnie wziął na celownik: że on się sprawdzić chce. Bohater. Ja bym tam się z nim w pojedynki pięciarskie nie wdawał, tylko dostałby bęcki, i tyle. Nawet Pistolet dostał kiedyś u nas w kasynie wpierdol.

Od kogo?

Znaczy pod kasynem dokładnie. Przyszedł pijany z którymś z tych swoich żołnierzy. Najpierw go nie chcieliśmy w ogóle wpuścić, ale on na to, że tylko wejdzie, postawi jeden żeton i wychodzi. No to, żeby afery nie robić przed drzwiami, wpuściliśmy go. Usiadł, postawił sto dolarów na jakiś numer i oczywiście nie weszło. To on zapierdolił żeton, te sto dolarów. Krupier zareagował. No i afera, żeby teraz mu zabrać ten żeton. Bo przegrał. A on do kieszeni, i chuj. I będziesz się szarpał? Ale menadżer w końcu mówi, żeby odstąpić, ale że pan out. No to pana pod rączki i wyprowadzamy. W kasynie pracował technik, taki Anglik, złota rączka do tych wszystkich urządzeń. Pyta, co się stało. A że miał żonę Polkę, to tak z nami rozmawiał trochę po polsku, trochę po angielsku. Ja mu mówię, że Pistolet ukradł żeton.

– Ukradł? – pyta. I jak mu zapierdolił z piąchy w łeb... Trafił go w nos, aż krew się puściła.

– Po kiego chuja go bijesz, kretynie? I co teraz? Będziesz sprzątał po nim tutaj?

Ale ten jego żołnierz mówi:

– Dobra, dobra, panowie, ja to załatwię.

Wsadził Pistoleta w taksówkę i pojechali w pizdu. Myślałem, że się będą mścić. Ale nie. On jeszcze wtedy nie był znany jako Pistolet. Ja go znałem jako Zdziśka. Jakiś czas później jestem u kumpla na Mokotowie w komendzie, a on miał zdjęcia osób poszukiwanych ponaklejane na tablicę. I między innymi jego zdjęcie wisiało.

– Skąd ty masz te zdjęcia? – pytam go.

– A co?

– Przecież ja znam tego gościa.

– To nawet się nie przyznawaj, że go znasz.

– Dlaczego?

– Przecież to Pistolet jest, boss mafijny.

Faktycznie wtedy był proces, ale on w telewizji zupełnie inaczej wyglądał – taki nobliwy pan. Do kasyna zawsze na sportowo chodził, a w telewizji to garnitur, okularki, ten tego. Jednak telewizja zmienia, kurwa, ludzi.

Wkurwiali mnie policjanci, którzy nie mieli zasad. Miałem taką protegowaną. Jej rodzina poprosiła mnie o pomoc w znalezieniu pracy, a ta sobie zażyczyła do policji i udało jej się. Miałem ją za taką trochę świruskę – trochę była infantylna, ale umiała mnie też zaskoczyć, po prostu ciągle grała. Jak na swoje pochodzenie i wykształcenie to była niebywale sprytna i może nawet niebywale mądra. Grała taką słodką idiotkę. Ale zaskakiwała mnie, umiała słuchać i błyskawicznie się uczyła. Jak tu przyszła, a pochodziła z Podlasia, chuj tam, zza Białegostoku jeszcze, to mówiła z takim śmiesznym akcentem. Prawie pod granicą mieszkała.

No i co?

Mieszkała pod samą granicą i tak śmiesznie mówiła: „Sledzi? So sledzi? So. To dajcie dwóch". Jak tu przyjechała i zaczęła napierdalać tymi śledziami, mówię jej:

– Ty, słuchaj, przede wszystkim to musisz się nauczyć polskiej mowy.

– To ja śle po polsku mówię? – pyta.

– Nie no, kurwa, świetnie, tylko zaciągasz trochu. Posłuchaj, jak mówią ludzie w Warszawie, i musisz się nauczyć mowy warszawskiej, bo się będą z ciebie śmiali.

Ty wiesz, że ona po miesiącu nauczyła się naszej mowy? Trukała jak rodowita warszawianka. Powiem ci, jak opowiadała o życiu w tej swojej wiosze. Byłem tam kiedyś u niej na tym zadupiu. Tam ludzie, jak chcą przeczytać gazetę, to słońce bosakiem łapią. Koniec świata, kurwa. Mało tego, że psy chujami wodę piją, to jeszcze słońce trzeba sobie przyciągnąć. A ona bez żadnych kompleksów napierdalała o tej biedzie, o tym, jak tata wódę napierdala. Przez niego była pełną abstynentką. Czasami rzuciła: „Wiesz co, piwka bym się napiła". Otworzyłem piwo, a ona: „Eee, wiesz co, jeszcze w życiu piwa nie piłam, to może nie będę piła?". I co się dziwić, jak ona się napatrzyła w domu na swojego starego, który jak się napił, ponoć był mało subtelny. A tur taki, większy ode mnie. I jak ona była w szkole policyjnej, to przyjechałem tam po jakieś dzienniki i spotkałem ją na korytarzu.

– Jak leci? – pytam.

– Nie wiem, czy ci powiedzieć – mówi.

– Ale co?

– Ale ty się zaraz wkurwisz i będziesz krzyczał.

– No to lepiej, żebyś mi teraz powiedziała, gdy stoimy na korytarzu, niż jak się dowiem w innych okolicznościach, bo wtedy to dopiero będę krzyczał.

– To słuchaj. Znasz takiego i takiego?

– Znam.

– To jest twój kumpel?

– Wiem, kto to jest, tak, ale nie znam go tak, żeby się z nim waflować.

– Bo on chce mnie bzyknąć.

– Chce cię bzyknąć?

– Powiedział mi, że mogę się nie przygotowywać do egzaminu, tylko mam przyjść do niego i zdać na ustnym. Przed całym plutonem powiedział, że nie wszyscy muszą się uczyć przedmiotu, wystarczy, że przyjdą do niego i na ustnym zdadzą. I patrzył na mnie.

A to naprawdę była atrakcyjna laska.

– Dobra – mówię – to ja z nim pogadam.

– A jak się będzie mścił?

– Jak się będzie mścił, to i na niego się zemsta znajdzie.

Poszedłem do gościa i mówię:

– Słuchaj, słyszałem, że chcesz bzyknąć taką lalkę.

A on bez żenady potwierdza, że owszem, chciał, żeby mu lachę zrobiła. To ja ściemniam, że ona ma niedługo zostać moją żoną.

– Robert, ja nie wiedziałem, taka młoda?

– No wiesz, są różne, kurwa, koleje losu, ale ta dziewczyna jest moją narzeczoną.

On nie znał mojego statusu. Nie wiedział, czy jestem żonaty czy nie. I mówi:

– To ja przepraszam.

– Daj spokój – mówię. – Ale takie zachowanie, jak zaprezentowałeś wobec niej, to nie przystoi oficerowi, kurwa, wykładowcy. Jeszcze w twoim wieku.

A on brzydki był, że o Jezu. Gdyby był chociaż trochę do ludzi podobny, to może ona by mi nie powiedziała. Może by mu tę lachę zrobiła i miałaby z głowy. Ale on był ohydny. I jeszcze taki opój. Śmierdzący knur. Wiecznie naoliwiony. No i chuj. Następnego dnia ona do mnie dzwoni:

– Słuchaj, upierdolił mnie na egzaminie. Wszyscy zdali, tylko ja z Iwoną nie zdałam. Mamy egzamin poprawkowy. Przyszedł na zajęcia, po tym jak byłeś u niego, i mówi, że tych, co będą go straszyć dużymi, uzbrojonymi facetami, tym bardziej będzie upierdalał na egzaminie.

To już było ewidentne, że się zemścił. Dzwonię do chuja i mówię:

– Słuchaj, rozmawiałem z tobą jak z człowiekiem. Zachowałeś się jak bydlak. To teraz uważaj, bo ja będę z tobą postępował jak z bydlakiem. Musisz mieć oczy dookoła głowy. Ty święty nie jesteś, więc uważaj, bo od dzisiaj będziesz otoczony samymi wrogami. Wszystkie oczy będą zwrócone na ciebie. Będę cię pilnował na każdym kroku, aż cię, kurwo, dopadnę. – I wyłączyłem się.

Zadzwoniłem do kumpla prawnika. Wziął te dziewczyny na korepetycje. Zadzwonił do mnie i mówi:

– Słuchaj, orły nie są, ale te trzy z plusem powinny dostać.

Poszły na poprawkę. Znowu je ujebał. Chociaż nie powinno go być na poprawce. Ujebał, mówię, chuj mu w dupę. Dziewczyny za niezdany egzamin miały wylot ze szkoły i z policji. Minęły ze dwa tygodnie. Jest sobota. Dostaję telefon. Kolega mówi:

– Robert, prosiłeś, żeby cię poinformować. Ten wykładowca prowadzi zajęcia na dobrej bani. Dwa promile co najmniej.

Za chwileczkę drugi telefon: gość prowadzi zajęcia na bani. No, jak dostałeś dwa telefony, to muszą być wiarygodne. Zadzwoniłem do komendanta. A to był mój kumpel i wiedział o całej sprawie, bo byłem u niego. I on mi wtedy powiedział:

– Ty, jak zrobimy aferę, czy ktoś to poświadczy?

Mówię, że zdanie przeciwko zdaniu. On na to, że to, co ja mówię, to jest kryminał. No i wtedy nie ruszyliśmy. Ale on zapowiedział, że dopadniemy go inaczej. Więc teraz do niego zadzwoniłem i relacjonuję: prowadzi zajęcia pod wpływem. On na to, że dobra, wie, co robić. Za chwileczkę do mnie dzwoni: powieziony. Przetestowali go na rurze. Przedmuchali. Ma jeden dziewięćdziesiąt osiem we krwi. Zdjęli go z zajęć. Zadzwoniłem do drania i mówię:

– No i widzisz, chuju, jak teraz wyglądasz? Powiedziałem ci. Obiecałem, że cię powiozę, i cię powiozłem.

Ale to był jedyny wypadek, że się na chuju tak zemściłem. Zresztą nawet go chujem nazwać nie można.

Spotykałeś wielu policjantów, którzy przekraczali granicę?

Tak, bo granica jest bardzo płynna. Zresztą spotkałem się z wypadkami, że wśród policjantów byli złodzieje, więc pytam: gdzie jest ta granica? Policjanta, który na moich oczach kradnie, pytam. Ja go do tej pory, do dzisiaj, lubię. Uważam go za fantastycznego kolegę, zbyciarza – takiego do rany przyłóż, i nagle on przede mną odkrywa inną naturę. Kradnie. Pytam go:

– Gdzie jest granica między tobą a tymi ludźmi, których dopiero zatrzymaliśmy, którzy pojechali do ancla?

– Chcesz, to mnie podpierdol.

– Nie – mówię – idź i odnieś to, co zajebałeś, kurwa.

A co zajebał?

Nie mogę ci powiedzieć, bo jak ktoś to przeczyta, to od razu będzie łatwe do identyfikacji.

A czemu policjanci przechodzili na drugą stronę barykady, do zbójów? Jakie były motywy?

Najczęściej utrata możliwości zarobkowania. Bo dlaczego idą do policji? Z reguły dlatego, że są leniami. Nie ma chęci, nie ma zdolności do czegoś na przykład. A nawet jeżeli ma, to nie chce tych zdolności rozwijać. Niektórzy mają wyższe wykształcenie. Teraz często się zdarza, że ludzie mają bardzo ciekawe kierunki pokończone, ale najczęściej ktoś ich na ten kierunek namówił – rodzice, bo to, powiedzmy, tata w tym pracował czy mama, więc synek albo córka idą w te ślady. No i się okazuje, że miało być fajnie, a jest niefajnie, bo go to nie interesuje albo ciężko jest o robotę, albo ta robota jest nieciekawa, albo mało płatna. Więc co? Do policji idzie. Do tej policji też nie za bardzo ma ciągotki i predyspozycje psychomotoryczne, ale myśli tak: „Przejdę testy, to po trzech latach będę zarabiał (czy zarabiała) trzy i pół tysiąca złotych, to jest o tysiąc pięćset więcej niż w tamtej pracy. Tutaj już po piętnastu latach mam emeryturę, więc mogę sobie wtedy pomyśleć o zmianie zawodu albo o powrocie do starego zawodu, więc jeszcze coś dorobię”. I tak ludzie kombinują. Największy procent to niestety tacy, którzy myślą: „a, tu będę miał pensję, to sobie jeszcze dorobię na ulicy, bo będę mandaty sprzedawał, tu mi łapówkę dadzą, tu mi prezent wręczą”.

Znasz to słynne autentyczne pytanie i odpowiedź: „Dlaczego chcesz pracować w ruchu drogowym? Bo słyszałem, że można sobie u was dorobić". Albo raport policjanta, który chce się przenieść z innej jednostki do ruchu drogowego: „Prośbę swoją motywuję tym, że mam trudną sytuację finansową w domu".

PRZESTRZEGAĆ DYSCYPLINY SŁUŻBOWEJ

Zdarzyło wam się użyć broni w niewskazanych okolicznościach?

Podkomisarz Krzysztof Doroń, Wydział Kryminalny: To były lata, kiedy policja nie miała jeszcze porządnej broni. Jechaliśmy na jakieś zatrzymanie na działkach. Tam miał być jakiś niebezpieczny gość ze Śląska, który z maczetą chodził i ludzi straszył. Był też poszukiwany za to, że kogoś tam nożem poczęstował. Wiedzieliśmy, na której działce mieszka, więc pojechaliśmy go zawinąć. Wpadamy, a tam tylko jakaś baba, która nam powiedziała, że on poszedł gdzieś do sklepu i za kilka minut wróci. No to szybko chcieliśmy babę zawinąć, żeby chłopaki się pochowały i zrobiły na niego zasadzkę.

Zabrałem babę do samochodu i pojechaliśmy do komendy. No ale wiadomo – jak wchodziliśmy po gościa, który biega z maczetą, to każdy miał przeładowaną klamkę. Później wszystko dzieje się szybko i liczy się każda sekunda. Ja miałem w kaburze przeładowaną broń, ale zabezpieczoną. No więc przewozimy tę panią do komendy, ale po drodze dopadła mnie potrzeba fizjologiczna, tak zwana dwójka. Wchodzę do toalety, oczywiście broń w kaburze, ściągam spodnie, siadam, ulga ogromna, wszystko super, fajnie, wspaniale... No i po chwili zastanowienia się, jak to zawsze na tronie, wstaję i słyszę: jeb! Pierwsze wrażenie: to skurwysyny, chłopaki dowcipnisie, wrzucili mi petardę, kurwa, do kibla. Podciągam portki, zapinam pasek, patrzę na podłogę, a w rogu kibla leży mój pistolet: w wyrzutniku zacięta łuska. Błyskawicznie skojarzyłem fakty: kurwa, czyli nie wrzucili mi petardy, tylko moja klamka wypadła, kurwa, z kabury, uderzyła o podłogę i strzeliła, a skoro tak było, to gdzie jest ten ranny? No i zacząłem się oglądać, czy nie jestem ranny.

W pewnym momencie słyszę, jak do kibla zbiegają się chłopaki i krzyczą:

– Kurwa, co się stało, kto tam jest, co się stało!?

Bo wcześniej zdarzały się takie sytuacje, że policjanci popełniali samobójstwa na komendzie. Szybko krzyknąłem do kolegi, który tam przybiegł:

– W porządku, klamka mi wystrzeliła, ale nic się nie stało, jest okej, kurwa, powiedz wszystkim, że jest cisza, kurwa, i weź to rozdmuchaj... Uspokój jakoś...

– Dobra, dobra – powiedział i jeszcze otworzył okno, żeby się wietrzyło.

Nawet naczelnik wyszedł na korytarz i pytał, co się stało. A ten kolega powiedział:

– To Kamel, jakiejś chińszczyzny się nażarł.

No i żarty sobie robili.

A ty się pewnie zastanawiałeś, czy nie postrzeliłeś kogoś w kabinie obok...

Właśnie... Zacząłem szukać tej kuli i w końcu ją znalazłem. Kawałek kafelka był urwany, a kula weszła trochę pod spód. Łaziłem nawet i sprawdzałem, czy nie przeszła na drugą stronę, ale okazało się, że utknęła w murku w ścianie. Miałem dużo szczęścia, że mi się nic nie stało, bo zupełnie przypadkiem mogłem się sam zabić. Jakby ta broń upadła w taki sposób, że trafiłaby mnie na przykład w głowę, tobym padł po prostu, i tyle.

Chłopaki robiły sobie z ciebie jaja?

Oczywiście. [śmiech] Zawsze, jak chcieli iść do kibla, to przychodzili do mnie do pokoju i pytali:

– Idziesz do kibla?

– Nie.

– To dobrze, to na razie nie wychodź, bo ja chciałbym się wysrać, dobra?

– Ha, ha, bardzo śmieszne.

Albo na przykład szedłem do kibla, a chłopaki z pokoju:

– Idziesz do kibla?

– No tak.

A Kudłaty do mnie:

– To zostaw klamkę, co?

I autentycznie, kiedy szedłem do kibla, to chowałem klamkę do szuflady. Jak wychodziłem do toalety, to byli też tacy, którzy wychodzili na korytarz i mówili:

– Zakładajcie kaski, kamizelki. Kamel idzie srać.

Wychodzę z toalety, patrzę, a tu stoi czterech chłopaków w kamizelkach kuloodpornych i w kaskach na głowach. [śmiech]

– Już, możemy? Skończyłeś?

Robili sobie jaja... Ale wiesz, sytuacja z jednej strony bardzo śmieszna, a z drugiej cholernie niebezpieczna.

Starszy aspirant Bartosz Fortuna, Wydział Poszukiwań i Identyfikacji Osób: Raz były w prosektorium imieniny jednego z laborantów, no i my – z racji poszukiwań częstsi goście prosektorium – na

te imieniny poszliśmy. Idziemy, patrzymy, zasta-
wiony stół: kaszaneczka, kiełbaska, wszystko było.
Laborant zaprosił dziewczynę na striptiz. Przyjechała, zrobiła striptiz, ale powiedziała, że nigdy nie
widziała nieboszczyka. No to mówię do niej:
  – Chodź, zobaczysz!
  Nie wiedziałem, kto leży w której lodówce. Otworzyłem akurat lodówkę z dzieckiem, z takim małym.
Zemdlała! Wziąłem ją na ręce, położyłem na stole
sekcyjnym i budzę ją. Walę ją po łbie... Popatrzyła,
że leży na stole sekcyjnym, i jak wyrwała... Kasy
nie wzięła... nic. Nawet się nie ubrała.

Aspirant sztabowy Dariusz Bryła, Wydział ds.
Zabójstw: Był taki jeden ukłon dla ciebie, Patryk.
Kiedyś w Olsztynie poszukiwali takiego kolesia do
głowy i namierzyli, że on w Warszawie jest i co tydzień przyjeżdża do jednego fryzjera. Przyjechała
ekipa z Olsztyna i zawinęliśmy gościa praktycznie od tego fryzjera. A on miał białko, czyli dowód
osobisty, jakieś lewe i prawo jazdy też chyba lewe,
już nie pamiętam. Przywieźli go do nas na pokoje.
Upierał się, że to nie on ukradł. Więc podszedłem
do niego i zacząłem go w brzuch tak swoim brzu-
chem stukać: buch, buch, buch. Puknąłem go tak
raz, drugi, trzeci. A on:
  – No, co to, co to? *Pitbull, Pitbull*?

Podkomisarz Marian Kania, Wydział do Walki z Przestępczością Samochodową: Kiedyś był u nas taki młody policjant, który potem poszedł po mnie do CBŚ-u. Wieźliśmy zatrzymanego skutego w kajdanki, siedział między naszymi ludźmi. Ten młody jechał bardzo szybko. Mówiłem mu, żeby zwolnił. Przed samym zakrętem wypadł z drogi do rowu, samochód na bok.

Ile było osób?

W samochodzie było nas pięciu łącznie z zatrzymanym. Jechaliśmy toyotą. Na zakręcie młody przesadził, wpadł do rowu. Przód i prawa strona były pokancerowane. Pojechaliśmy do zakładu blacharskiego do mojego znajomego. Prawie całą noc robił, ale powiem ci...

Śladu nie było?

Był ślad, ale nie zauważyłbyś tego.

I co: zgłosiliście to?

Z zatrzymanym takie coś zgłosić, chłopie!

I co: zatrzymany siedział u tego blacharza?

Tak, musiał czekać, aż naprawią samochód, żeby można go było odwieźć.

Komisarz Artur Kanek, Wydział Kryminalny:
Pamiętam sytuację, kiedy na sekcji zwłok, gdzie leżało chyba z sześć ciał, musieliśmy ustalić tożsamość człowieka poprzez jego opisanie, tatuaże, jakieś znaki szczególne, odciski palców... Najpierw przeszukiwaliśmy ubrania. Położyłem karteczkę z numerem telefonu policjanta z mojej sekcji, Wojtka. Laborantowi Markowi powiedziałem, o co chodzi. No i Marek szuka w rękawiczkach i nagle mówi:

– O, jakiś telefon jest...

Wojtek patrzy:

– Ty, kocie, to mój!

– No jak twój? Znasz gościa?

Na sekcji latała mucha. Ale to nie była mucha. Była większa od bąka. Nie wiem, może się obżarła. Na tym się skończyło. Przychodzę do pracy na drugi dzień rano, a Wojtek już na mnie czeka w pokoju.

– No co, kocie, pijemy kawkę?

– Możemy się napić.

Wyjmuje szklankę, a tam na dnie ta przyklejona muszka.

– Zgadnij, kotku, skąd do ciebie przyleciałam!

Wypieprzyłem tą szklankę! [śmiech]

Nadkomisarz Piotr Knyk, Wydział do Walki z Przestępczością Narkotykową: Byłem zatrzymywać takiego koleżkę, nazywał się Mucha. Przed

jego drzwiami do łba mi wpadło, wyjąłem legitymację i walę:

– Komisarz Pająk!

On otworzył drzwi, zrobił wielkie oczy. Nawet
moja partnerka była zszokowana. Komisarz Pająk
idzie po Muchę...

À propos much, raz byłem w Łodzi, na początku
służby, mieliśmy przeszukanie. Patryk, nie przeżyłeś
tego! Tego nikt nie przeżył! Nie widziałeś gorszej me-
liny na świecie! Szóste piętro, buda w pokoju, pies na
łańcuchu, naokoło osrane. Na szóstym piętrze w Łodzi.
Wszedłem, myślałem, że mieszkanie jest pomalowane
na czarno. A tam było tyle much. Minus dwadzieścia
na dworze, a w tamtym mieszkaniu tyle much.

Żywych?

Żywych... Żeby rozłożyć dokumenty, właściciel
mieszkania jednym ruchem zrzucił wszystko, co leżało na stole, i mówi: „Niech pan sobie tu siada". Ja nawet nie chciałem dotykać krzesła, a co dopiero usiąść.

Czy ten facet nazywał się Pająk?

Możliwe, że robił zapasy na zimę. [śmiech]

Aspirant sztabowy Dariusz Czepukojć, Wydział
Kryminalny: To była akcja stulecia. Przychodzi

chłopak na komendę i mówi, że ma na imię i na nazwisko tak samo jak znany złodziej samochodów w Warszawie. W dodatku miał szmalownego ojca, który kupił mu audi S8. I jak się chłopaczek bujał taką furą i jeszcze miał takie nazwisko, to wszyscy z półświatka mogli przypuszczać, że jest złodziejem samochodowym. No i chłopaczyna gdzieś tam poznał jakąś dziewczynę na studiach i ona mówi:

– Słuchaj, bo ja z chłopakiem mieszkamy w takim mieszkaniu na Mokotowie, ale płacimy za nie bardzo dużo – mamy tam wolny pokój, może chciałbyś z nami zamieszkać?

I gość się zgodził.

Pewnego dnia wychodzi z bloku, a tu czeka do niego dwóch schabów, którzy mówią, że są z Żoliborza i że on tu kradnie na Mokotowie, i że, kurwa, jest im winny kasę, bo on sobie tak bezkarnie samochodów kraść nie będzie. Facet zaczął tłumaczyć, że to jakaś pomyłka. Na co jeden ze schabów wyciągnął klamkę, przyłożył mu do głowy i powiedział:

– Synu, jesteś winien tyle i tyle, tu masz telefon i na ten telefon masz dzwonić. Na zebranie kasy masz tydzień czy dwa.

Jednym słowem – poważne gangstery. Chłopaczek przyszedł z tym na policję i podejrzewał, że coś z tym wspólnego mieli jego współlokatorzy. Bo był przekonany, że ci ludzie z przypadku się nie wzięli. W każdym razie najpierw trzeba było złapać tych schabów na gorącym uczynku. Odezwali się do niego, a on im powiedział, że ma kasę. Wtedy schaby go poinstruowały: „Przyjedziesz taksówką na stację benzynową na ulicy Conrada. Masz przyjechać sam i masz przyjechać taksówką". Tak sobie to wymyślili.

A ile chcieli kasy?

Nie pamiętam dokładnie – jakieś czterdzieści tysięcy zielonych. Bo to wtedy moda była na branie kapusty w dolarach. Tyle że to było dopiero wpisowe – potem miał jeszcze płacić haracz co miesiąc. W każdym razie założyliśmy chłopaczkowi dyktafon i pojechaliśmy razem z nim. To znaczy on wsiadł w taksówkę, a my porozstawialiśmy się na tej stacji – łącznie było nas z piętnastu chłopa. Przy czym ja z Kudłatym poszliśmy na pierwszy ogień. Był z nami też taki młody policjant, dla którego była to pierwsza akcja. No i zobaczył, że przy budce stoi jakiś taki łysy gość odpowiadający rysopisowi, więc zaczął przez stację napierdalać: „Gość podchodzi do automatu, nie, cofa się, wraca się, szuka czegoś po kieszeniach, pewnie drobnych. Tak, znalazł – nie, kartę ma, podchodzi do automatu, włożył kartę, dzwoni. Kręci jakiś numer. Zaczyna gadać, z kimś gada, ale może udaje, że gada" i tak dalej.

W tym czasie my poszliśmy do McDonalda, który był na tej stacji. Tam też siedziało ze dwóch, trzech naszych chłopaków. Akurat w kolejce gdzieś w okolicy kasy szturchnąłem się, jak się później okazało, z jednym ze sprawców. Zobaczyłem tylko gościa i wiedziałem: kurwa, misiu, to jesteś ty. A zaraz za nim wszedł drugi.

Tylko spojrzałem na Kudłatego, a on już wiedział, o co chodzi. Wyszliśmy za nimi, po drodze zadzwoniłem do chłopaków i powiedziałem, że są goście, którzy odpowiadają mi rysopisem i tak dalej. Zadzwoniłem do dowodzącego akcją, zastępcy naczelnika Marka Małeckiego, był z nim w samochodzie jeszcze kierownik sekcji pierwszej – Muraś.

Wróciliśmy z Kudłatym do samochodu, pootwieraliśmy drzwi, puściliśmy sobie muzykę. Schaby stały ze trzy, cztery metry od nas. W pewnym momencie podjeżdża taksówka i wysiada z niej nasz pokrzywdzony. A jednocześnie w słuchawce słyszę o gościu na stacji, który cały czas stoi przy tej budce. „Podejdę trochę bliżej i zobaczę, kurwa, może mi się uda zobaczyć, jaki numer się wyświetla, może to wam coś da" – i w ten sposób młody ciągle blokował stację. Akurat w newralgicznym momencie, gdy trzeba było krzyknąć: „Naprzód, do ataku!".

Goście podchodzą do naszego pokrzywdzonego i pytają:

– Masz kasę?

– Mam.

– No to chodź.

A wcześniej widziałem, jak się kręcili przy takiej toyocie celice. To sportowy samochód. Ja miałem astrę 1,6. Tak że wiedziałem, że jeśli oni wsiądą do samochodu, odpalą silnik, to jesteśmy już w piździe. A nie daj Boże, jak wsiądzie z nimi pokrzywdzony, to jeszcze będziemy mieli zakładnika. A goście mieli jeszcze prawdopodobnie klamkę. Więc próbuję się wbić w stację, ale nie mogę, bo młody ciągle pierdoli o gościu przy budce. Mówię:

– Kudłaty, kurwa, dzwoń.

On dzwoni do Murasia, ale telefon zajęty. Dzwoni do Marka Małeckiego, telefon też zajęty. Okazało się, że Marek z Murasiem akurat rozmawiali przez komórkę. No to ja w tej sytuacji mówię:

– Kudłaty, nie ma wyjścia, wyciągamy klamki i bierzemy ich.

– Co ty, we dwóch?

– Kurwa, jak go wezmą do samochodu, to jest pozamiatane. Jeszcze go, kurwa, wywiozą i odjebią. Teraz albo nigdy, kurwa, musimy sobie dać radę.

No i lecimy na nich na hura i krzyczymy: „Policja, na ziemię!”. Oni się odwracają i widzą mnie, czyli gościa, który się z nimi szturchnął w kolejce, a potem razem z kolegą wpierdalał hamburgera na ich oczach. W życiu nie przypuszczali, że możemy być policjantami. I zgłupieli. Po prostu stanęli i nie wierzyli w to, co widzą. Więc rzuciliśmy ich na ziemię i trzymamy pod bronią. Nie chcieliśmy ryzykować, bo to były naprawdę takie napakowane sterydy. Stwierdziłem, że jeżeli zobaczą, że jesteśmy tylko we dwóch, i zaczną się z nami szarpać, to może być różnie. Albo nam uciekną, albo, nie daj Boże, jeszcze któryś wyrwie nam broń albo wyjmie swoją. No więc cały czas trzymamy ich na ziemi przydepniętych, klamki wycelowane w głowy i czekamy. Mówię do Kudłatego, żeby dzwonił. Znowu zero reakcji. Telefon zajęty. W stację nie możemy się wbić. Tymczasem w McDonaldzie są chłopaki i widzę, że przy szybie stoi jeden z nich. Była tam też naklejona jakaś reklama. I praktycznie tylko głowa tego kolegi wystawała nad plakat. No to macham do niego, a on, kurwa, ze środka mi daje znak, że mnie widzi.

Machał do ciebie?

No tak. Ale stoi dalej i się cieszy. Więc macham mu jeszcze raz, pokazuję: dawaj, kurwa. A on się cieszy i znowu mi macha. To ja mu zamachałem bronią. I wtedy dopiero zbystrzał, o co chodzi, popatrzył za ten plakat i zobaczył, jaka jest sytuacja. Rzucił kawę, coś tam krzyknął na chłopaków, machnął ręką i wybiegł. Za chwilę widzę, jak pozostali wybiegają. W tym momencie dzwoni mi komórka. Odbieram, a tu nasz kierownik Muraś, który dowodził akcją zza stacji benzynowej, bo miał przypałowy samochód:

– No i jak tam? Przyjechali?

– Kurwa – wrzeszczę – gdzie ty jesteś, baranie!? Dzwonimy do ciebie od pięciu minut, a od dziesięciu minut mamy gości na ziemi. Dawaj tu, kurwa.

Goście leżą na ziemi, dziesięciu policjantów dookoła nich, ludzie już się interesują, co tam się dzieje. Mija minuta i wjeżdża na sygnale polonez caro, który osiąga czterdzieści kilometrów na godzinę, i zatrzymuje się z piskiem opon, bo inaczej się nie dało. [śmiech] Wypada Muraś i lata jak lew po klatce. Od jednego do drugiego. Jeb go z buta:

– Ty kurwo, chciało ci się wymuszać haracz?

– Muraś – mówię – masz kajdanki, kuj go.

Więc bierze jednego z tych haraczowników, ale się okazuje, że gość ma rękę w gipsie. Założył obrączkę na jedną rękę i chce na drugą, ale na drugiej jest gips i widzi, że kajdanki za cienkie, nie obejmą gipsu. No i, kurwa, klęknął i się zastanawia. Znowu próbuje i znowu się zastanawia. W końcu ukląkł mu na plecach i próbuje go zakuć po przekątnej – ręką i nogą. Ale nie mógł schaba zgiąć. A ten cham jeszcze do niego: „Kurwa, połamiesz mnie". Mówię w końcu, żeby mu zapiął drugą obrączkę za szlufkę od paska i za pasek. Dobra, udało się. No ale drugą rękę miał luźną. Chuj, że złamana i w gipsie – nie może być luźna. I nagle Muraś wyjął mu sznurówkę z buta i zaczął go pętać. My zanosimy się ze śmiechu, a schab patrzy na nas i nie wie, co jest grane – myślał chyba, że jest w programie *Mamy cię*.

Ale historia...

To jeszcze nie koniec. Zgarnęliśmy chamów i zaczęły się przesłuchania. Z jednym jakaś tam dyskusja się wywiązała, ale z drugim nic. Widać było, że czuli się mocni. Jeden niechcący się wyklepał o jakimś adresie. No i chłopaki tam pojechały – był wśród nich Muraś. Nagle słyszymy przez stację, że woła oficera dyżurnego: „Słuchaj, podam ci numery broni, znalazłem broń palną nielegalną, sprawdziłbyś mi numery, czy nie jest kradziona". A nam oczy rosną. To oznaczało, że prawdziwe zbóje nam się trafiły. Jeszcze lepsze, niż się spodziewaliśmy. Bo jak chłopak wcześniej opowiadał, że mu przystawili klamkę do głowy, to myśleliśmy, że ściemnia. W każdym razie – oficer sprawdza broń i mówi, że to jest jedna z jednostek skradzionych z Bemowa. Chodziło o taki duży napad na tamtejszą jednostkę.

– Ty, kurwa, patrz, jakie skurwysyny – mówię do Kudłatego.

– Tylko widzisz, kurwa, ten pojeb Muraś tam pojechał i jestem ciekaw, jak on teraz tę klamkę zabezpieczy.

Mówię, że chyba normalnie, w rękawiczkach.

– A ty wierzysz w to, że on wziął rękawiczki? – pyta Kudłaty.

– Nie no, Muraś jest może idiotą, ale nie aż takim.

A Kudłaty pyta, czy się zakładamy. Ja mówię: dobra – o piwo. Przecież jest oficerem chyba, nie?

No i wyobraź sobie, że przyjeżdża Muraś, pudełko wnosi pod pachą, po czym gołymi rękami wyjmuje broń, magazynek i przeładowuje kilka razy. Jeszcze mówi:

– Patrz, to ten z Bemowa. Ty widziałeś skurwysynów?

W tym momencie Kudłaty mówi do mnie:

– Przegrałeś, stawiasz browara.

– Ale co, ale co? – dopytuje się Muraś. – Zakładaliście się, czy mają broń?

– Nie, Muraś – mówię – chodzi o zupełnie inną rzecz. Co będzie, jeśli oni się nie przyznają do tego, że ten pistolet jest ich? W dodatku okaże się, że z tej klamki poszedł łeb? To jak myślisz, jakie odciski palców znajdą na tej klamce?

I w tym momencie widzę, jak Muraś blednie i mówi:

– O kurwa, no w sumie masz rację.

Zapada cisza. Muraś otwiera swoje biurko, wyciąga taki olej myśliwski do czyszczenia broni i zaczyna dokładnie pucować klamkę. W pewnym momencie zaczął wyjmować pestki z magazynka. Nie wytrzymałem i mówię:

– Idioto, chociaż zostaw, kurwa, te pestki. Na pestkach chociaż będą ich odciski. Zostaw już tę klamkę i, kurwa, zabezpiecz ją tak, jak jest.

No to on wyczyścił tylko swoje odciski palców, magazynek już zostawił, jak był, zapakował z powrotem klamkę i włożył do pudełka, po czym okleił taśmą i napisał na pudełku: „Nie dotykać, do badań daktyloskopijnych". Oficer policji, rozumiesz? Kurwa, chłop był takim niemotą, że po prostu masakra. Co ciekawe, jest dziś dość wysokim oficerem i pracuje w CBŚ-u.

To jest najlepsza puenta.

Starszy aspirant Wojciech Socha, Wydział do Walki z Przestępczością Gospodarczą: W policji jak jesteś pierdołą i safandułą, nie rzucasz w oczy, a jednocześnie uda ci się skończyć studia, to zrobisz doskonałą karierę. Natomiast ktoś, kto zna się na robocie, tej kariery w policji nie zrobi. Tak niestety jest.

Dlaczego?

Powiem ci tak: bardzo rzadko się zdarza, żeby komuś, kto jest dobrym policjantem operacyjnym, udało się awansować na jakieś stanowiska kierownicze wyższego szczebla. Dlaczego? Po pierwsze: jeżeli chcesz być dobrym policjantem operacyjnym, to musisz temu poświęcać dużo czasu, a to oznacza, że nie zawsze znajdziesz czas na studia. Żeby pójść na kurs oficerski, najpierw musisz zrobić studia cywilne. Natomiast studia cywilne wymagają tego, że co drugi tydzień musisz jechać w weekend na uczelnię. Do tego musisz mieć na to kasę. A jak masz żonę, rodzinę czy jakąś pannę i nie ma cię w domu codziennie od rana do wieczora, to weź teraz jeszcze w weekend jedź do szkoły. Inną kwestią jest to, że w pewnym momencie musisz jechać na kurs oficerski w Szczytnie, który trwa pół roku, w systemie koszarowanym, czyli musisz porzucić rodzinę i na pół roku wyjechać w pizdu.

Kolejna sprawa – żeby jechać na kurs oficerski, musisz mieć oficerski etat. Czyli muszą cię przełożeni awansować na takie stanowisko, na którym możesz mieć stopień oficerski. To też nie jest prosta sprawa, bo takich stanowisk w wydziałach operacyjnych nie jest dużo, a często, jak ktoś już takie stanowisko zdobędzie, to na nim siedzi tak długo, aż zdechnie.

Następna rzecz – jeżeli jesteś dobrym policjantem na ulicy i przynosisz przełożonemu wyniki, to powiedz mi, który spowoduje, że zostaniesz oficerem, kierownikiem czy tam naczelnikiem – czyli usiądziesz za biurkiem i będziesz robił tylko kwity. Kto z rozsądnych przełożonych zdejmie sobie z ulicy najlepszych policjantów, którzy robią im wyniki, i odeśle ich do zadań papierkowych, jednocześnie sprawiając, że wydział straci wyniki, wykrywalność, a tym samym naczelnik straci swoich komendantów, premię i być może stanowisko.

Przełożonym nie opłaca się nagradzać awansami policjantów z prostej przyczyny. Jeżeli z policjanta, który jest świetnym operacyjniakiem, zrobię kierownika, to zabiorę sobie najlepszego człowieka z tego zespołu i on już będzie tylko i wyłącznie ustalał grafiki i przydzielał pocztę. Takie stanowisko funkcyjne jest bardziej stanowiskiem menadżerskim. Potrzebna jest tam jakaś wiedza, ale nie musisz mieć psiego nosa i ogromnego doświadczenia. Szczególnie jeśli masz zespół doświadczonych policjantów.

Takie wymagania na stanowisku kierowniczym potrzebne są tylko wtedy, kiedy tworzysz nowy zespół i masz samych nowych policjantów. Wtedy potrzeba lidera – kogoś, kto potrafi towarzystwo skrzyknąć do kupy. Po to, żeby młodzi nie robili go w chuja i się z niego nie nabijali, i żeby był w stanie młodych nauczyć roboty. A dopóki jest zespół w miarę doświadczonych policjantów, to tak naprawdę na stanowisko kierownika sekcji wybiera się takich policjantów, którzy nigdy w życiu nic nie zrobili, ale potrafią prawidłowo prowadzić teczkę. I takim ludziom właśnie pozwala się zrobić szkołę, a później się ich wykorzystuje do tego, żeby dbali o kwity.

CHRONIĆ USTANOWIONY PORZĄDEK

Potrafi was w tej robocie coś jeszcze zaskoczyć?

Komisarz Sławomir Opala, Wydział ds. Zabójstw: Przy Kredyt Banku mało robiłem, ale co było nietypowe, to zwłoki kasjerek ukryte w sejfie. I w trakcie oględzin technik znalazł jeszcze zwłoki ochroniarza w studzience. Jak ujawniał ślady, to zobaczył przy studzience ślady krwi. Otworzył studzienkę, a tam jeszcze jedne zwłoki. Już jakieś parę godzin trwały oględziny, zanim to ciało zostało ujawnione. Od razu były typowania, że sprawcą mógł być ochroniarz, który miał dyżur w banku tego dnia, tylko że nie było żadnych dowodów. On tego dnia powinien być w pracy, ale zamienił się, bo poszedł na przysięgę do kolegi. No i faktycznie przysięga była, on na nią dojechał, tylko nie mógł się rozliczyć z pół godziny. Minuta po minucie był z czasu rozliczany i z pół godziny nie potrafił się rozliczyć.

W pół godziny tyle osób zajebał?

No, bo one po kolei przychodziły do banku. Gość przyszedł przed otwarciem, niby towarzysko odwiedzić kumpla, z którym się zamienił. Ten go wpuścił, a potem ofiary po kolei przychodziły. Najpierw zajebał tego ochroniarza, potem im otwierał i one wchodziły, bo myślały, że ten zabójca jest normalnie w pracy. Po kolei je do sejfu zabierał i tam zabijał. Klękały, a on strzelał im w tył głowy.

Ile tam osób zginęło?

Cztery. On czekał na tę pracownicę, która jako jedyna miała klucz do sejfu. Pech chciał, że tego dnia przyszła ostatnia.

Ile pieniędzy zginęło?

Dziesięć czy dwadzieścia tysięcy. Nie pamiętam, ale kwota nie była rzucająca na kolana.

Aspirant Kamil Stych, Wydział do Walki z Przestępczością przeciwko Życiu i Zdrowiu: Na początek jest zgłoszenie. Poczta Polska informuje policję o tym, że listonosz nie powrócił z rejonu. Wyszedł rano z przesyłkami, listami i jakąś tam ilością gotówki – to akurat był okres wypłat rent i emerytur. No i po prostu nie wrócił. Młody facet, niecałe czterdzieści lat na karku. Do tego żona i dwójka małych dzieci. Jako policja nie mieliśmy żadnych złych informacji o tym człowieku. Od dłuższego czasu pracował na poczcie, nie było z nim wcześniej żadnych problemów. Ogólnie rzecz biorąc, dla nas był to normalny człowiek. Pierwszą wersję założyliśmy taką, że facet po prostu poszedł w tango. Wziął pieniądze i zniknął. Chłopaki z poszukiwań przyjęli więc zawiadomienie i podjęli jakieś tam czynności. Poczta Polska sugerowała, że może coś mu się stało. Policjanci z poszukiwań też wzięli to pod uwagę, ale raczej jako wersję wtórną. On tam miał chyba coś około trzydziestu tysięcy złotych gotówki, żeby rozdać je na emerytury i renty, i dlatego pewnie wziął sobie te pieniążki i zniknął. Pomimo że nigdy mu się coś takiego wcześniej nie zdarzało. Jednak z czasem przy rozpytywaniu jego kolegów z pracy zaczęły się delikatnie pojawiać wątki mówiące o tym, że gość utrzymywał kontakty z jakimś dziwnym towarzystwem od siebie z rejonu i podobno sobie lubił zajarać marihuanę. Tyle że to wtedy było jeszcze niejasne.

Tak czy inaczej, minęło kilka dni i żadnych efektów. No i wtedy komendant postanowił, że sprawę jednak przejmie wydział życia. Bez względu na to, czy facet przywłaszczył sobie te pieniądze czy nie. Tym bardziej że wersja z napadem robiła się coraz bardziej wiarygodna, bo gość faktycznie nie dawał żadnego znaku. A przecież jest tak, że nawet jak weźmiesz kasę, pójdziesz gdzieś w tango, to się do żony chociaż odezwiesz, szczególnie jak masz dwójkę małych dzieci. A tu zero odzewu, w dodatku ta żona też nie wyglądała na osobę, która by nas okłamywała i się nie martwiła o męża.

Zaczęliśmy od jego trasy przejścia. Po kolei sprawdzaliśmy wszystkie przesyłki: co, gdzie i jak. Udało nam się w końcu ustalić mieszkanie, do którego przyszedł, zostawił jakąś przesyłkę, a żeby po rejonie nie chodzić z całą ciężką torbą, to ją też tam zostawił razem z częścią innych paczek. On tam już był listonoszem od dłuższego czasu, więc miał zaufanie do tych ludzi. Za chwilę wrócił i powiedział, że musi jeszcze raz na chwilkę gdzieś iść, ale zaraz przyjdzie. Więcej się nie pojawił.

I ten gość przez parę dni nie zgłaszał, że torba z paczkami u niego stoi?

Chyba nie, my się dowiedzieliśmy o tym, dopiero jak do niego dotarliśmy. Kolejną rzeczą było to, że listonosz miał komórkę i ten gość dzwonił do niego, ale telefon nie odpowiadał. Więc ja się upieprzyłem tego telefonu i znalazłem jedno połączenie, wybrane dokładnie przed zaginięciem faceta, czyli mniej więcej w godzinach południowych. Od tamtej pory telefon już nie funkcjonował i w ogóle nie istniał w sieci. Dlatego zaczęliśmy sprawdzać, kto do niego dzwonił jako ostatni. Okazało się, że był to numer, którego nie miał wcześniej w ogóle w bilingach, i że ten, kto do niego dzwonił, miał kartę prepaid, kupioną i włożoną do aparatu tego dnia. Czyli była to karta zakupiona celowo po to, żeby wydzwonić gościa na spotkanie – a po tym spotkaniu facet zniknął. W tym momencie nabrałem przekonania, że jest to co najmniej napad i może coś poszło nie tak, a listonosz na przykład dostał w łeb i nie wie, gdzie jest. Być może trafił do jakiegoś szpitala i jest nieprzytomny, a może go porwali i teraz przetrzymują z jakichś innych przyczyn. Oczywiście zakładałem też opcję zabójstwa.

No to co? Karta sama nie zadzwoni, potrzebuje telefonu komórkowego. A każdy telefon komórkowy ma numer seryjny, tak zwany IMEI. Sprawdziłem więc, że ta karta była włożona do aparatu o danym numerze IMEI, i dowiedziałem się też, jakie karty były wkładane wcześniej do tego aparatu. Jak już miałem wykaz kart, to mogłem sprawdzić, czy któraś z tych, które logowały się w aparacie przez ostatni miesiąc przed zaginięciem listonosza, łączyła się z nim. I okazało się, że była taka karta, która się z naszym zaginionym regularnie łączyła – co dwa, trzy dni. W takich godzinach, kiedy on był najczęściej na obchodzie w rejonie. I nagle przez trzy dni ta karta się w ogóle nie odzywała, bo została wyrzucona, a w ten IMEI została specjalnie włożona inna po to, żeby faceta wydzwonić. Czyli krótko mówiąc, wyciągnąłem takie wnioski, że listonosz i właściciel telefonu znali się i być może mieli do siebie jakieś pretensje. Wcześniej pojawił się już wątek marihuany, więc zakładałem, że może nie rozliczył się z kimś za narkotyki. Druga wersja była taka, że ktoś znajomy zorganizował na niego napad. Zaczęliśmy więc dokładnie sprawdzać tę kartę.

Udało nam się ustalić, że ktoś z niej zamawiał pizzę hut na konkretne nazwisko i adres. Okazało się, że to jeden z braci mieszkających przy ulicy Bokserskiej, czyli w rejonie działania tego listonosza. Obaj bracia byli podejrzewani już o drobny handel narkotykami. Nacisnęliśmy na odpowiednie komórki i zaczęliśmy na nich czatować. Najpierw jednego wyjęliśmy z samochodu, potem drugiego zgarnęliśmy w okolicy jego bloku, kiedy szedł ze swoją dziewczyną. W krótkim czasie ustaliliśmy, że jeden z nich w ogóle nie wchodzi w grę, dlatego że po pierwsze był w tym czasie w pracy, a po drugie z tym listonoszem raczej nie utrzymywał kontaktu. Więc zajęliśmy się tym drugim i jego dziewczyną. W końcu trochę się rozgadali: że go znali i że on z nimi tam trochę podpalał. Przede wszystkim jednak – kupował od chłopaka narkotyki. Zaczęła nas zastanawiać jedna sytuacja: wiadomo – przypuszczalnie chodziło o porwanie, napad lub zabójstwo, w związku z powyższym nie byliśmy delikatni w rozmowie z tym dżentelmenem. Ale wyobraź sobie, że gość w pewnym momencie zaczął się przyznawać do tego, że jest handlarzem narkotyków – normalnie, oficjalnie, na papier. Zaczął nam opowiadać, że sprzedawał narkotyki temu listonoszowi, że ma jakieś długi u jakichś grubasów. Czyli mówił nam takie rzeczy, których zatrzymany handlarz nawet krojony i solony nie powinien opowiadać. Doszliśmy więc do wniosku, że facet ma do ukrycia coś poważniejszego.

Oczywiście posprawdzaliśmy wszystkie możliwe karty i aparaty telefoniczne, które znaleźliśmy u niego w domu. Okazało się, że właśnie nasz miś wydzwonił listonosza i doszło między nimi do spotkania. Później listonosz zniknął, a nasz diler pojechał gdzieś w okolice Prażmowa. Więc zaczęliśmy go o to cisnąć. Nawet zabraliśmy go na pokład i zaczęliśmy jeździć po okolicach Prażmowa. Do niczego się jednak nie przyznał, więc aresztowaliśmy go za handel narkotykami, do którego sam się przyznał – jego dziewczynę zresztą też. Teraz ważna uwaga: oni mieszkali na Służewcu, a to jest dość specyficzna okolica. Tam, jeśli chodzi o młodzież, to wszyscy się znają i wszystko się szybko rozchodzi.

Następnego dnia zadzwonił do komendy chłopak, który mieszkał z nimi w tym samym bloku. Z zawodu jest kurierem i pracuje normalnie w firmie kurierskiej. Powiedział do nas tak:

– Panowie, sytuacja jest następująca. Ja wiem, ich pozamykaliście, czyli już wszystko wiecie. Więc wiem, że dotarcie do mnie to kwestia czasu, więc chcę przyjść dobrowolnie i wam wszystko opowiedzieć – żebyście nie musieli mnie szukać, bo wiem, że mnie też spudłujecie, a ja naprawdę nie mam z tym nic wspólnego.

– Ale z czym ty, chłopaku, nie masz nic wspólnego? – pytam.

– No nie mam nic wspólnego z tym listonoszem.

– Dobra – mówię – to tak się umawiamy: ty przyjedź, wszystko nam opowiesz, a my załatwimy tak, że nie będziesz aresztowany.

I chłopak przyjechał. Zaczął nam opowiadać, że zadzwonili do niego, kiedy jeździł gdzieś po terenie, i poprosili, żeby szybko pomógł im coś przewieźć. Podjechał do nich pod blok, a ten diler ze swoją dziewczyną i z jeszcze jednym typem wynieśli z piwnicy pudło po takim telewizorze, czterdzieści cztery cale. Gość doszedł do wniosku, że w tym pudle musi być coś cholernie ciężkiego, bo wynosili to w trójkę na drzwiach od szafy. No to ich

234

spytał: „Co wy tam macie, telewizor wyrzucacie?".
„Nie, trupa" – odpowiedzieli. Ale chłopak pomyślał,
że jaja sobie robią. Dopiero jak uchylił karton, zobaczył, że faktycznie mają tam jakiegoś powiązanego
gościa. Wtedy spanikował, wsiadł w tego swojego
busa i wypierdzielił.

Ta laska zaczęła jednak do niego wydzwaniać,
wjeżdżać mu na psychę, że jest cienias i tak dalej. Sam nie wiedział, jak to się stało, że go namó-
wiła, ale wrócił i zabrał im tego trupa. Wtedy pojechali w okolice Prażmowa. Tam trochę krążyli, żeby
gdzieś te zwłoki wyrzucić, ale nie mogli się zdecydować. W końcu się wkurwił, zatrzymał samochód
i powiedział: „Wypierdalać mi z tym, i koniec". Po
prostu wypierdolił ich z samochodu razem z tymi
zwłokami w tym pudle. Oni dociągnęli ten karton
do jakichś pierwszych drzew, przysypali śniegiem
i poszli w cholerę.

Wsiedli do niego z powrotem? Do samochodu?

Nie, on ich zostawił i odjechał.

Nie poszedł siedzieć za to?

Dostał zarzuty za ukrywanie dowodu przestępstwa i za nieudzielenie pomocy. Nie został za to
tymczasowo aresztowany. Chociaż mógłby, ale nie

wnioskowaliśmy o areszt, tylko o dozór. Sam się zgłosił, sam nam to wszystko opowiedział. Co więcej, wsiadł z chłopakami do radiowozu i im mniej więcej powiedział, gdzie ich z tymi zwłokami zostawił. Chłopaki tam zaczęły chodzić, szukać i znaleźli w końcu trupa. Wtedy już ten diler nam się rozpierdzielił, bo wiedział, że nie ma nic do stracenia.

Dwadzieścia dwa lata, najstarszy z całego towarzystwa. Miał dziewczynę, która miała osiemnaście lat, i jeszcze jednego koleżkę, który też miał osiemnaście. Ta dziewczyna, można powiedzieć, była mózgiem całej akcji związanej z listonoszem. Była zimną, bezwzględną suką, aż do granic możliwości...

Czasami nasz listonosz lubił sobie przyćpać z całą trójką. Wszyscy się znali z tego rejonu. Problem pojawił się wtedy, kiedy diler wziął narkotyki w komis za kwotę szesnastu tysięcy złotych. Posprzedawał je, ale część tej kasy mu się rozeszła, więc mówiąc krótko, miał problem. Musiał w krótkim czasie oddać kasę jakiemuś grubasowi, który był dużo lepiej ustawiony niż on. No to zaczęli podjeżdżać do tego listonosza: „Słuchaj, zrobilibyśmy coś takiego, że udamy napad na ciebie. Udamy, że niby cię napadliśmy". Listonosz stwierdził jednak, że się do tego nie nadaje. Ostatecznie ten trzeci chłopaczek został namówiony przez dziewczynę i dilera, żeby faktycznie napadł listonosza. Bo ten osiemnastolatek z listonoszem się nigdy nie widział. Oni mieli mu powiedzieć, gdzie jest gość, a on miał po prostu psiknąć go gazem i zabrać torbę. To wszystko.

No i faktycznie była taka sytuacja. Listonosz dwa tygodnie przed tym, nim zniknął, zgłosił na policji próbę napadu. Opowiedział, że jak wychodził z klatki, to wpadł jakiś gość, psiknął go gazem, ale on się zaczął drzeć i facet uciekł. Napastnik to był właśnie ten osiemnastolatek. Tylko że chłopak się zesrał na robocie i po prostu zwiał, nie dokonując tego napadu. W tej sytuacji wymyślili inny plan. Dziewczyna stwierdziła, że trzeba tego listonosza postraszyć. Wymyśliła, że ściągną go do siebie do piwnicy, żeby pogadał z ich rzekomym informatorem, który twierdzi, że ten sprzedawał ich na policji w sprawie narkotyków. W tym celu (żeby nie rozpoznał informatora), zasłonią mu oczy, zwiążą go, a na końcu będą go szantażować, że jak nie odda im pieniędzy, to go zajebią.

Na początku wszystko szło zgodnie z planem. Facet przyszedł i na dzień dobry dostał w ryja. Posadzili go na krześle i dawaj do niego: „Ty kurwo, sprzedałeś nas na psy i tak dalej". On: „Ja was nie sprzedałem, ja was nie sprzedałem". No to ci mu mówią, że zaraz przyjdzie informator z policji, który powie, czy to on kapusiował na komendzie. A listonosz na to, że „nie ma problemu, niech przychodzi, niech ogląda". Oni: „Tak, tylko że wiesz, on nie będzie chciał tak z tobą gadać twarzą w twarz, więc my musimy cię przywiązać do krzesła i zasłonić ci oczy – żeby ten policjant myślał, że my porządek robimy". Listonosz oczywiście się zgodził.

No i jak go związali, to zaczęli tłumaczyć, że muszą zabrać mu te pieniądze, a on po prostu musi zgłosić napad. Wtedy listonosz się rozpłakał i powiedział, że nie wie, czy wytrzyma na policji. Chłopaki zaczęły wtedy pękać. Ale dziewczyna stwierdziła, że trzeba go dokończyć. Mówiła do nich: „Tak już daleko się posunęliśmy, że on teraz sprzeda nas na policji i jeszcze pójdziemy siedzieć za jakieś uprowadzenie czy coś. Teraz nie ma wyjścia, musicie go zajebać...". Generalnie ta laska cały czas ich nakręcała. W końcu założyli mu linkę na szyję i diler ciągnął z jednej strony, a ten osiemnastolatek z drugiej. W pewnym momencie – jak listonosz zaczął już charczeć, walczyć o życie – ten młodszy chłopaczek trochę wydygał i popuścił linkę. Wtedy laska stanęła z drugiej strony, chwyciła go za rękę, zacisnęła mu ją na lince i zaczęła ciągnąć na chama, mówiąc: „Miej jaja!". No i dokończyli tego gościa, udusili go.

Potem zaczęli kombinować, jak się pozbyć ciała. Było w piwnicy pudło po telewizorze. Listonosz był szczupły, więc go tak poskładali i powiązali taśmą, że im się zmieścił do tego kartonu. Tylko że był na tyle nieporęczny do niesienia, że pudło mogło się pod jego ciężarem rozwalić. Zdjęli więc drzwi od szafy, która stała w piwnicy, i położyli na nich karton. W międzyczasie laska zadzwoniła do ich znajomego z osiedla, właśnie do tego kuriera, żeby podjechał. No i dalszą część już znamy.

A ta dziewczyna miała w ogóle jakieś wyrzuty sumienia?

Żadnych. Kuriozalne było to, że jak wieźliśmy ją na areszt, to ona cały czas zadawała nam tylko jedno pytanie: czy jak będzie ciągnęła laskę strażnikom, to będzie miała dobrze? To ją tylko interesowało. Myśmy pytali: „Takiemu staruchowi, pięćdziesiąt lat, będziesz lachę ciągnąć?", a ona na to: „Jak pozwoli mi to przetrwać i będę miała spokój...". Dla niej to nie było nic strasznego. Ta dziewczyna nie miała żadnych, najmniejszych skrupułów. Pamiętam dobrze jej oczy... takie bez wyrazu i pełne pogardy. Strachu w nich raczej nie było. Nie miała też kompletnie szacunku dla życia tego człowieka i jego rodziny. Ja z tą laską rozmawiałem i mówiłem jej, że facet miał żonę i dwójkę dzieci. Pokazywałem jej nawet zdjęcia. Ale po niej to spływało jak po kaczce. Była po prostu zwykłą zimną suką. Ale w końcu się przyznała i powiedziała wszystko. W prokuraturze to już się zrobiło tak, że jedno jechało na drugie.

A co z tym osiemnastolatkiem?

Przedziwna historia, bo... okazało się, że spotkaliśmy się już kiedyś.

Jak to?

Był taki wypadek, że ojciec tego osiemnastolatka
robił remont u jakiegoś typa u nas, na Mokotowie.
Okazało się, że gość mu nie wypłacił wszystkich pieniędzy, bo ten ojciec coś spierdolił. Więc facet przychodził i go straszył, że jak nie odda pieniędzy, to ze
szwagrem przyjedzie i go dojedzie. I pamiętam taką
sytuację, kiedy wpadłem do domu tego osiemnastolatka – tyle że miał wtedy jakieś dziesięć, może jedenaście lat. Widać było, że to fajny chłopak: młody,
spokojny. Jak przyszliśmy, był przerażony – jego ojciec do nas się sadził, a my go za łeb i w kajdanki.
Chłopak nie miał nawet do nas pretensji. Był wystraszony, bo zabieraliśmy ojca. Strasznie mi się go
żal zrobiło – tym bardziej że była to pierdołowata
sprawa. Dlatego wziąłem go na bok i mówię: „Słuchaj, nie przejmuj się, tata niedługo wróci. Zrobił
coś złego, ale na pewno wróci do domu. Zrobimy
tak, że będzie dobrze. Nie przejmuj się".

Mija z osiem lat i okazuje się, że ten osiemnastolatek, który zamordował listonosza, to jest właśnie
ten chłopak. Jak podchodziliśmy z czarnymi pod

mieszkanie, to skojarzyłem tamtą sytuację i mówię: „Kurwa, to jest to. To musi być ten chłopak...". Teraz będzie jednak najlepsze: wiadomo, puk, puk do mieszkania. Czarni najpierw lekko na klamkę, a tu drzwi się otwierają. Oni wpadają i od razu krzyczą, że dziecko. Wchodzimy do mieszkania, a tam nikogo z dorosłych. Siedzi młodszy brat tego osiemnastolatka, który jest mniej więcej w tym samym wieku co ten chłopaczek, kiedy ja zamykałem jego ojca. Razem z nim siedziała jego pięcioletnia siostra. I ten mały chłopak, jak zobaczył tych kocmołuchów, czarnuchów naszych, to był przerażony.

Czyli zastaliście tylko dwoje dzieci?

Tak. Rodzice wyszli z domu, zostawiając dwójkę dzieci. Tą pięcioletnią dziewczynką opiekował się ten mniej więcej dziesięcioletni chłopiec. Oczywiście, jak tam weszliśmy, to zaczęliśmy uspokajać te dzieciaki. Chłopak zaczął nawet później z nami gadać. Mówił: „Jezu, ale żeście mnie nastraszyli. Ale jazda, prawdziwi antyterroryści. Ale pan ma karabin".

Ale scena...

Wystraszony był. No to zadzwoniliśmy do matki. Powiedzieliśmy, jaka jest sytuacja, że przyszliśmy do domu i tak dalej. Jak przyjechała i zobaczyła czarnych, to zrozumiała, że żartów nie ma. Przyleciał też ojciec. Poznał mnie i zaczął się do mnie sadzić:

– Raz mnie, kurwa, zamknąłeś i co? I, kurwa, mówiłeś mi, że mnie zamkniesz, i gówno, kurwa. I gówno mi zrobiliście.

No to mu powiedziałem, że musimy zamknąć jego syna, który jest podejrzany o poważne przestępstwo. A on oczywiście nie chciał współpracować. Ale matka, jak to usłyszała, to powiedziała:

– Proszę pana, ja swojego syna kocham strasznie. Ja wam pomogę go znaleźć. Jeżeli on jest niewinny, to on szybko wróci, tak? Kiedyś pan zabrał mojego męża i on wrócił, tak? Ja wierzę, że mój syn nic nie zrobił. Ale jeżeli coś zrobił, to on musi za to odpowiedzieć. Dlatego ja wam pomogę.

No i ona zadzwoniła do niego przy nas. Zapytała, gdzie jest i kiedy będzie w domu. On powiedział, że będzie później, bo idzie do kina do Złotych Tarasów z dziewczyną. Powiedział też, na jaki film i o której godzinie. No to pojechaliśmy pod Złote Tarasy.

Z czarnymi?

Tak, tyle że się przebrali w cywilki. Nie przeszkadzało to w niczym, bo jak chodziły dwie ekipy dwunastoosobowe takich schabów, w większości łysych lub z irokezami, a do tego z pociętymi, zarośniętymi mordami, to nie było trudno ich poznać. Oni wyglądali tak jak bojówka Legii wracająca z meczu. W każdym razie rozstawiliśmy się pod Tarasami i w pewnym momencie patrzę: jest ten chłopaczek. Poznałem go. No to mówię chłopakom:

– Słuchajcie, jest tu i tu, przy tym wejściu i tak dalej. Stoją, palą papierosa, zaraz będą wchodzić do Złotych Tarasów – dawajcie do tego wyjścia i go zdejmujcie.

No i czarni lecą. My stoimy przy wyjściu, tym przy Hard Rock Cafe. A czarni wypadają na zewnątrz wejściem, które jest dosłownie dziesięć czy piętnaście metrów dalej w lewą stronę. Chłopaczek ciągle stoi, rozmawia z dziewczyną, pali. Czasem tylko na mnie spogląda. Widać, że mnie chyba poznał. Tymczasem czarni wypadają, on patrzy w tamtą stronę. Widzi, że z dziesięciu łysych i wyirokezowanych sterydów biega jak kot z pęcherzem w prawo i w lewo. Nie wiadomo, o co chodzi. Ja im krzyczę:

– Kurwa, nie to wejście, nie to wejście!

A chłopaczek razem z dziewczyną wchodzi do Złotych Tarasów. No to ja i mój kumpel poszliśmy za nimi. Chłopaczek się w pewnym momencie odwrócił i spojrzał mi w oczy tak, że widziałem, że się wystraszył. Wiedziałem już, że to jest ostatni moment do ataku, bo za chwilę zacznie spierdalać. Krzyczę do czarnych:

– Jest tu!

Wtedy skoczyliśmy mu na plecy. Przewrócił się na ziemię, koleś wziął dziewczynę i rzucił pod ścianę. W tym momencie podlecieli też czarni i zaczęli nam pomagać, ubezpieczać. No i później, jak przyjechaliśmy do komendy, to on mi powiedział, że mnie poznał:

– Pan kiedyś mojego ojca zatrzymywał. Ja pana poznałem. Ale nie przypuszczałem, że teraz pan przyjedzie po mnie.

Żałował tego?

Tak, siedział w pokoju i płakał, bo wiedział, co zrobił. Mówił, że chce zginąć. Że on nie zasługuje na to, żeby żyć. Żebyśmy go zabili. A my mu cały czas powtarzaliśmy, że go nie zabijemy. Nawet gdyby chciał popełnić samobójstwo, to my go utrzymamy przy życiu po to, żeby siedział w więzieniu. I żeby cierpiał, i żeby wiedział za co.

Później położyliśmy mu zdjęcie przed oczy. Był na nim ten zamordowany listonosz, jak leży na łóżku z tą swoją dwójką dzieci. I chłopak miał cały czas siedzieć i tylko patrzeć w to zdjęcie. W pewnym momencie zaczął wyć. I wiesz co? Często policjanci, jak tam komuś dadzą w mordę, to później piszą, że chłopak dostał szału i sam się pobił. Ja po raz pierwszy widziałem gościa, który naprawdę sam zaczął się napierdalać. Siedział, wył, zaczął się napierdalać, próbował się poderwać i przez okno wyskoczyć.

Potem bardzo chciał składać zeznania. Chciał zrzucić to całe obciążenie z psychiki. Wbrew pozorom każdy zabójca, który nosi w sobie tajemnicę, że zamordował człowieka, jak już sprawa się ujawni, zeznaje bardzo chętnie. Wiesz dlaczego? Bo to mu odciąża sumienie. Tak dziwnie jakoś jest skonstruowana psychika.

Zdarza się, że w robocie pomagacie komuś, do kogo czujecie odrazę?

Podkomisarz Paweł Bieluch, Wydział do Walki z Przestępczością przeciwko Życiu i Zdrowiu: W ciągu miesiąca było kilka podpaleń wind w konkretnym rejonie na Ursynowie. Wyglądało to tak, że jakiś zjeb chodzi i celowo podpala windy i zsypy w blokach. W pewnym momencie jakaś załoga dostała sygnał, że gdzieś tam pali się winda. Na miejscu zastali jakiegoś gościa, który akurat wychodził stamtąd, więc zawinęli go jako podejrzanego. Kudłaty razem z innym kolegą pojechali do niego do domu na przeszukanie. Jak przyjechali, to powiedzieli tak:

– Słuchaj, człowieku, co on tam ma w domu, to przechodzi ludzkie pojęcie. Mieszka z ojcem i ten ojciec nam sam powiedział, że to jakiś zboczeniec jest, bo on tam ciągle jakieś zboczone filmy ogląda na komputerze.

No i wyholowali od niego z domu całą stertę płyt z ponagrywanymi filmikami z sieci – głównie pedofilskimi. Już wtedy się wyjaśniło, że to on podpalił piwnicę, ale dla nas istotniejszym wątkiem była ta pedofilia, tym bardziej że wtedy w jego okolicy były różne napady na dziewczynki, w stylu molestowanie, próba gwałtu i tak dalej. Do niektórych przypadków odrobinę rysopisem pasował. Więc zaczęliśmy sprawdzać tego jego dyski. Stał obok, jak otworzyłem pierwszy lepszy katalog i włączyłem film. Widać było na nim, jak trzy- czy czteroletnia dziewczynka jest gwałcona na siłę przez dorosłego faceta w odbyt. Jak to zobaczyłem (moja córka była wtedy mniej więcej w tym wieku), to we mnie się, kurwa, zagotowało. Spojrzałem tylko na niego i pytam:

– Co to, kurwa, jest?

A on tak po prostu:

– Ale co?

Widziałem, jak mu się śmieją oczy, jak mu się gęba uśmiecha, jak się, kurwa, nakręca tym filmem. Dostałem takiej piany, takiego szału, że po prostu nie wyrobiłem i jak go złapałem, jak nim jebnąłem, jak go normalnie podniosłem w górę i rzuciłem nim o ścianę, jak go zacząłem napierdalać, kopać, to w pewnym momencie wyciągnąłem klamkę, przeładowałem i przystawiłem mu normalnie, już nie pamiętam nawet, czy do głowy, czy do jaj. Wtedy Kudłaty podszedł do mnie i mówi:

– Robert, spokojnie, nie przeginaj.

Widziałem już, że trochę się zagalopowałem, i żeby jakoś wytłumaczyć tę sytuację, powiedziałem:

– Wiem, co robię.

Że niby chciałem go tylko nastraszyć. Ale powiem ci szczerze, że gdyby mnie wtedy Kudłaty nie złapał, to mogłoby być różnie. Potem znaleźliśmy między innymi filmiki, na których on nakręcał jakieś dzieci. No jakaś jazda po prostu. Aresztowaliśmy go wtedy i później ten temat był ciągnięty dalej. Oczywiście do podpaleń też się przyznał.

Potem zamknęliśmy innego pedofila – już nie pamiętam, czy za molestowanie, czy za gwałt. Po jakimś czasie (jak już go wypuścili z więzienia) przyszedł na komendę i powiedział, że on chce koniecznie porozmawiać z kimś z kryminalnego. Akurat na mnie trafiło, bo już wcześniej tego gościa kojarzyłem. Przyszedł do mnie i mówi tak:

– Proszę pana, sytuacja jest następująca: robiłem takie i takie rzeczy, to pan na pewno wie, może pan sobie sprawdzić na bębnie. No taki już jestem, kurwa, swojej psychiki nie zmienię. Niestety jestem chory. Dopóki byłem w więzieniu, to byłem leczony, podawali mi leki. Wyszedłem z więzienia, nikt mi tych leków nie daje, nikt mi ich nie przepisał, a ja przestaję nad tym panować.

No to spytałem, jakie leki mu dawali. On mi na to, że jakieś hormonalne, i mówi:

– Pan zobaczy.

Podnosi koszulkę, a tam cycki prawie jak u kobiety. One nie były takie jędrne, pełne – ale normalny mężczyzna to ma klatkę piersiową i sutki, a jemu to wisiały dwa takie cyce. Tak jakby kobieta miała duże piersi, a później by już tylko z nich skóra wisiała.

– Kurwa, co oni ci zrobili? – mówię.

Ten odpowiada, że nie wie, ale że to nieistotne, bo działało. I dalej mi tłumaczy:

– Jestem załamany, proszę pana, a widzę, że jest taka sytuacja, że przestaję nad sobą panować. Znowu mnie korci i jak widzę jakąś dziewczynkę, to po prostu, kurwa, dostaję szału, przestaję nad sobą panować, to są ostatnie chwile, kiedy nad sobą panuję. Bardzo proszę, wymyślcie coś, zamknijcie mnie, kurwa, albo jakoś mi pomóżcie, bo po prostu znowu zrobię dziecku krzywdę.

No i wyobraź sobie, że dwa albo trzy dni wisiałem na telefonie i wydzwaniałem w różne miejsca, i dopiero psychiatra z jednego szpitala, jakiś profesor, zgodził się go przyjąć i powiedział, że mu pomoże. Umówiłem go na konkretną godzinę i wysłałem tam. Później do mnie zadzwonił i powiedział, że widział się z tym lekarzem, że bardzo dziękuje i że pewnie ten lekarz mu pomoże. Dalej, co było, to już nie wiem.

Ludzie potrafią zabijać z idiotycznych powodów?

Komisarz Sławomir Opala, Wydział ds. Zabójstw: Raz było zgłoszone zaginięcie taksówkarza. Facet miał ostatni kurs z dzielnicowym z Mokotowa. Nie było zwłok, nic nie było wiadomo.

A samochód był?

Samochodu też nie było. Facet był zaginiony, ale wszystko wskazywało na to, że został gdzieś ujebany po drodze. Zawinęliśmy tego dzielnicowego, który z nim jechał, on gdzieś tam z Podkarpacia pochodził. Mieszkał w Iwicznej w policyjnym hotelu. Bilingi z jego komórki wykazały, że ze służbowego telefonu wydzwaniał do tego taksówkarza. Wzięliśmy go na męki do Mostowskich i w końcu pokazał, że samochód jest tam gdzieś pod Niskiem w garażu. Ale dalej nie było zwłok. Prokurator wystawił tak idiotyczne postanowienie, że na jego podstawie moglibyśmy przekopać całą Polskę, bo napisał tam: „poszukiwanie zwłok na trasie Warszawa – Nisko lub w innym miejscu". Czyli wszędzie. No ale jak ten dzielnicowy nam pokazał, gdzie jest samochód, i oględziny były robione, to widać było, że w środku było strzelane i znaleźliśmy krew na słupku. Krew została zabezpieczona i biegli stwierdzili, że zawiera tkankę mózgową. W związku z tym pajac został skazany na dożywocie mimo braku zwłok. Biegli orzekli, że jeżeli krew zawiera tkankę mózgową, ofiara nie miała prawa przeżyć. A jeszcze śmieszne było, że był w to zamieszany też brat dzielnicowego. Całkiem na lewo. Okazało się, że dzielnicowy nie przeszedł testów psychologicznych, ale że jego wujek był sędzią Sądu Najwyższego, to go przyjęli do policji. Co się okazało? Facet był sobie dzielnicowym i szukał samochodu Opel Astra. Znaleźliśmy jego notatnik i wyszło, że gość legitymował tylko ludzi, którzy mieli ople astry określonego koloru i rocznika. Dlaczego? Bo kupił sobie wcześniej lewy dowód rejestracyjny i dopasowywał samochód do tego dowodu, który miał. Brat tego dzielnicowego był uczniem jakiegoś technikum rolniczego, w internacie mieszkał. Więc zawinęliśmy chłopaka i zaczęła się jazda. Podawał wersje od takiej, że w ogóle w życiu nie był w Warszawie, po taką, że to on zastrzelił taksówkarza. Opowiadał, opowiadał, opowiadał, Kania pisze tę notatkę, pisze, pisze. Na koniec pyta gościa, czy na pewno tak było.

– No tak.

– Ale na pewno?

– Nie, cyganiłem.

I od początku zupełnie inna wersja. Ten braciszek piętnaście lat dostał.

Za co?

Za udział w napadzie.

To też brał w tym udział?

Według mnie nie. Ale dostał piętnastaka na podstawie samooskarżenia. Obaj byli jebnięci, i to mocno. Ten młodszy brat też chciał koniecznie wstąpić do policji. Taksówkarz zginął, bo dzielnicowy chciał jeździć astrą, która pasowała do jego lewego dowodu. Straszne, kurwa.

Zdarza się, że sprawca przestępstwa okazuje się ofiarą?

Aspirant sztabowy Artur Szpecht, Wydział Kryminalny: Była taka sytuacja: przychodzi na komendę gość, który jest inkasentem z Providenta, czyli taką osobą, która udziela pożyczki, ale też przychodzi i bierze raty. No i poinformował nas, że ma taką podopieczną tu, na Mokotowie, która wzięła kredyt. Ale ostatnio przestała go spłacać. A on ma obowiązek przychodzić do niej co tydzień po ratę i ją tam, że tak powiem, nagabywać. Okazało się jednak, że ona ma jakiegoś chama wielkiego, tutaj miejscowego, mokotowskiego, i ten cham go najpierw straszył w mieszkaniu, a później dopadł gdzieś na mieście i groził, że te wszystkie pieniądze ma oddać, i jeszcze go naliczył. To znaczy ta dziewczyna wzięła pożyczkę na dwa i pół tysiąca, z czego tam chyba pięćset złotych oddała. A ten bandzior z Mokotowa kazał mu oddać tę kasę i jeszcze go naliczył tak, że razem miał zapłacić chyba cztery tysiące. No a ten gość z Providenta to taki dziadzina – chudy, siwy, z długą brodą. Nie sprawiał wrażenia jakiegoś cwaniaka.

Oczywiście, postanowiliśmy zrobić zasadzkę. Dziadzina zadzwonił do tego chama i powiedział, że ma pieniądze, tylko że przyjedzie z synem, bo to kasa tego syna. Rzecz jasna – syna grałem ja. No i pojechaliśmy na to spotkanie gdzieś na górny Mokotów. Stoimy sobie i w pewnym momencie podchodzi gość w koszulce z krótkim rękawem, w portkach od dresu i w klapkach. Taki bardziej spasiony niż przypakowany. I zaczyna się rozmowa. Ja oczywiście miałem włączony dyktafon i chciałem go nagrać, jak się przyznaje. No i gadka szmatka, ja mówię:

– Ty podobno chcesz od ojca jakieś pieniądze.

Na to gość mówi, że tak, i pyta, czy je mamy. Ja odpowiadam, że mamy, ale że najpierw chciałbym się dowiedzieć, jaką mam gwarancję, że ojciec będzie miał spokój. On na to, że mamy jego słowo. No to ja pytam:

– Co twoje słowo jest warte? Kto ty w ogóle jesteś?

A on, że jest tu, z Mokotowa, i tak dalej.

– No ale kto ty jesteś z Mokotowa? Masz tu jakieś poparcie? – pytam dalej.

Odpowiada, że zna tu trochę chłopaków, ale chce wiedzieć, do czego ja zmierzam.

– Bo bujasz się tu, kurwa, jak dziad na czereśni, jakbyś ty tu rządził, kurwa, na tej dzielnicy. Wydzwaniasz, kurwa, do mojego ojca, żądasz od niego pieniędzy.

Ten odpowiada, że tak, bo to on tę jego panią w te problemy władował. Najpierw przyszedł, sam ją namówił, żeby ona była figurantką, że ona weźmie sobie kredyt i tak dalej. A że bida u nich była, to się dziewczynina zgodziła i teraz trzeba to spłacać.

– Ale – mówię – ty, kurwa, pretensje masz chyba do mojego ojca?

– No tak.

A wcześniej dziadzina zeznawał, że ten bandzior dzwonił do niego i groził, że mu zgwałci córkę. No to ja mówię:

– Ale upoważniał cię ktoś do tego, żebyś, kurwa, wydzwaniał do mojego ojca i groził, że moją siostrę zgwałcisz?

– No dobra, może trochę mnie poniosło.

No to już wtedy miałem nagrane potwierdzenie i mówię do niego:

– Kurwa, poniosło cię? Taki, kurwa, kozak jesteś?

Przeczesałem się po głowie i sięgnąłem z tyłu po klamkę. Jak zobaczył to ten cham – gość, który wyglądał na wielkiego, ociężałego niedźwiedzia – to tak zaczął uciekać, że te dwa klapki mu w powietrze wyfrunęły. Takiego przypiardu dostał... Facet najwidoczniej już wcześniej wyczuł, że coś jest nie tak – że jak na takiego zwykłego mamlasa z ulicy to jestem zbyt odważny. No i pomyślał, że go tu przyszedłem po prostu odpierdolić. Jak zaczął uciekać, to krzyczałem jeszcze za nim: „Policja, policja!". Ale nic do niego nie docierało.

Tak czy siak, wpadł w łapy naszych chłopaków. Rzucili go na ziemię i skuli w kajdanki. Jak wieźliśmy gościa do komendy, to był strasznie spięty, pocił się. Dopiero jak dotarliśmy na miejsce, to powiedział:

– Wy naprawdę jesteście z policji?

– No a skąd, kurwa, mamy być? Przecież krzyczałem „policja" – mówię.

– Jak ze mną gadałeś, to myślałem, że ten dziad przyprowadził jakiegoś chama, kurwa, i chcesz mnie odjebać!

Czyli on po prostu do końca był przekonany, że ja jestem jakimś zbójem. Dopiero jak wjechaliśmy na komendę, to odetchnął, bo wiedział, że jesteśmy policjantami. Tam mu pogroziłem trochę, ale strasznie mi się tłumaczył:

– Co byś pan zrobił, kurwa? Jak wjebał mi dziewczyninę, kurwa, na taką minę. Wziął ją tu namówił, żeby ona wzięła na siebie kredyt, i zostawił ją z kłopotami. Tak się nie robi, nie?

Nam też to trochę zmieniło pogląd na sprawę i w tej sytuacji postanowiliśmy nie stosować wobec niego tymczasowego aresztowania, tylko dozór. Inną kwestią jest to, że pan pokrzywdzony miał wszczęte osobne postępowanie, za które też dostał pajdę. Chodziło o doprowadzenie do niekorzystnego rozporządzenia mieniem czy coś takiego.

Wasza największa porażka, gdy nie mogliście przyklepać komuś winy?

Starszy aspirant Jacek Jaskólski, Wydział do Walki z Przestępczością przeciwko Życiu i Zdrowiu: Na działkach w okolicy Wału Zawadowskiego jakiś chinol przypadkowo znalazł dziewczynę. Była ogolona na łyso, zakrwawiona, cała obolała i strasznie ryczała. Chinol oczywiście wezwał policję. Dziewczyna powiedziała nam, że uciekła z domu, bo nie dogadywała się z rodzicami, przyjechała do Warszawy i na Dworcu Centralnym wsiadła w taksówkę. Nie miała żadnych planów – liczyła na to, że w Warszawie szybko znajdzie pracę, a co za tym idzie, mieszkanie i tak dalej.

Jak już wsiadła do taryfy, to podobno opowiadała po drodze taksówkarzowi swoją historię – że tak naprawdę nie wie, gdzie ma jechać, że nie ma za bardzo się gdzie podziać i tak dalej. No i ten taksówkarz zaczął jej po drodze proponować pracę w agencji towarzyskiej. Ona jednak nie chciała się na to zgodzić. Wtedy gość rzekomo miał zablokować drzwi i zadzwonić po kogoś. Pojechali nad Wisłę, właśnie w okolice tego Wału Zawadowskiego. Tam już czekało kilka samochodów z innymi gośćmi. Wyciągnęli ją z taksówki, obili, wstrzyknęli jakieś narkotyki i ogolili na łyso. Później ją wielokrotnie gwałcili. Podobno po to, żeby nie zgłaszała policji, że dostała taką propozycję.

Zaczęliśmy zbierać fakty i w pewnym momencie dziewczyna powiedziała, że dowiedziała się od jakichś tam znajomych, że na tego taksówkarza mówią Wiesiek i że on podobno trzyma jakieś dziewczyny w okolicy Centralnego. Szybko gościa ustaliliśmy, no i postanowiliśmy zatrzymać. Pamiętam, że miał wypasioną chatę. Taki dom z kamerami, jak forteca. Tam go jednak nie zastaliśmy, więc wezwaliśmy na komendę pod pozorem jakiegoś zdarzenia drogowego i dopiero wtedy go zatrzymaliśmy.

Ta dziewczyna go rozpoznała?

Tak, rozpoznała go.

Przez lustro?

Zgadza się. Tak się przed tym denerwowała, że przyjechała pod wpływem leków. Dziwne było jednak to, że dziewczyna co prawda go rozpoznała, ale żona tego faceta przywiozła mu paszport z wbitą pieczątką, z której wynikało, że w czasie kiedy doszło do zdarzenia, on był za granicą, w jakimś egzotycznym kraju – nie pamiętam nawet gdzie – w jakiejś Grecji, Turcji czy Tunezji.

No i jak to wytłumaczyć?

Nie mam zielonego pojęcia. Z drugiej strony ta dziewczyna nie do końca wydała mi się pokrzywdzona. Ale to się okazało z czasem.

Dlaczego?

Pojawiły się wątpliwości, że być może ona zgodziła się na jakąś współpracę z nim, ale później się nie dogadała, na przykład w kwestii rozliczenia. Może przywłaszczyła sobie jakieś pieniądze? Moim zdaniem, pan Wiesław, który faktycznie jakimiś tam dziwkami rządził, zrobił jej karę za jej zachowanie. Tyle że nie chciał jej zmuszać do prostytucji, bo ona tą prostytutką już była. To jest jedna hipoteza, a druga jest taka, że być może nie wiedziała, kto dokładnie jej to zrobił, ale wiedziała, że Wiesiek to zlecił, i dlatego go oskarżyła. Ewentualnie ktoś Wiesiowi sfałszował pieczątkę w paszporcie. Bo gdzie w tamtych latach (to był 1999 lub 2000 rok) prokuratura mogła zweryfikować pieczątkę wjazdową celników z Egiptu czy jakiegoś innego egzotycznego kraju? Zresztą nawet nie chciałoby im się tego robić – uznali więc pokrzywdzoną za niewiarygodną i umorzyli postępowanie.

Jak to jest, kiedy musisz powiedzieć rodzicowi, że jego dziecko nie żyje?

Aspirant sztabowy Łukasz Michalik, Wydział do Walki z Przestępczością przeciwko Życiu i Zdrowiu: Ktoś wezwał policję, bo jakiś chłopak wołał z budynku: „Ratunku, ratunku!". Na miejscu okazało się, że w oknie jest wybita szyba, a w mieszkaniu leżą zwłoki młodego człowieka – mniej więcej osiemnastoletniego. Ktoś pchnął go nożem raz, ale śmiertelnie. Szybko doszliśmy, że to mieszkanie wynajmuje jakiś dwudziestolatek z Pragi. Chłopak oczywiście się ukrywał, ale w końcu go złapaliśmy. No i wszystko się zaczęło układać. On powiedział o innych osobach, które z nim były, a my po kolei wszystkich łapaliśmy. A cała historia wygląda tak: jeden chłopaczek, chcąc zarobić, pojechał do Holandii swoim samochodem i przywiózł kilka kilogramów marihuany – oczywiście w celu sprzedaży. Zrzuciły się na to trzy czy cztery osoby. Nie mieli natomiast żadnej kryjówki. Za to ich kolega był drobnym dilerkiem i twierdził, że ma świetną kryjówkę na towar. No to oni za parę złotych dali mu to na przechowanie.

Problem w tym, że jak przyszli po paru dniach, to okazało się, że ktoś mu ten towar zapierdolił. Ale chłopaki – niby koledzy z podwórka – zaczęli się zastanawiać, czy on czasem nie przywłaszczył sobie tej marihuany i komuś jej nie sprzedał. Wpadli na taki pomysł, że go nastraszą. Mówiąc konkretnie: wezmą go do jakiegoś mieszkania, potrzymają, poudają, że go torturują, on się wtedy zesra i powie, gdzie jest towar. Podjechali więc samochodem po niego, wepchnęli do środka i zawieźli do tego mieszkania na Mokotowie, które wynajmował jeden z nich. Na miejscu go związali i cały czas mówili mu, że go zabiją, że będą go torturować i tak dalej.

Na początku chłopaczek myślał, że to są żarty. Później zaczął się coraz bardziej obawiać, a w pewnym momencie doszło do tego, że ten pokrzywdzony na tyle się przeraził, że był przekonany, że faktycznie może mu coś grozić.

Co najgorsze jednak – to nie on rąbnął towar i nie wiedział, gdzie on jest. No i w pewnym momencie poderwał się z fotela (ręce miał związane z tyłu), podleciał do okna, kopnął nogą w szybę i zaczął wrzeszczeć: „Ratunku, policja, porwali mnie!".

Reszta chłopaczków zaczęła go ściągać z powrotem przez to okno, ale jeden z nich spanikował i dźgnął go nożem – tylko raz, żeby go uciszyć, bo sam był wystraszony, że zaraz przyjedzie policja i wszystko się wyda. Niestety, trafił centralnie w serce, a chłopaczyna zmarł. Wtedy wszyscy się obsrali i zwiali z tego mieszkania. To wbrew pozorom nie byli rasowi przestępcy, tylko takie osiedlowe gnoje, raczkujące w tym temacie. No ale tak się to ułożyło.

Musiałaś powiadomić ojca tego chłopaka, który zginął?

To było najgorsze. Najpierw zadzwoniłem do niego, a on już przez telefon do mnie:
– Tylko niech pan nie mówi, że coś się stało.
– Proszę pana – mówię mu – spokojnie, ja chcę tylko z panem się zobaczyć, chcę porozmawiać.

Wziąłem panią z zespołu psychologów, pojechaliśmy do niego, a on, jak mnie zobaczył, to mówi:
– Proszę pana, ja wiem, że coś się stało. Ja wiem, że coś się stało.

Zacząłem go uspokajać, wciągać w rozmowę na temat tego, gdzie syn mógłby jeszcze być, który kolega syna wygląda tak i tak... Generalnie starałem się bardziej skupić jego uwagę na jakichś tam szczegółach związanych z prowadzeniem śledztwa niż na tym, co się dzieje z jego synem.

Ale zwodziłeś go, że jego syn jeszcze żyje?

Właśnie nie. Ja jednocześnie rozmawiałem i potwierdzałem jakieś fakty, o których wcześniej wiedziałem. W końcu, jak troszeczkę facet się uspokoił, zaczął z nami normalnie rozmawiać. Tyle że ja sam miałem wątpliwości, jak mu to powiedzieć, bo w pewnym momencie gość stwierdził, że syn jest jedyną osobą, która mu została... Dwa lata temu odeszła od niego żona i zostawiła go z dzieckiem... W dodatku powiedział, że rok temu zmarła mu matka i tak naprawdę został mu tylko i wyłącznie syn. A ja w tych okolicznościach byłem zmuszony powiedzieć mu, że niestety tego syna też już nie ma.

Jaka była jego reakcja?

Słuchaj, to nie był płacz. To było wycie. On po prostu zaczął wyć. To było coś strasznego i powiem szczerze, że to jest chyba najmniej przyjemna i najbardziej dotkliwa część mojej pracy. To, że muszę patrzeć na czyjąś rozpacz.

W jakich zaskakujących miejscach potrafią się chować przestępcy?

Komisarz Piotr Pamuła, Wydział Kryminalny:
Pojechaliśmy zamknąć gościa od rozboju. Ja odruchowo zajrzałem do lodówki – tym bardziej że widziałem, że półeczki z lodówki leżą na zewnątrz.
Patrzę, a on siedzi w lodówce. Cwaniaczek. Kolej-
nego wyjąłem z szafy, jeszcze innego gdzieś tam
z łóżka. Mamusia siedziała na wyrku, podniosłem
ją, zajrzałem do środka, a tam elegancko leży miś
i liczy na to, że panowie nie pomyślą o tym, żeby
zajrzeć do łóżka. Z kolei innego gościa wyjęliśmy
kiedyś z balkonu – był zawinięty w dywan i stał
tak oparty o ścianę na tym balkonie. Widać było,
że ten dywan taki kiepsko zawinięty, a w dodatku
była zima, więc powinien być zawilgocony i oszro-
niony. A ten wyglądał, jakby świeżutko wystawiony.
Zawinęła go w ten dywan jego laska, jak pukali-
śmy do drzwi.

No generalnie różne historie były z tymi kryjów-
kami. Niektóre niesamowite. Jeden gość na naszych
oczach wjechał do garażu, zaparkował i w pewnym
momencie zniknął. Silnik wyłączony, samochód po-
zamykany, widać, że migają światełka, ale nikogo
nie ma. Gość widmo. Wjechał do garażu i się zde-
materializował. Cisza. No to zgłupieliśmy. Mówię:
„No, kurwa, ludzie, nie ma jaj – przecież widzieliśmy go!". Chłopaki zaczęły latać, sprawdzać mo-
nitoringi, czy czasami gdzieś z drugiej strony się
nie wymknął.

W końcu zaryzykowałem i wyjebałem szybę w samochodzie. Otwieram bagażnik, a tam siedzi sobie nasz misiu. Czujesz? Po prostu otworzył sobie tylną kanapę i przez siedzenie się przesmyknął do bagażnika. No i tyk-tyk pilotem pozamykał samochód i włączył alarm. Chłopa nie ma, rozpłynął się. Taki był gość.

Często sprawcy próbują was wpędzać w ślepą uliczkę?

Starszy aspirant Mirosław Chyb, Wydział ds. Zabójstw: Często mieliśmy takie sytuacje, że byliśmy wzywani do bezdomnego – nadpalonego, zachlanego, generalnie takiego, co do którego wszystko wskazywało na to, że umarł z przyczyn naturalnych, czyli na przykład z niewydolności krążeniowo-oddechowej, spowodowanej nadużywaniem alkoholu. A potem dostawaliśmy info od środowiska, w którym ten człowiek żył, że on został wcześniej ciężko pobity, stracił przytomność, a ktoś jeszcze przysypał go jego gratami i podpalił, żeby spłonął. Co się jednak okazało? On nie spłonął, bo ten pożar nie udał się tak, jak to sobie ktoś zaplanował – ale gościa i tak znaleźliśmy martwego. Z tym że on zmarł z przyczyn naturalnych. Czyli na przykład z wyziębienia, a nie w wyniku pobicia.

Miałem parę takich spraw. Nawet zacząłem się zastanawiać, czy czasem nie jest tak, że w medycynie sądowej, jak mają martwego menela, to im się nie chce po prostu pierdolić, kroić go, wąchać i tak dalej, tylko po prostu mówią, że zgon nastąpił z przyczyn naturalnych i mają go z głowy. Czyli tak naprawdę ktoś, kto dokonuje pobicia ze skutkiem śmiertelnym albo zabójstwa, też ma problem z głowy. Bo kto będzie żałował trolla? Czasem tak było. Moim zdaniem nie wszystkie zgony bezdomnych są rzeczywiście takie naturalne.

Komisarz Sławomir Opala, Wydział ds. Zabójstw: Przyjeżdżamy na zdarzenie. Jest facet w mieszkaniu. Przed mieszkaniem na korytarzu leży kobieta, która ma dosłownie zmiażdżoną głowę pieńkiem do rąbania drewna. Jej konkubent siedzi w mieszkaniu pijany jak bela i twierdzi, że on nie ma z tym nic wspólnego, że były tam jakieś osoby, ale on nie wie dokładnie kto, bo był pijany.

No i wtedy zaczyna się jazda. Przyjeżdża córka tego faceta, która na początku niewiele wnosi do sprawy. Dopiero później, jak sprawdziliśmy wszystkie bilingi i doszliśmy do tego, co się działo punkt po punkcie, to okazało się, że miała związek ze sprawą. Poprzedniego dnia facet, u którego w mieszkaniu znaleziono tę kobietę, dzwonił do swojej córki. Ta przyjechała na miejsce jakieś pięć godzin przed tym, jak pojawiła się tam policja. No i okazało się, że jak ten facet się nachlał, to wpadł w taki amok, że zatłukł kobietę. Potem wezwał córkę, a ona przyjechała i pomogła mu zacierać ślady. Tak po prostu – żeby wszystko wyglądało na to, że ktoś tam przyszedł, utłukł babę i sobie poszedł.

Aspirant sztabowy Marian Wała, Wydział ds. Zabójstw: Kiedyś mieliśmy podobną historię. Młody chłopak – członek ekipy budowlanej – razem ze swoim starszym bratem i kilkunastoma kolegami przyjeżdżają do Warszawy. W jednym mieszkaniu mieszkają, a drugie mieszkanie remontują. Później, na weekend, wszyscy wyjeżdżają, tylko ten jeden młody (miał chyba dwadzieścia dwa lata) zostaje sam w tym lokalu, który mają do użytkowania. Goście wracają w poniedziałek i zastają tego chłopaczka martwego, z raną klatki piersiowej. Zwłoki już nieprzyjemnie pachniały, ogólnie rzecz biorąc, w mieszkaniu była rzeźnia, wszędzie pełno krwi. No to zaczęliśmy śledztwo.

Okazało się, że chłopaczek nawiązał kontakty z miejscową młodzieżą – taką między czternaście a osiemnaście lat. Grali razem w piłkę na pobliskim boisku, popijali sobie, jak się spotykali, i tak dalej. Jak brat z tymi koleżkami wyjechali na weekend, to on ich zaprosił do siebie i praktycznie przez cztery dni był jubel. Bo to był jakiś długi weekend czy coś takiego. Musieliśmy zwieźć na komendę około trzydziestu osób, żeby ustalić w końcu, kto kogo pierdyknął. Ale w końcu doszliśmy, co się stało.

Poszło o to, że na imprezie były jakieś chłopaczki, które chciały młodego okraść. On to zobaczył i doszło do szamotaniny. Złapał jednego gościa i chciał go obić – a ten się wystraszył i pierdyknął go nożem. Można powiedzieć, że w obronie. Tak się wystraszył, że po prostu jebnął go nożem. Wszyscy oczywiście wtedy uciekli, a później jeden ze świadków wziął ten nóż, pojechał do swoich kolegów i pocięli go diaksem. Potem włożyli to do garnka razem z koszulą, którą sprawca miał na sobie, podpalili i wrzucili do Wisły. Można powiedzieć, że pół osiedla było zaangażowane w akcję z dźgnięciem gościa nożem. Każdy chciał tu się pokazać, że on jest równy chłopak i że on koleżki, który zabił człowieka, nie zostawi na lodzie. Najlepsze jest to, że – nie wiem jakim cudem – płetwonurkowie znaleźli ten garnek na dnie Wisły.

Naprawdę?

Tak. Jak rzucili tym garnkiem, to połowa noża była wewnątrz, a jeden kawałek leżał obok, gdzieś tam na dnie, w mule. Ale jak płetwonurek już znalazł ten garnek, to pogrzebał też obok i wyciągnął brakujący przedmiot. A w samym garnku była nawet ta nadpalona koszulka.

Nieprawdopodobne.

To było rzucone ze trzy, cztery metry od brzegu. Sami byliśmy w szoku, że płetwonurkom udało się to znaleźć. Dla nas to był dowód tylko i wyłącznie na to, że istnieje jakaś opatrzność czy jakieś siły boskie, które powodują, że jeżeli zrobisz coś złego, to i tak ci się do dupy prędzej czy później dobiorą. Jak nie w ten sposób, to w inny.

Jak dobrze podejść zbója na zasadzce?

Podkomisarz sztabowy Adam Walendziak, Wydział do Walki z Przestępczością przeciwko Życiu i Zdrowiu: Kiedyś była taka akcja, że kilka grup w Warszawie znalazło sobie nowy sposób zarobkowania. Mówiąc konkretnie, napadali starsze osoby, które były w banku i wyjmowały sobie pieniądze. Działo się to w ten sposób, że taka grupa patrzyła najpierw, która babcia idzie i wypłaca pieniądze. Później za babcią jechali, obserwowali ją i atakowali na klatce schodowej. Ona nawet nie wiedziała, kto ją napadł – często podduszali też te kobiety tak, że traciły przytomność. Bandziory potrafiły nawet szarpnąć kilkadziesiąt tysięcy złotych na takim napadzie. W dodatku – jak wiadomo – na klatce schodowej nie masz monitoringu. No to zastanawialiśmy się, co tu zrobić.

Zaczęliśmy obserwować te banki. Szybko się jednak domyśliliśmy, że przestępcy wiedzieli, że policja
jest w banku. Więc wymyśliłem inną metodę. Pojechałem do firmy ochroniarskiej, ściągnęli mi wszystkich ochroniarzy z banku i zrobiłem im szkolenie.
Dogadałem się też z dyrektorami banków. I wypra-
cowałem taki sposób, że za każdym razem kiedy
starsza osoba była obserwowana w banku przez
jakiegoś typa, który potem za nią wychodzi, to oni
szybko ustalali adres tej osoby (a mają to w bazie)
i dawali mi znać. No i to wypaliło.

To znaczy?

Dostaliśmy cynk i pojechaliśmy zrobić zasadzkę
pod podanym adresem. To w ogóle była sytuacja,
w której moja małżonka robiła za tło operacyjne.
Miałem wtedy pożyczonego od znajomej malucha.
Stałem pod blokiem ze swoją starą, a chłopaki się
pochowali. Ja byłem najbliżej, pod samą klatką. No
i idzie dziadek. Widzę, że nikt go nie śledzi, więc
już pomyślałem, że lipa. A tu nagle nie wiadomo
skąd za dziadkiem zaczynają wyrastać goście – jeden, drugi, trzeci, czwarty. Jak ich zobaczyłem, to
od razu do starej mówię: „Ania, kurwa, tutaj patrz
na mnie, całuj mnie, przytulaj się i nie zwracaj na
nich uwagi". Ania zesrana, a my udajemy, że nic się
nie dzieje. W pewnym momencie dziadek wchodzi

do klatki, a za nim ci panowie. Kazałem żonie zostać w samochodzie, ale ona chciała to zobaczyć z bliska, więc poleciała w krzaki. Później musiałem jej szukać, bo bała się wyjść. Jak ci kolesie wychodzili z klatki, to ich dorwaliśmy. Byli w totalnym szoku, nie wiedzieli, skąd policjanci im na łeb pospadali. Nie chcieli w to uwierzyć.

Widzisz – kwestia dobrego kamuflażu i odpowiedniego zachowania. Z mojego doświadczenia wynika, że jak coś robisz na bezczela, to nikt nie uwierzy w to, że jesteś policjantem. Czyli im bliżej wydarzenia się ustawiam, im bardziej bezczelnie komuś patrzę w gębę, tym mniej prawdopodobne się wydaje, że jestem policjantem i że to jest zasadzka.

PRZESTRZEGAĆ ZASAD ETYKI ZAWODOWEJ

Jaki masz stosunek do Boga?

Aspirant sztabowy Karol Sieniawski, Wydział Kryminalny: Powiem tak: zostałem wychowany w religii katolickiej – do pewnego stopnia wierzę w Boga. Natomiast nie praktykuję i nie wierzę w księży i w to, że jakiekolwiek praktyki religijne są w stanie mi w czymkolwiek pomóc. Myślę, że wiara jest mi potrzebna przede wszystkim do tego, żeby być normalnym człowiekiem, a nie jakimś dzikim zwierzęciem. Poza tym nie muszę chodzić do kościoła, żeby się uważać za chrześcijanina – wystarczy, że będę postępował według zasad, które chrześcijaństwo uznaje za słuszne. Ja do tego nie potrzebuję księdza ani chodzenia do komunii.

Poszedłem się kiedyś wyspowiadać do takiego starszego księdza – to było przed Komunią Alicji. No i powiedziałem mu między innymi, że muszę czasami komuś tam skórę przetrzepać. A ksiądz mnie pyta:

– A gdzie ty, synu, pracujesz? Co ty masz za zawód?

– No jestem policjantem, proszę księdza – mówię. – I wie ksiądz, jak się tam łapie tych łobuzów, to czasami człowiekowi się wyrwie i ze dwie garści pożyczy.

– Lej, synu, w imię Boże – on mi na to. – Ty jesteś narzędziem w rękach Boga. Ty nie miej z tego powodu skrupułów. Ty przez Boga jesteś wybrany. Lej, synu, w imię Boże.

Tak mi powiedział ksiądz. I od razu mi wszystko przeszło. Taki szczęśliwy wyszedłem z tego konfesjonału przy zakrystii. I uznałem, że trzeba lać w imię Boże.

Wiesz, ja zawsze starałem się postępować zgodnie z zasadami, które uznawałem za słuszne. Nie wiem, czy one często szły w parze z jakimiś dogmatami wiary chrześcijańskiej. Na pewno z takimi jak na przykład nie zabijaj. Poza tym w Biblii też gdzieś jest napisane: oko za oko, ząb za ząb.

Często człowiek ma dylematy. Jak stoi przed tobą taki bezczelny osiemnastolatek, to się zastanawiasz, czy dać mu w ryja czy nie. Mój kolega miał taką sytuację.

Możesz o tym opowiedzieć?

Chodzi o chłopaka dziewczyny, która ukradła jego córce telefon w szkole. Potem bezczelnie jeszcze przez dwa dni do niej przychodziła, pocieszała ją i mówiła, że jej pomoże szukać. Tymczasem chłopak tej dziewczyny nakłaniał ją jeszcze do tego, żeby kartę połamała, bo po karcie mogą dojść.

Cała sprawa i tak wyszła, a tego chłopaczka kolega policjant sobie wypożyczył na komisariat i postanowił z nim porozmawiać. Gnojek był strasznie bezczelny. Jak podniósł na niego głos, to on do kolegi:

– Ale pan na mnie nie krzyczy, nie?

Więc kolega wstał i wyciął mu liścia w twarz. Żebyś ty widział zdziwienie tego dzieciaka. Chyba pierwszy raz w życiu ktoś go uderzył. Jaki on był tym oburzony... Próbował coś powiedzieć drugi raz i dostał momentalnie liścia z drugiej. Zanim powiedział coś trzeciego, dostał liścia z trzeciej. Kolega go zapytał:

– Czy teraz rozumiesz swoją sytuację? Czy mam ci, kurwa, tłumaczyć dalej?

A on w tym momencie załapał i łzy mu stanęły w oczach. Rozumiesz? Ze złości, że ktoś go pobił, a on tak naprawdę nie jest w stanie nic zrobić. Kolega mówi:

– Chcesz mi oddać? Spróbuj.

W pewnym momencie, jak z nim rozmawiał, doszli do tego, że mu powiedział:

– Dalej jesteś, kurwa, na mnie obrażony czy uważasz, że ci się należało?

– No w sumie mi się należało.

– Bo masz do wyboru: albo cię zamknę i pójdziesz siedzieć, albo ci, kurwa, przypierdolę jeszcze raz.

A ten małolat na to:

– To pan mi przypierdoli jeszcze raz, a ja sobie zapamiętam do końca życia.

Wyobrażasz sobie? Jak wychodził, to był już do tego policjanta jak kumpel. Powiedział mu:

– Wie pan co, jakby mi kiedyś ojciec tak przypierdolił, tobym dzisiaj nie musiał tu do pana przychodzić.

Czujesz taką refleksję u osiemnastolatka? Szok.

Policjanci, dziwki i koks – jakim cudem to czasem idzie w parze?

Nadkomisarz Hubert Lenart, Wydział ds. Zabójstw: Ogólnie rzecz biorąc, to wychodzę z założenia, że jeżeli policjant ma rodzinę, a chodzi na kurwy i rucha gdzieś tam za darmo, to jest dla mnie skończonym idiotą i nie jest policjantem... Bo tak naprawdę to jest pierwszy hak, na którym cię przypną.

Niestety paru policjantów tak robi.

Wiem, że pięćdziesiąt procent policjantów tak robi, ale ja tego nie pochwalam. Tak samo jak nie pochwalam tego, żeby pisać lewą ręką, że informator otrzymał ode mnie trzysta złotych, a tak naprawdę pieniądze na informatora brać sobie w kieszeń, bo ustalenia były moje, a ja napisałem, że powiedział mi informator. Dla mnie to jest okradanie funduszu operacyjnego. Tak samo jak nie pochwalam sytuacji z handlarzami narkotyków. Co z tego, że gość ma przy sobie sześć tysięcy z handlu narkotykami? To oznacza, że mi się należy z tego procederu działka? Bo rok jeździłem za nim?

Biorą kasę z depozytu czy łapią go na ulicy, zabierają mu pieniądze i mówią: „Wypierdalaj"?

Są różne sytuacje. Powiem ci, jak robi patrolówka – zwłaszcza wywiadowcy. Łapią na mieście dilera z towarem i pieniędzmi i składają mu propozycję: pół na pół i jesteśmy zadowoleni. Diler traci pół towaru, pół gotówki. A policjanci puszczają go wolno.

A czemu biorą towar?

Dlatego że są w stanie przez swoich znajomych dilerów ten towar puścić. A część sobie po prostu

wyćpają. Ty myślisz, że co: że policjanci nie ćpają?
Kurwa, Patryk. Nawet nie wiesz, co się w policji
dzieje. Dlatego mówię: to nie jest instytucja, do której
ja chciałem się przyjąć.

Jakie narkotyki zażywają?

Kokaina, amfetamina. Heroina raczej nie. Przynajmniej jeszcze się nie spotkałem z tym, żeby któryś
z policjantów był widocznie uzależniony od heroiny.

**Wiedziałem o tych narkotykach, ale myślałem,
że to sprawa incydentalna...**

Powiem ci tak: jest z tym coraz większy problem. Był czas, że dopalacze były legalne. Jestem na
imprezie – ja, policjanci od nas z wydziału, kilku
antyterrorystów i nasze żony. Pijemy wódeczkę
z okazji awansów. W pewnym momencie kilku chłopaków zaczyna sypać czymś białym po stole. Patrzę
i mówię:
– Chyba was popierdoliło.
– Co ty, to dopalacze, to legalne. No przecież nie
będziemy ci koksem sypać.
– To tak czy inaczej jest syf. Wypierdalajcie mi
z tym.
A oni to wciągają, rozumiesz? Jeszcze próbują
namawiać mnie i moją żonę. Nawciągali się jakichś

dopalaczy. Podczas imprezy. Antyterroryści. Na moich oczach, rozumiesz? Im to imponuje, że sobie razem wciągną. Nie wiem, jak oni budują zaufanie do siebie, że razem to mogą wszystko robić? Rozumiem, że mogą sobie lojalność udowadniać w ten sposób, że obaj są żonaci i będą ruchać tę samą laskę jednocześnie, i jeszcze się będą nagrywać. Ale do jakiego stopnia będą sobie to udowadniać? Co, razem będą ćpać? A w końcu razem będą zabijać ludzi? Gdzie jest granica? Czym się różnią antyterroryści od zwykłych schabów? Tym, że mają trochę więcej sprzętu? Dlatego powiem ci tak: jest niewielu policjantów z AT, z którymi chce mi się w ogóle gadać. Uważam, że pewne rzeczy po prostu policjantom nie przystoją. Młodzież z wydziału teraz na imprezach pije i ćpa do tego stopnia, że nosy mają białe i piana im się toczy z pyska. Ruchają dziwki, wszystkie za darmo. Chodzi już plota po Warszawie, że nie ma agencji, z której oni by dziwek nie ruchali. Oprócz tego mają jakichś swoich dilerów, którzy muszą się im opłacać.

À *propos* depozytów – stamtąd można cokolwiek ukraść? To nie jest ewidencjonowane?

Jest, ale robi się to w bardzo prosty sposób. Kto sporządza depozyt? Policjant, który zatrzymał handlarza. Lub policjant, który obsługuje tego zatrzymanego. Więc to proste: jeżeli ja jako policjant, który zatrzymał gościa, chcę mu zapierdolić z depozytu sześć tysięcy złotych, to żaden problem. Ja te sześć biorę w kieszeń, a wpisuję mu w depozyt, że miał dwa.

Tak samo z narkotykami?

To jest tak: jeżeli znajdę przy kimś narkotyki, to one są tak naprawdę tylko i wyłącznie do mojej dyspozycji. Przynajmniej do momentu, dopóki nie złożę ich oficerowi dyżurnemu. Jeżeli znajduję na przykład kilogram, który składa się z czterech bułek po ćwierć kilo, to mogę sobie wziąć dwie i ujawniam, że były dwie. Wzywam na miejsce technika, który przyjeżdża, robi zdjęcia, ale tylko tych dwóch bułeczek. A dwie bułeczki mam w kieszeni.

Narkotyki były wcześniej bardzo piętnowane wśród policjantów. To jest jakiś znak czasu?

W policji jest coraz mniej osób, które przyszły tu pracować, bo chcą być policjantami. Jest za to dużo ludzi, którym policja uratowała życie, bo inaczej nie mieliby recepty na życie i nie wiedzieliby, co ze sobą zrobić. To są często osoby, których zawód to był syn lub córka. Rozumiesz? Czyli na przykład córka pani radnej. Z Pcimia Dolnego. Przyjeżdża do nas i zachowuje się tak, że ja pierdolę, po prostu ręce opadają. Jeszcze dwóch dni nie przepracowała, a już występuje o urlop. Raz pojechała przypadkowo z kimś na zatrzymanie. Policjant prowadził sprawę od trzech miesięcy, a ona pomogła mu tylko zatrzymać typa. To znaczy tylko asystowała, bo nie wyjęła nawet kajdanek. I ona żądała nagrody za to. Bo policjant dostał nagrodę. Takie towarzystwo, rozumiesz?

Policjanci, którzy zażywają narkotyki, kryją się z tym w kiblu na imprezie?

To zależy przy kim. Jak mają imprezkę tylko w gronie sześciu operacyjnych, którzy są wtajemniczeni w najpoważniejsze tematy, to będą sobie z pępka wciągać nawzajem. Natomiast jeżeli na przykład jest kilka osób z dochodzeniówki, do których nie mają zaufania, no to wejdą do kibla i tam w kiblu sobie wciągną. Później wrócą i będą się zachowywać tak, że wszyscy się domyślą, że są naćpani. No ale to jest tajemnica poliszynela. Wszyscy wiedzą, ale nikt o tym nie powie.

A to nie zostaje we krwi? Nie ma na przykład jakichś okresowych badań moczu?

Nie ma żadnych testów na narkotyki u policjantów. Czasami badają tylko alkomatami – ale to też w określonych sytuacjach. Na przykład jak jakiś gość z patrolówki się wpierdoli po pijaku i jest afera. No to później goście z patrolówki dmuchają przed wyjazdem na służbę, i tyle. Jeden z policjantów z tego wydziału właśnie niedawno się wpierdolił, bo rozwalił się samochodem po pijaku. Wyobraź sobie policjanta, który ma dwadzieścia lat służby, jego żona nie pracuje, a policjant właśnie kończy budować drugi dom.

Dziwne – bo z drugiej strony strasznie jest teraz piętnowane picie na komendach. Jak to się w ogóle zmieniło od czasu zamontowania kamer?

O czym my mówimy? Patryk, owszem, nie wolno pić na komendach. Ale gwarantuję ci, że wchodzisz w to miejsce w nocy i tam jest impreza – i to taka, na której są nawet dziwki. A powiem ci, że pracowałem w tej komendzie lata i w życiu tam nie widziałem dziwki na imprezie. Rozumiem, że chłopaki mogli pojechać na imprezę do agencji towarzyskiej. Pod warunkiem że to była agencja z tak zwanej dobrej strony, która z nami współpracowała. Takie rzeczy były możliwe. Ale nie było możliwe, żeby dziwki z agencji na komendę przyjechały i imprezowały! Masakra jakaś.

Policjanci się nie boją, że te dziwki ich podpierdolą?

Starszy aspirant Emil Gerlach, Wydział Kryminalny: Nie, może po prostu są przekonani, że mają na nie haka. Inną kwestią jest to, że co te dziwki zrobią? Powiedzą komuś i co? Jak to udowodnią? A to, że oni są pomawiani? Oni są codziennie pomawiani. I za każdym razem nie ma dowodów.

Zresztą, Patryk, prostytutki z policjantami lubią dobrze żyć. Wynika to z tego, że trochę zmieniła się sytuacja na rynku prostytucji. Coraz więcej dziewczyn przestaje bandytom płacić, bo ci zrobili się niewydolni i nie są w stanie wielu rzeczy załatwić. Sytuacja jest na przykład taka: klient przyszedł, podmuchał i nie zapłacił. No to teraz trzeba do klienta iść, dać mu w mordę i odebrać od niego pieniądze. Jeśli jednak ten klient pójdzie z tym na policję, to taki „miastowy" może mieć problem. Czyli jednym słowem, dużo ryzykuje, bo to już nie są czasy, kiedy można było takie rzeczy robić – czyli przychodzić i mówić: „Ja jestem z Mokotowa, masz oddać kasę". Efekt końcowy jest taki, że dziewczynom teraz coraz bardziej się opłaca trzymać z policjantami. No i są policjanci, którzy utrzymują ten kontakt tylko po to, żeby uzyskiwać informacje. Natomiast są też tacy, którzy taki kontakt utrzymują z zupełnie innych przyczyn i jeszcze biorą haracze od agencji towarzyskich. Czyli normalnie dziewczyny policjantom się opłacają. Część w naturze, część w towarze, część gotówką – wszystko zależy od układów.

Tylko że wiesz – agencja towarzyska to jest w ogóle miejsce, gdzie policjanta najłatwiej jest złapać, pozyskać, znaleźć na niego haka. Wyobraź sobie taką sytuację: jestem pogromcą wszystkich złych ludzi na Mokotowie. Wszyscy mnie tam nienawidzą, piszą po murach „jebać Pęcherza", „Pęcherz jest zły" i tak dalej. No i ten właśnie Pęcherz zna wszystkie panie i wszystkie właścicielki agencji towarzyskich z Mokotowa. Myśli, że te wszystkie laski i ci właściciele agencji nie znają bandytów, którzy biorą od nich haracze. Wystarczy, że jedna z nich zrobiłaby zdjęcie, że z nią spałem. Momentalnie byłaby prosta propozycja. Albo, chłopaku, się uspokoisz, albo to zdjęcie trafia do twojej żony. Koniec. No i masz prosty wybór. Albo wpierdolisz trzy lata swojej pracy i jakiś swój cel zawodowy, albo spierdolisz sobie całe życie i rozpierdolisz sobie rodzinę. No i co wybierzesz? A jeżeli raz pójdziesz im na rękę i raz cię na takim haczyku złapią, to później będą próbowali cię tym samym szantażować. W pewnym momencie okaże się, że nie robią już tego po to, żeby cię powstrzymać od jakichś czynności, tylko wręcz wymagają od ciebie tego, żeby przynieść im na przykład jakieś informacje na nasz temat.

Tak naprawdę agencja towarzyska to jest jedna wielka mina. Nigdy nie wiesz, czy ktoś cię nie nagrywa. Zaufanie do właścicieli agencji towarzyskich to jest mit. Wiem, że w jednej z największych agencji towarzyskich, która mieści się akurat na naszym terenie, nagrywali wszystko. Tyle tylko, że tego nie używali, bo się bali. Niektórzy koledzy mieli za to inną zasadę. Jeśli już chodzili do agencji, to nie na swoim terenie, czyli nie tam, gdzie łączą ich jakieś zawodowe układy. Mam kumpla, który dopóki się nie hajtnął, to korzystał z usług agencji towarzyskiej, ale on nigdy nie dupczył w agencji z terenu, na którym pracował. A potrafił się przyjaźnić z dziwkami z całej Warszawy.

A dlaczego BSW się nie przyczepia do tych wszystkich spraw typu dziwki, koks, łapówki? Dawniej w stołecznej bali się kupić samochód za niewielkie pieniądze i postawić go przed głównym wejściem, „na koronie", bo od razu wiedzieli, że wewnętrzny się przyczepi i będzie sprawdzał, skąd kasę mieli, czy przypadkiem nie z łapówek.

Tak było w czasach, kiedy pierwsza seria *Pitbulla* była aktualna. Faktycznie BSW było niebezpieczne i potrafiło narobić problemów. Mogli cię zamknąć za frytki. Z byle powodu. Teraz jest wręcz odwrotnie. BSW jest bezradne, ślepe i głuche. Obowiązują ich te same przepisy co wszystkich innych policjantów. Tylko jako że są Biurem Spraw Wewnętrznych, to muszą się ich trzymać *stricte* i nikt nie może ich złapać na najdrobniejszym potknięciu. I teraz uważaj: jeżeli chcę podsłuchiwać telefon, to mam do tego prawo, jeżeli istnieje uzasadnione podejrzenie, że ktoś popełnił konkretny rodzaj przestępstwa. W ustawie jest napisane, że podsłuchiwać można na przykład handlarza narkotyków, członka zorganizowanej grupy przestępczej lub kogoś, kto dokonuje rozbojów. Jest generalnie cała kategoria przestępstw, za które można podsłuchiwać. Ale nie możesz założyć gościowi podsłuchu dlatego, że on zażywa narkotyki. Zażywanie narkotyków nie jest u nas przestępstwem.

A posiadanie nie jest?

Samo posiadanie to za mało. Żeby założyć podsłuch, musi być handel, produkcja albo przemyt.

No to może trzeba założyć obserwację?

Ciężko pociągnąć obserwację za policjantem, tym bardziej że policjant w pewnym momencie sam wie, że jest obserwowany. Inna kwestia jest taka, że w BSW też pracują policjanci i jeden drugiego może znać. Poza tym dla części policjantów taki gość jest zły, ale dla części policjantów fajny. Jest cała rzesza policjantów w Warszawie, którzy powiedzą: „Ty, no, kurwa, przecież to jest taki pies, że ja pierdolę. Widziałem, jak on łapał tych handlarzy narkotyków, jak on tych samochodziarzy łapał. No, to jest zajebisty pies".

Poza tym odnoszę wrażenie, że od jakiegoś czasu BSW to nie jest służba, która ma likwidować w policji złych ludzi. To jest służba, która ma być w policji po to, żeby nikt się nie przypierdolił, że takiej służby nie ma. I jeżeli coś jest ewidentne tak, że nie da się nikogo z tego wyciągnąć, to oni już interweniują. Ale jeżeli sprawa nie jest ewidentna, to zrobią wszystko, żeby to rozłożyć. Tak niestety wygląda dzisiejsza policja.

Opowiem ci jeszcze lepszą historię. Bandyci z Mokotowa przychodzili do knajpy wymusić haracz. Wybijali szyby i tak dalej. Następnego dnia przychodził Bober, policjant z Ursynowa, i mówił: „Proszę pana, oni tak będą teraz panu wybijać te szyby. Pan zapłaci pięćdziesiąt złotych dziennie, a my przypilnujemy panu w nocy lokalu". Taka była współpraca. No i takich policjantów oczywiście było więcej. Ja tylko czekałem, kiedy wpadną. Tyle że mało tego, że nie wpadli, to jeszcze dzisiaj nie ma asa, który by ich chciał zamknąć. A wiesz czemu? Bo byłoby niepolitycznie, gdyby się okazało, że policjanci są źli. Dlatego wszyscy chcieli mieć w pewnym momencie w Warszawie policyjną bramkę – bo wiedzieli, że nikt nie zgłosi się po haracz i będzie spokój.

Czyli krótko mówiąc: policjanci stoją jako bramkarze w klubach?

Tak. Parę osób, które poodchodziło na emeryturę, pootwierało sobie firmy ochroniarskie, no i po cichu zaczęło zatrudniać policjantów, którzy cały czas byli w służbie. A jak się ma policyjną bramkę, to w ogóle jest łatwiej. Bo policjanci wiedzą, jak pewne tematy ukrócić i zrobić tak, żeby nikt się do tego nie przypierdalał. Takie buty. Po prostu, kurwa, dno i wodorosty.

Czy w szkołach policyjnych skutecznie uczą młodych policjantów o niebezpieczeństwach czyhających na nich w tym zawodzie?

Aspirant sztabowy Henryk Bławut, Wydział do Walki z Przestępczością Samochodową: Ja uważam, że osiemdziesiąt procent wykładowców ze szkół policyjnych można by zwolnić i zastąpić policjantami, którzy są na emeryturze. Mogliby sobie dorobić, a przy tym nie nudziliby się w domu i nie mieliby problemu pod tytułem „co ze sobą zrobić". Bo wielu policjantów odchodzi na emeryturę, przeżywa pół roku i albo kojtnie na zawał, albo popełni samobójstwo. Nie dają sobie rady z wolnym czasem, który mają. Nie potrafią też zaakceptować tej sytuacji, że przedtem byli policjantami, mieli na coś wpływ, a teraz są zwykłymi obywatelami. I tych policjantów uchroniłoby to przed frustracją i pozwoliłoby im przejść jakoś łagodnie do świata normalnych. W dodatku, zobacz, jakie ogromne doświadczenie mogliby uzyskać młodzi policjanci wyszkoleni przez takich doświadczonych pracowników. Na pewno dużo lepsze niż przez faceta, który chodzi tylko i mówi, że praca operacyjna dzieli się na formy, metody i coś tam jeszcze. Pomyśl, jaka jest różnica między takim gościem a facetem, który trzydzieści lat robił to w praktyce i ma miliony przykładów z własnej dupy. I mówi do takich młodych policjantów: „Panowie, macie taką sytuację. Ja to miałem, a jak wy byście to rozwiązali? No to ja wam powiem, jak powinno się to rozwiązać". Natomiast takich rzeczy w szkołach policyjnych nie ma. Wymyślają coś takiego, że można być nauczycielem na zasadzie wolontariusza – jak chcesz później stanąć do konkursu na komendanta, to mile widziane jest, jeżeli byłeś takim nauczycielem wolontariuszem. Czyli to działa na takiej zasadzie, że sam się zgłaszasz, że chcesz zrobić jakiś wykład. Tyle tylko, że do takich rzeczy zgłaszają się ci, którzy nie mają nic wspólnego z praktyką. Ci, którzy mają coś wspólnego z praktyką, to nie są ludzie, którzy się tam będą rwali, którzy będą sami przylatywali i mówili: ja chciałem państwu o czymś powiedzieć.

Starszy aspirant Wiktor Mazaniuk, Wydział Konwojowy: Cała policja to jest jakiś taki jebany postkomunistyczny beton. Tak samo jak z PZPN-em czy innymi takimi postkomunistycznymi organizacjami. Są pewne kanony i pewne przyzwyczajenia, przekazywane z dziada pradziada na kolejne pokolenie i nikt nie jest w stanie tego urwać. Dlatego jeśli policja naprawdę miałaby się zmienić, to trzeba by było wypierdolić Komendę Główną w powietrze i przyjąć tam ludzi z dołu. Niech to będą na przykład naczelnicy wydziałów z komend. Ludzie, którzy na stanowiskach kierowniczych pracują dłuższy czas, ale niemający strasznego parcia na władzę. No i z takich ludzi stworzyć dopiero jakieś struktury, przyjąć nowych ludzi do pracy i stworzyć nowe standardy. Reszta do wyrzucenia. Bo teraz jest tak, że jak ja będę miał kolegę w Komendzie Głównej, to moja córka za rok jest w stanie rozpocząć karierę od Komendy Głównej. I ona tam przyjdzie, po roku zostanie podkomisarzem, bo skończyła studia, a za chwilę będzie jakimś naczelnikiem, dyrektorem biura i tak dalej. Okaże się, że w dziesięć lat zrobi większą karierę niż ja w trzydzieści. A wiesz dlaczego? Bo mam kolegę.

To jest taki syf, brud, którego nie da się rozpierdolić.
Nikt cię nie zrobi przełożonym, jeżeli nie wejdziesz
w dupę jakiemuś komendantowi. Musisz funkcjono-
wać w układzie, musisz z nim chodzić na gorzałę,
na dziwki, wchodzić mu w dupę, przymykać oko
na jego błędy, chwalić za jakieś drobne sukcesy i za
wszelką cenę pokazywać, jaki ty jesteś wobec niego
lojalny. Nawet jak ci nadepnie na jaja, to powiesz
tylko: „Oooj, nie przejmuj się, kurwa, zgniotłeś mi
jedno jajo, ale mam jeszcze drugie". Tak to wygląda
w tej instytucji.

Trudno było w twoim wydziale zrobić karierę?

Aspirant sztabowy Piotr Makowski, Wydział
do Walki z Przestępczością Samochodową: Byłem świadkiem sytuacji, gdy mój kolega miał bardzo duże szanse na to, żeby zostać zastępcą naczelnika wydziału komendy. Ale inny gość wygrał
z nim w konkursie, bo jak kolega łapał przestępców,
to tamten miał czas na naukę i urabianie przełożonych. A w naszej pracy nie było na to czasu, bo od
rana do wieczora siedzieliśmy na zasadzkach i łapaliśmy bandytów. Jak już w weekend ich nie łapaliśmy, to chcieliśmy wtedy chociaż przez chwilę
z żoną i z dziećmi posiedzieć, choćby po to, żeby
żona z domu nie wyrzuciła. Tak że wiedzę operacyjną na temat kryminalnych zdarzeń mój kolega

miał dwa razy większą niż tamten człowiek. On jednak przewyższał go w kilku kwestiach. Po pierwsze pił – nie odmawiał wódki nikomu. Po drugie miał już wtedy zrobione studia i stopień oficerski. A wiesz dlaczego? Bo kiedy cała komenda walczyła z Ferencem (czyli zastępcą komendanta rejonowego, który uprawiał straszny mobbing), to on z dwoma innymi kolegami wchodzili mu w dupę. I on ich za to zrobił oficerami i dał oficerskie stanowiska. Rozumiesz? To się odbywa na takiej samej zasadzie, jakby się nagle okazało, że trzech ludzi z podziemia, którzy w czasie wojny walczyli z okupantem, nagle zostało awansowanych przez tego okupanta do stopnia poruczników. Tak to wyglądało.

Jak to w ogóle było z tym Ferencem?

To była totalnie absurdalna sytuacja. Jemu się wydawało, że z policji kryminalnej zrobi wywiad. Czyli takich policjantów patrolówki bez munduru. Najpierw wszedł w konflikt z chłopakami z narkotyków. Namierzyli największego handlarza narkotyków na Żoliborzu, mieli go na tacy, ale Ferenc powiedział im, że nie mogą go zamykać, bo jego zamknięcie to będzie w statystyce tylko jeden czyn narkotykowy. Ferenc stwierdził, że lepiej, żeby te narkotyki dalej były na dzielnicy i by policjanci łapali jak najdrobniejszych dilerów, bo każdy taki zatrzymany to też jeden czyn narkotykowy, czyli podniesie się pięknie statystyka. Jak chłopaki się mu postawili, to Ferenc zlikwidował sekcję narkotykową i powywalał tych chłopaków z roboty. Innemu koledze żona Ferenca kazała zawieźć radiowozem choinkę do mieszkania. Jak ją olał, wywalili chłopaka dyscyplinarnie z roboty. Nam Ferenc zapowiedział, że mamy przestępców na gorącym uczynku zatrzymywać i że za każdego sprawcę złapanego w ten sposób będzie nagroda. No to ja mu mówię: „Ale panie komendancie, pan się chyba pomylił. Pan rozmawia z policjantami kryminalnymi. My nie zatrzymujemy na gorącym uczynku i nie jeździmy na służby patrolowe". A on coś tam mi napyskował i dodał, że całe życie pracował w prewencji i jest z tego dumny. Ja mu na to, że dobrze, ale czy to oznacza, że policjanci kryminalni za realizację spraw też mogą liczyć na nagrody? I zapytałem go, czy on w ogóle zdaje sobie sprawę, czym jest policja kryminalna.

Jeżeli ci jego koledzy z prewencji, z których jest tak bardzo dumny, spierdolą sprawę i nie zatrzymają człowieka na gorącym uczynku, to wtedy taka sprawa trafia do nas i to naszym zadaniem jest odtworzyć to zdarzenie, zdobyć dowody i zatrzymać tych ludzi, którzy nie zostali zatrzymani przez tych jego kolegów. Tak że my nie zatrzymujemy na gorącym uczynku. To jego koledzy powinni zrobić, a my jesteśmy tymi, którzy po nich sprzątają, więc nagrody możemy dostawać za zupełnie coś innego, ale on tu takich czynności nie wymienił.

No i zaczęła się wojna. Było tak, że człowiek, który nie miał żadnego pojęcia o pracy operacyjnej, nauczył się z instrukcji operacyjnej jakichś tam paru punktów i potem nas z tego przepytywał. Na Ferenca zaczęły spływać z czasem kolejne skargi na mobbing, które składali policjanci do komendy stołecznej. Ale wszystkie były odrzucane, bo twierdzono, że policjanci są słabi psychicznie. Aż któregoś dnia do komendanta stołecznego przyszła matka jednego policjanta i powiedziała: „Niech pan posłucha. Mój syn przez tego Ferenca jest na skraju wytrzymałości psychicznej. Jeśli on coś sobie zrobi, to ja panu zgotuję taką awanturę, że pan nie wyjdzie z pierdla do końca życia". Dopiero po wizycie tej kobiety komendant stołeczny w końcu go na szczęście wyrzucił, ale do tej pory jeszcze widzę takich przełożonych, którzy na niczym się nie znają, a próbują błysnąć.

A samobójstw było dużo? Za waszej służby.

Starszy aspirant Adam Badowski, Wydział Poszukiwań i Identyfikacji Osób: No, za mojego czasu zastrzeliło się pięciu policjantów, w tym jedna kobieta. To była dziewczyna, która przede

mną zajmowała się narkotykami. Marta. Była taka
niby wesoła, ale jednocześnie skryta. Przez jakiś
czas zajmowała się przestępczością narkomańską.
Coś jej tam nie wychodziło, trafiła na komisariat.
Na komisariacie robili sobie imprezę w plenerze.
Grill, to, tamto, siamto... Przyjechała na tę imprezę.
Nie pamiętam, czy coś wypiła. Ona była normalną
dziewczyną. Po nocy zrobiła się dziwką praktycznie. Do jej męża dzwonili: „Zabierz tę szmatę, przyjedź tu i tu...".

Ona tak się ruchała ze wszystkimi?

No.

**Podkomisarz Jerzy Wnuk, Wydział Poszuki-
wań i Identyfikacji Osób:** Była też taka sytuacja
z dziewczyną, kiedy byłem w CBŚ-u. Przyjechałem do Lublina, bo tam jeździliśmy... Powiem ci,
taka policjantka Halina, normalnie z jajem dziewczyna. Nagle rano poszedł chłopak po wodę do
kawy. Strzał! Nie ma dziewczyny. Oficer, porucz-
nik, komisarz, wszystko w porządku. Do tej pory
nie wiemy, co się stało.

Strzeliła sobie w głowę?

Tak, w pokoju strzeliła sobie w łeb.

Ile miała lat?

Trzydzieści.

Starszy aspirant Adam Badowski, Wydział Poszukiwań i Identyfikacji Osób: Najwięcej samobójstw jest właśnie w pokojach służbowych. Moje pierwsze samobójstwo to taki kolega Andrzej, z którym robiłem w jednym pokoju. Rano przychodzimy do roboty. Nie wpuszczają nas do pokoju. Okazuje się, że Andrzej miał w nocy dyżur. Prawdopodobnie spotykał się z dużo starszą od siebie kobietą. On mógł mieć wtedy koło trzydziestki. Trzydzieści kilka to najwięcej. Chciał przerwać ten związek. Ta kobita go postraszyła, że zrobi mu na złość. Efekt był taki, że przyszła na komendę, do komendanta, zgłosiła, że ją okradł ze złota w domu. On chciał sobie strzelić w serce, ale strzelił półtora centymetra obok serca. Z tego, co wykazał patolog, to zanim umarł, męczył się półtorej godziny.

Podkomisarz Jerzy Wnuk, Wydział Poszukiwań i Identyfikacji Osób: Był też taki policjant, który pisał podania z prośbą o przeniesienie. Strzelił do siebie w piwnicy, pamiętasz? Żona, dzieci... Nie wytrzymał stresu. Też około trzydziestu lat. Chciał się przenieść, było mu ciężko, nie wyrabiał na dochodzeniach. Kwestia psychiki. Był chłopak też w kryminalnym w wojewódzkiej, też koło trzydziestki. Nie wiem dokładnie ile... Robił oficera w Szczytnie. Przyjechał do Radomia, wziął taksówkę spod dworca i kazał się zawieźć na komendę. To była piąta rano, może w pół do szóstej... Taksówkarz czekał na niego na dole, a on poszedł na górę strzelić sobie w łeb. I nie wiadomo, dlaczego przed końcem oficerki strzelił sobie w łeb.

Wszyscy raczej strzelają?

Starszy aspirant Adam Badowski, Wydział Poszukiwań i Identyfikacji Osób: Raczej strzelają. Nie przypominam sobie, żeby się ktoś powiesił.

A jak trzeba strzelać?

Przeważnie w usta sobie strzelają.

Podkomisarz Jerzy Wnuk, Wydział Poszukiwań i Identyfikacji Osób: Lufa do góry.

Starszy aspirant Adam Badowski, Wydział Poszukiwań i Identyfikacji Osób: Najczęściej w usta, dlatego że skronią może pójść bokiem. Tak jak tu mówiłem, że Bogdan chciał sobie trafić w serce. Nie trafił. Trafił obok. Marta sobie strzeliła w skroń.

Podkomisarz Jerzy Wnuk, Wydział Poszukiwań i Identyfikacji Osób: Chyba w usta.

Starszy aspirant Adam Badowski, Wydział Poszukiwań i Identyfikacji Osób: A możliwe, że w usta, bo odkręciła szybę w samochodzie, wystawiła głowę i dopiero strzeliła, tak żeby nie uszkodzić samochodu.

Podkomisarz Jerzy Wnuk, Wydział Poszukiwań i Identyfikacji Osób: To było przerażające, tyle myślałem o tej śmierci...

Starszy aspirant Adam Badowski, Wydział Poszukiwań i Identyfikacji Osób: A tu parę metrów dalej byli ludzie na grillu z jej komisariatu.

Przerwali tego grilla?

No tak. Bo zaraz prokurator przyjechał, karetka...

Podkomisarz Jerzy Wnuk, Wydział Poszukiwań i Identyfikacji Osób: To już i tak była końcówka imprezy.

Starszy aspirant Adam Badowski, Wydział Poszukiwań i Identyfikacji Osób: Do samobójstwa trzeba mieć odwagę.

Czemu tak uważasz?

To stań na szynach i czekaj na pociąg. Uważam, że można łatwiej to zrobić. Nam się wydaje, że najprościej będzie łyknąć jakieś proszki nasenne.

Podkomisarz Jerzy Wnuk, Wydział Poszukiwań i Identyfikacji Osób: Ale widzisz... słusznie powiedziałeś, że trzeba mieć odwagę, żeby się zabić. Mieć świadomość, że właśnie w tym momencie kończysz swoje życie. Opowiem wam na rozweselenie akcję z najbardziej niefartownym samobójcą w historii.

Miałem okazję uczestniczyć w różnych sprawach o samobójstwo. Łączyła je tożsamość desperata, nazwijmy go JAN JURECZEK, lat pięćdziesiąt.

ZDARZENIE 1 – jesień:

W głębi Puszczy Kozienickiej znajduje się opuszczone gospodarstwo (dawna gajówka), gdzie stoi drewniany dom, stodoła i komórki. Przypadkowy grzybiarz telefonicznie powiadomił, że w stodole leży nieprzytomny mężczyzna. Na miejsce pojechało pogotowie ratunkowe i ja jako pierwszy. Znalazłem dwóch mężczyzn. Jeden z nich siedział na klepisku obolały, a na szyi miał zaciągnięty sznur. Powiedział, że nie ma po co żyć, i postanowił popełnić samobójstwo. Znał teren puszczy, bo chadzał tu na grzyby, i wiedział o pustej gajówce. Przyjechał rano autobusem, przywożąc ze sobą sznur. Wszedł do stodoły, przerzucił sznur przez belkę stropową, zawiązał pętlę i założył ją na szyję. Bez dłuższej zwłoki zeskoczył z podstawionego pieńka i... obudził się z bolącymi nogami i dupą na klepisku, słysząc wołania jakiegoś człowieka. Jan Janeczek miał strasznego pecha. Belka wyglądająca na zdrową w środku była spróchniała i złamała się pod jego ciężarem.

Ratownicy opatrzyli desperata i zawieźli do psychiatryka.

ZDARZENIE 2 – zima:

Noc, mróz, sypiący gęsto śnieg. Osiedle mieszkaniowe (blokowisko). W wieżowcu awaria prądu. Ciemno i straszna panika. Ktoś zamknięty w windzie, ludzie biegają wystraszeni. Dla zabezpieczenia ludzi i majątku oraz na pomoc wezwano straż pożarną, pogotowie energetyczne i policję. Pojechałem i ja. Elektrycy nie mogą sobie poradzić, bo w bloku jest gdzieś poważne zwarcie uniemożliwiające ponowne podłączenie energii. Obawiając się możliwości powstania pożaru strażacy i policjanci z dwóch stron (od góry i od dołu) chodzą i pukają do mieszkań, a energetycy sprawdzają wszystkie przyłącza lokali na klatkach schodowych. Na jednym z pięter jest lokal, z którego nikt nie odpowiada, ale po naciśnięciu klamki drzwi ustępują. W mieszkaniu cisza. Znajduję w łazience w wannie pełnej wody mężczyznę, który nie daje znaku życia. Wyciągamy go, reanimujemy i wielka radość... zaczyna oddychać. O dziwo, w wodzie pływają urządzenia elektryczne (suszarka do włosów, golarka, lampka nocna), podłączone przedłużaczem przerzuconym przez suszarkę podsufitową do gniazdka obok lusterka.

Uratowany nazywa się Jan Janeczek i zostaje odwieziony po opatrzeniu do szpitala. Wcześniej opowiedział, jak zaplanował samobójstwo. Postanowił tym razem zrobić to za pomocą wody i prądu. Przygotował kilka urządzeń, które podłączył do listwy przedłużacza, wszystko wieszając na poprzeczce suszarki pod sufitem. Wszedł nagi do wanny pełnej wody, trzymając sznurki od suszarki w ręku, i włożył wtyczkę do gniazdka. Gdy był gotowy, leżąc po szyję w wodzie, puścił sznurek. Tyle pamiętał. Był bardzo zdziwiony, że nie zadziałało.

ZDARZENIE 3 – wiosna:

To samo osiedle, ten sam blok. Ktoś wypadł z okna mieszkania na szóstym piętrze. Jedzie policja, czyli ja. Na miejscu jest już pogotowie ratunkowe, które opatruje poobijanego mężczyznę. Rozpoznaję go. To wcześniejszy niedoszły samobójca – elektryk Jan Jureczek. Rozmowa, z której wynika, że to kolejna próba samobójcza. Tym razem proste zachowanie: skok z okna. Wysoko, drzewa i krzewy jeszcze nie puściły liści i nowych pędów, trawa niska. Musi się udać. Nic z tego. Na pierwszym piętrze jest antena telewizyjna, o którą spadający zaczepił ubraniem i ona wyhamowała go, łagodząc prędkość i skutki upadku. Jedynie złamanie ręki i kilku żeber.

Znów szpital.

ZDARZENIE 4 – lato:

Dyżurny policji odbiera telefon od mężczyzny podającego się za motorniczego pociągu towarowego jadącego z węglem ze Śląska do Elektrowni Kozienice. Informuje on, że po wyjechaniu z Radomia przed stacją Jedlnia-Letnisko przejechał człowieka. Na miejsce jadą wszystkie służby, w tym policja. Ja też. Na torach nikogo nie znajdujemy, żadnego ciała, śladów krwi ani nic, co by potwierdziło zgłoszenie. Maszynista trzeźwy, rozmowa wyklucza używanie przez niego jakichkolwiek środków odurzających i dopalaczy. Patrolowanie terenu wzdłuż trakcji kolejowej. Chodząc po okolicy, zauważam mężczyznę w lekko zniszczonym ubraniu, który bez celu chodzi po pobliskiej drodze. Gdy do niego podchodzę, rozpoznaję Jana Jureczka. Rozmowa, z której wynika, że znów podjął próbę samobójczą. Był pewien, że teraz już mu się uda. Stanął na torach chwilę przed nadjeżdżającym pociągiem, przeżegnał się, rozłożył ręce jak na krzyżu, zamknął oczy i... obudził się, leżąc pomiędzy szynami trakcji. Nie wiedział, jak to się stało. Jego rozpacz była wielka. Stwierdził, jeszcze bardziej zdołowany, że nic mu nie wychodzi. Nawet próby odejścia z tego świata.

Karetka i szpital. Tym razem psychiatryk na trochę dłużej.

Powód był jeden. Niewierna żona, która odeszła, zabierając dzieci i chęć do życia.

Starszy aspirant Adam Badowski, Wydział Poszukiwań i Identyfikacji Osób: Depresja doprowadza do tego, że ciągle myślisz o tym, masz próby samobójcze. Nasz kolega Artur powiesił się na strychu. Zerwał z dziewczyną. Matka za granicą, ojca też nie było. Na strychu były trzy napoczęte paczki papierosów. On nigdy nie palił. Cały czas zastanawiał się, czy to zrobić czy nie. Jeżeli był sam i nie miał tej drugiej osoby, która mogłaby go od tego odwieść...

Jeżeli policjanci źle kończą, to najczęściej nie są to samobójstwa, tylko próby zapicia się. Ukojenia jakiegoś bólu psychicznego. Walą do oporu, nie myślą o niczym.

Podkomisarz Jerzy Wnuk, Wydział Poszukiwań i Identyfikacji Osób: Adam na przykład. Nie wiem, może się na mnie obrazi teraz... ale Adam często ma lęki. Budzi się cały spocony, coś mu się śni. Ta cała robota w człowieku zostaje. Czasami wystarczy moment. Ułamek sekundy. Co go do tego ostatecznie popycha? Jakie myśli człowiek ma przed samobójstwem?

Komisarz Sławomir Opala, Wydział ds. Zabójstw: Teraz to bym chciał tej kobiety, która spodziewa się mojego dziecka. Przycinać tuje, tak jak je przycinałem, przesadzać, kosić trawę, po robocie grill rozpalić, popatrzeć w telewizor, którego nie wiem ile czasu nie widziałem. Normalnie po robocie takiej stagnacji bym chciał, trochę oddechu, polatać z psami po polu, tego bym chciał. Ale już to mi nie jest pisane, już nie. U nas w firmie nie ma czegoś takiego jak przyjaźń, nie ma, nigdy to nie istniało i istnieć nie będzie. Nie ma przyjaciół, bo taka jest specyfika pracy. Każdy robi na wynikach, a niektórzy robią wyniki na tak zwanych kolegach. Jeśli nie potrafią zrobić wyników w mieście, to robią gdzie indziej. Jak mnie widzą koledzy? Krótko: pierdolnięty, cham, kawał kurwy, pijak, tak mnie widzą. Jeśli pójdę na urlop, to myślisz, że ktoś przez te dwa tygodnie zadzwoni zapytać, jak się czuję? Nie. I to jest samotność: że wszystkich chuj interesuje, co się z tobą tak naprawdę dzieje. Jesteś, jest w porządku, nie ma cię, też jest w porządku. Samotność jest wtedy, jak wychodzisz z roboty, bo w końcu musisz wyjść, i zastanawiasz się, w którym kierunku iść. Czy na Mokotów, czy na Żoliborz, czy na Wolę, czy na Ochotę – nie wiesz gdzie, wszędzie tak samo dobry kierunek. Bo wszędzie tak samo chuj cię czeka. Nie mam dalekiej przyszłości, nie mam, nie mam...

WYKONYWAĆ ROZKAZY
I POLECENIA PRZEŁOŻONYCH

W jakiej atmosferze odszedłeś z policji?

Podinspektor Marek Bereda, komendant komisariatu policji: W atmosferze skandalu.

Z czym związanego?

Z niechęcią do mnie. Ktoś na mój temat napierdolił głupot, a nikt tego nie zweryfikował. Mówią, że jesteś czarną owcą, a nikt nie sprawdzi, czy jesteś czarny. Nikt nie przyjechał do mnie i nie powiedział: „Marek, ty jesteś, kurwa, naprawdę czarna owca". Tylko: „Tego człowieka wypierdalamy".

To było w stanie podwyższonej gotowości bojowej. Miałem wtedy odprawę w sprawie zabezpieczenia wizyty papieża. I burmistrz mówi:

– Panie Marku, w takim zacnym gronie może byśmy wypili po koniaczku?

Było dwóch księży, burmistrz, jakiś major z wojska... Ze sześciu nas tam było. Ja mówię:

– Sorry, zawsze jakąś butelczynę trzymam na wszelki wypadek, ale dzisiaj – pech – nie mam. A jest zakaz sprzedaży alkoholu w Warszawie, więc nawet nie wyślę nikogo, żeby kupił. Przy innej okazji się napijemy, po wszystkim.

I rozeszliśmy się, ale już ktoś usłyszał. Ktoś doniósł. Gdzieś ktoś podpierdolił i już było: komendant pełni obowiązki pod wpływem alkoholu. Przyjechało trzech cichociemnych i wzięli mnie na rurę, to znaczy na alkomat. Ale niestety nie trafili mnie. Wynik alkomatu zero koma zero zero.

To następnego dnia znowu inna ekipa, że mają donos, że jeżdżę kradzionym samochodem. Ja mówię: owszem. Samochód był skradziony na terenie Niemiec, ale po trzech latach został sprzedany jako samochód pokradzieżowy i są na to dokumenty, że ubezpieczalnia go zwolniła, bo właściciel nie chciał go odebrać, ponieważ dostał odszkodowanie. Ubezpieczalnia go wystawiła do sprzedaży i został odkupiony. A ja jestem drugim właścicielem. Ale mówią, że ubezpieczenia nie ma. Ja na to, że nie ma ubezpieczenia, bo próbuję go sprzedać, więc już go nie ubezpieczałem, bo chciałem, żeby go sobie ubezpieczył kolejny właściciel.

No to zrobili aferę, że jeżdżę nieubezpieczonym samochodem.

Dodatkowo miałem podsłuchy założone na wszystkie telefony, bo było doniesienie, że współpracuję z jakąś mafią z Tomaszowa Mazowieckiego, wymuszającą haracze za skradzione samochody. Kurwa, nie wiem, dlaczego z Tomaszowa. W Tomaszowie byłem jedynie przejazdem. Znałem jednego policjanta z Tomaszowa i to cała moja znajomość z Tomaszowem. Czemu ten Tomaszów wymyślili? Chuj wie.

Przyjechali do mnie do komisariatu. Dawny naczelnik jednego z wydziałów z Mokotowa, którego znałem osobiście, przyjechał z jakąś grubą babą i moim byłym słuchaczem. Zatrybiłem, że sekretarka dwie godziny wcześniej łączyła rozmowę z tym słuchaczem, ale się wyłączył. Akurat wychodziłem z gabinetu, patrzę, oni wchodzą do sekretariatu. Mówię:

– O, dzwoniłeś do mnie dzisiaj.

A on lekko zażenowany:

– Nie.

Myślałem przez chwilę, że przywieźli jakąś znajomą lub krewną i potrzebują jakiejś pomocy, więc w dobrej wierze pytam:

– Napijecie się czegoś, kawy, herbaty?

– Nie, dziękujemy.

– Wody?

– Nie, nie.

W tym momencie zatrybiłem, że ten mój znajomy naczelnik i słuchacz pracują w Zarządzie Spraw Wewnętrznych. Mówię:

– Ooo, to ja wam tutaj kawę, herbatę proponuję, a może wy po mnie przyszliście?

A ci kiwają głowami, że tak. Ręce mi opadły.

– Co znowu zrobiłem?

Pani szczupła inaczej przedstawiła się jako naczelnik wydziału i mówi:

– Jeździ pan kradzionym samochodem.

Ja pierdolę, pomyślałem sobie, ale powiedziałem w miarę spokojnie:

– Wczoraj rura, dzisiaj wy z samochodem. O co tu, kurwa, chodzi?

– Czy jeździ pan takim a takim samochodem?

– No i co z tego? – mówię. – Ubezpieczalnia go sprzedała, to go kupiłem. Zresztą nie bezpośrednio, tylko od człowieka, z drugiej ręki. Samochód jest pokradzieżowy i są na to dokumenty.

– Ma je pan?

– No przecież nie latam z tymi dokumentami, w domu gdzieś są.

– To umówmy się na jutro, że pan jutro dostarczy te dokumenty do nas, do wydziału. A czy posiada pan ubezpieczenie OC samochodu?

– Nie. Samochód w zasadzie czeka na nabywcę, więc nie inwestuję w jego naprawy i ubezpieczenia.

Chciałem, aby spadło to na nowego właściciela. Zresztą możecie to sprawdzić. Samochód stoi na podwórku, nie jeżdżę nim od kilku tygodni. Nie złapaliście mnie na drodze, więc nic nie możecie zrobić.

– To się okaże, czy fundusz gwarancyjny nie będzie chciał pana ukarać. Zapraszamy z dokumentami do nas.

Rano następnego dnia się stawiłem z dokumentami.

– Jak pan nabył samochód?

– Z lombardu wykupiłem, od właściciela, bo to mój kumpel.

Wezwali go na przesłuchanie. Zadzwonił do mnie i mówi:

– Ty, powiedz, że ja ci ten samochód dałem w użytkowanie. Mogą mi przypierdolić domiar, bo mówią, że podatku nie zapłaciłem, nie przepuściłem tego przez lombard.

No to dalej się tego trzymaliśmy, że mam ten samochód tylko w użytkowanie.

– A pan wcześniej mówił, że pan go kupił.

– Dostałem w użytkowanie, ale tak, jakbym kupił, bo naprawy, koszty, wszystko ja ponoszę.

– Wie pan co? Ja też pracowałam jako komendant i na moim terenie też było ileś tam lombardów, a jakoś samochodów w użyczenie nikt mi nie dawał.

– Może pani nie lubili.

– Co z panem zrobić?

– Nic nie możecie zrobić, możecie mnie co najwyżej mandatem ukarać za brak OC, ale nie wiem, czy przyjmę.

– Nie możemy, bo nie mamy mandatów.

– To jesteście nieprzygotowani do pracy, powinniście sobie przeprowadzić postępowanie dyscyplinarne. Zresztą możecie pożyczyć od rzecznika komendanta, może chodzi tutaj gdzieś po korytarzu.

Zasłynął z tego, że chyba jako jedyny w KGP ma mandaty i je „sprzedaje".

– Panie Marku, pan wie, że możemy zrobić coś innego.

– Tak, możecie mnie pouczyć.

– O właśnie. Zatem pouczam pana, żeby pan usunął te nieprawidłowości. Proszę ubezpieczyć samochód do środy i w środę zapraszam, żeby pan przyszedł z dokumentami i pokazał, że wszystko jest w porządku.

No to przyszedłem w środę. Przeszliśmy już wtedy z tą kobietą na „ty". Nawet ją polubiłem. Ona powiedziała, że idzie najpierw przesłuchać właściciela lombardu i później do mnie wróci. Wtedy do gabinetu wszedł jakiś pajac. Chudy taki, w okularkach, wszedł do pokoju, tak idzie koło mnie, przygląda mi się i cedzi słowa:

– Komendant! Oficer! A przestępstwa mu się zachciało popełniać.

Patrzę na niego i mówię:

– A ty, kurwa, kto jesteś? Na spacer tu przyszedłeś?

Koleś, który mnie pilnował w pokoju, chciał się pod biurko schować z paniki, jak usłyszał moją „kwiecistą" przemowę. A chudy:

– Ja tu pracuję.

– Weź spierdalaj! Byś się chociaż przedstawił. Widzę, że wiesz, kim ja jestem, ale ja nie wiem, kim ty jesteś.

– Jestem naczelnikiem wydziału.

– Dla mnie to jesteś głąb, kurwa!!! Do szkół, kurwa, baranie, do szkół!!

– Co – mówi – chyba nie chce mi pan powiedzieć, że jazda samochodem bez ubezpieczenia to nie jest przestępstwo?

– Ty głąbie, to ty, kurwa, przestępstwa od wykroczenia nie odróżniasz?

– To nie ma znaczenia.

– Jak nie ma dla ciebie znaczenia, to majtki przez głowę wkładaj. U mnie to nawet dzielnicowym nie mógłbyś być. Możecie mnie w chuj pocałować i co najwyżej mandatem ukarać.

– Nie będziemy pana karać mandatami.

– Bo co?

– Bo nie mamy.

– Jak to: nie macie mandatów? To jesteście nie-przygotowani do służby! Przecież jakbyście złapali mojego policjanta patrolowego bez mandatów na służbie, tobyście go zaraz naganą ukarali. – I pytam: – Ukażesz się naganą sam czy mam ci poprowadzić postępowanie?

Ręce mu opadły i poszedł w chuj. Nie wytrzymał. No i tak. Ta puszysta potem wróciła. Pytam ją:

– Nie ma tutaj żadnych podsłuchów?

– Nie.

– Ale wiesz, że potrzebujesz mojej zgody na nagranie?

– Wiem, nikt cię tu nie nagrywa.

– Jak będziesz się zachowywać normalnie, to ci powiem coś, ale będę ci mówić, co możesz napisać, a czego nie możesz.

– Okej.

No i sobie pogadaliśmy i wszystko wyjaśnili, żeby nie było wątpliwości z tym samochodem. Tłumaczę jej: tak się umówiłem, żeby chłopakowi nie robili domiaru, bo co on jest winny, to mnie się czepiajcie, a nie jego. Po chuj będziecie mu robić krzywdę, niech zostanie, że to pożyczenie było.

Zgodziła się i pyta, jak moje nastroje.

– Jakie mogą być nastroje – mówię – jak, kurwa, czuję, że będę pozamiatany. Już słyszałem, że jest jakiś inny komendant na moje miejsce wyznaczony, a ja jeszcze nie dostałem wymówienia, więc jak mam się czuć?

– Niemożliwe.

– Możliwe.

– No to mam dla ciebie drugą smutną wiadomość: muszę wysłać protokół z tego, co robiliśmy, do stołecznej, bo taką mamy procedurę, że jak się zajmujemy policjantem z jakiejś jednostki, to później informujemy o przebiegu postępowania właściwego komendanta, więc w twoim wypadku jest to stołeczna. – I dodaje: – Nic tu nie ma.

I dała mi przeczytać. Tyle było, że prowadzili czynności, w trakcie których zostałem pouczony, usunąłem nieprawidłowości, i koniec.

Dlaczego mówię, że widziałem to, co pisała? Bo kiedy później pokazano mi ten dokument jeszcze raz, to pod jej tekstem zostało dopisane na innej maszynie, że jednak czyn popełniony przez komisarza Marka Beredę nie godzi się z godnością oficera policji, gdyż poprzedni właściciel samochodu jest poszukiwany za ciążący na nim obowiązek alimentacyjny, z którego się nie wywiązuje od któregoś roku. Czy jak ja kupuję samochód, to mam sprawdzać, czy właściciel płaci alimenty albo czy był karany? A może on sprzedał ten samochód po to, żeby je zapłacić? Albo mu się spodobało niepłacenie, więc te pieniądze przepije?

Po tym to już na zwolnieniach lekarskich byłem, bo trochę mi to zdrowia zepsuło. Mówię szczerze. Teraz, jak opowiadam, to może to nie oddaje atmosfery, jaka wtedy była. Ale to były nerwy. Nie mogłem zasnąć, jak się nie najebałem porządnie. Sam ze sobą gadałem. Jadłem w domu zupę czy kotleta i do siebie mówiłem.

Chciałem się do tego chuja stołecznego dostać, żeby mi powiedział, za co mi taki los zgotował. Co on do mnie ma? Nawet burmistrz pojechał do niego pytać, dlaczego mnie chce zdjąć ze stanowiska, przecież tyle lat współpracy, wszystko było okej, najlepsze wyniki. To mu powiedział, żeby nie rekomendował tego bandyty.

Potem się okazało, że w rzeczywistości chodziło o to, żeby w ramach restrukturyzacji policji z trzydziestu sześciu komisariatów zostawić siedemnaście. Dlatego kilkunastu komendantów trzeba było wywalić na bruk, podobnie kilkunastu zastępców komendantów, naczelników. Tych na niższych stanowiskach mieli rozparcelować, ale dla tych z najwyższymi grupami tylu etatów nie mieli, więc musieli albo zwolnić, albo zawiesić.

No i jestem na zwolnieniu, siedzę na wakacjach. Telefon dzwoni. Przedstawił się jakiś tam podkomisarz z wydziału inspekcji komendanta i mówi, że dostał polecenie, żeby formalności dokonać w sprawie mojego samochodu. Pytam:

– Jakie formalności? Wszystkie formalności załatwiłem w Komendzie Głównej.

– Tak, panie Marku, ale musi pan do nas przyjechać, bo my tu musimy swoje procedury zamknąć na szczeblu komendy stołecznej. Chodzi o to, żeby nam pan podpisał tylko coś i tak dalej.

– Dobra, ale w tej chwili nie ma mnie w Warszawie, jestem na zwolnieniu lekarskim.

– A gdzie pan jest?

– A co pana obchodzi, gdzie ja jestem? Mówię panu, że na zwolnieniu lekarskim.

– Aha, dobrze, to jak pan skończy zwolnienie lekarskie, to proszę się odezwać.

Wróciłem z tych wakacji, siedzę u kumpla, z którym w przeszłości rozwiązywaliśmy podobne spory z przełożonymi, kiedy trzeba było bronić policjantów. Opowiadam mu całą sytuację, a on mówi:

– Pierdol ich, nigdzie nie chodź, niech się walą na ryj. Jesteś na zwolnieniu lekarskim.

I w tym momencie, wyobraź sobie, dzwoni telefon. Znowu ten baran ze stołecznej mnie zaprasza. Mówię mu:

– Wie pan co? Nadal jestem na zwolnieniu lekarskim i nie zamierzam w jego trakcie przyjeżdżać do pracy.

Ale ten mój kumpel mówi do mnie tak:

– Wiesz co? Może jednak idź i zobacz, czego oni chcą od ciebie. Nic ci nie mogą zrobić, bo jesteś na zwolnieniu, tak że cię nie tkną.

No to zadzwoniłem, umówiłem się, że przyjadę. Zajeżdżam, wchodzę do umówionego pokoju, przedstawiam się, na co zrywa się zza biurka jakiś pękaty człowiek i wita się ze mną jowialnie.

– Cześć, Mareczek.

Potrząsa moją ręką serdecznie, misia robi. Patrzę na niego zdziwiony:

– To my się znamy?

– No co ty, Maruś, nie poznajesz mnie?

– Nie, nie poznaję, ale jeżeli się znaliśmy wcześniej, to musiałeś się strasznie zmienić.

– No co ty, nie pamiętasz, jak siedziałem w pokoju z Jankiem Z.?

I przypominam sobie: siedział taki kurdupel przy biurku, zawsze wystrachany, wciśnięty w kąt, nigdy się nie odzywał.

– Siadaj – mówi. – Kawy się napijesz?

Tłumaczę, że ktoś do mnie dzwonił i powiedział, że to jakaś formalność. Miałem coś podpisać, więc niech daje te kwity, podpiszę i spierdalam, bo chory jestem. A on pyta:

– Masz legitymację?

– Mam.

– To daj.

W dobrej wierze daję mu legitymację, chociaż bez jakichś specjalnych przesłanek żaden policjant nie brał do ręki legitymacji innego funkcjonariusza, a on bach, szufladę otwiera i legitymację do szuflady. I drze się:

– Mamy cię!

Patrzę na niego jeszcze bardziej zdziwiony:

– Mówiłeś, że jesteś mój przyjaciel, że się znamy, ściskałeś mnie jako kolegę i tak się zachowujesz? Kto ty, kurwa, jesteś? Dawaj mi tę legitymację z powrotem!

– Nie!

– Dawaj, bo jak ci zajebię za chwilę...

Na to odzywa się jakiś drugi, co tam siedział obok, taki mały, jeszcze mniejszy od tego. I mówi:

– Proszę pana, nas tu jest dwóch.

– A co ty, kurwa, kurduplu, myślisz, że ja wam dwóm nie wpierdolę? Dawaj tę legitymację.

Wystraszył się i wyjął. W okładkach zawsze policjanci coś noszą, pieniądze, jakieś tam wizytówki. Powyciągałem te swoje gadżety i samą legitymację mu oddaję, mówiąc:

– Masz, bydlaku. Co ty myślisz, że ja jestem chuj jakiś, co będzie płakał, że ja wam tu będę z tą legitymacją uciekał? Spierdalaj, przyjacielu zasrany.

– My tu musimy ci zarzuty przedstawić.

– Jakie, kurwa, zarzuty?

– No, bo jesteś podejrzany.

– Przecież to wszystko zostało wyjaśnione na szczeblu Komendy Głównej, oni mnie puścili, a teraz wy będziecie się do mnie dopierdalać?

– Bo mamy polecenie od komendanta stołecznego.

– To powiedzcie temu swojemu komendantowi stołecznemu, że nie może mi nic zrobić. Żaden przepis prawa się mnie nie ima w tej chwili. Już jedna instytucja przeprowadziła dochodzenie i powiedzieli, że jestem oczyszczony z zarzutów, a jeżeli nawet byłem winny, to te winy już zmazałem.

– Jest decyzja o zawieszeniu w czynnościach, a najlepiej, jakbyś raport o zwolnienie napisał, to my odstępujemy od czynności. Masz dziewiętnaście lat pracy, to i emeryturę jakąś masz, młody jesteś, to sobie coś dorobisz. Komendant będzie chciał cię wypierdolić. Jak się zwolnisz, to się komendant od ciebie odpierdoli.

I podkładają mi białą kartkę papieru, żebym pisał raport o zwolnienie.

– Aha, czyli nie jest ważne, czy ja jestem winien czemukolwiek czy nie, tylko chodzi o to, żebym ustąpił ze stanowiska, tak? To powiedzcie temu swojemu komendantowi, że powalczymy i że nie on mnie przyjął do policji i nie on mnie będzie zwalniał.

A ten dalej pyta:

– Gdzie masz pistolet?

– To jeszcze pistolet chcecie mi zabrać?

– Tak.

No, ładny chuj, myślę, ale mówię:

– W pracy mam, znaczy w byłej pracy.

Kurwa, jak to dobrze, że go zdeponowałem, bo jeszcze by mi chcieli przypierdolić zarzuty za to, że broń wziąłem do domu i źle przechowywałem. Na szczęście mnie coś tknęło, że jak na zwolnienie idę, to zostawię broń w komisariacie. Ale miałem jeden z magazynków w domu, bo zapomniałem o nim.

– No to jedziemy – mówię – do mnie pod dom.

– Po co?

– Bo, kurwa, mam jeden magazynek w domu, to zabiorę.

– Ooo.

– Co? Tak się zdarzyło, i chuj.

Pojechaliśmy. Na miejscu mój obsrany przyjaciel mówi, że będzie ze mną szedł do domu.

– Ale ja cię do domu nie zapraszam. Chyba że masz nakaz przeszukania. Po za tym chcę ci magazynek wydać dobrowolnie, więc wypierdalaj stąd.

Poszedłem do domu, magazynek oddałem. Jedziemy do mojego komisariatu. Teraz myślę tak: wejdziemy do komisariatu i wejdą, kurwa, ze mną, to będzie afera, zaraz będą ludzie gadali i zrobią sensację. Mówię:

– Słuchaj, jak już jesteś taki mój kolega, to zrób jedną rzecz dla mnie. Nie wysiadaj z tego radiowozu.

– Muszę.

– Niczego nie musisz. Nie wysiadaj z radiowozu, po chuj mi tutaj ryfa, żeby ludzie knuli jakieś domysły i tak dalej. Daj mi pójść samemu. Nic nie zrobię z tą bronią.

W tym momencie kierowca włączył się do rozmowy:

– Pan pozwoli panu Markowi, przecież to normalny facet jest.

I dopiero jak ten kierowca się odezwał, to odpuścili. Ten kierowca to był taki starszy policjant, nie jakiś gówniarz. Nie wiem, skąd go znałem, ja go nie pamiętałem, ale widać on mnie skądś znał.

Poszedłem, wziąłem pistolet, dałem im, zawieźli mnie z powrotem do stołecznej. Taki kwit tam powypełniali. Odmówiłem składania wyjaśnień i mówię:

– Lekarza poproszę, bo źle się czuję.

– Nie żartuj.

– Co to znaczy: nie żartuj? Po pierwsze nie poinformowaliście mnie o przysługujących mi prawach, nie poinformowaliście mnie o moich obowiązkach, o niczym mnie nie poinformowaliście. Złamaliście wszelkie reguły pracy oraz procedury dochodzeniowe. Ja je znam, więc natychmiast żądam lekarza, bo źle się czuję.

To oni się zesrali. A ja im dalej jadę:

– Jestem na zwolnieniu lekarskim, chory, a wy doprowadziliście do jeszcze większego rozstroju mojego zdrowia. Żądam natychmiast lekarza.

Na to oni:

– Marek, ale co ty, Marek?

Byłem wkurwiony jak rzadko kiedy, ale zorientowałem się, że i tak straciłem już cztery godziny, a byłem poumawiany, więc mówię:

– Dobra, dawaj te kwity.

Wypisałem swoje uwagi, z czym się nie zgadzam i że uważam za ostateczne te zeznania, które złożyłem w Komendzie Głównej Policji. Podpisałem się, i chuj.

Następnego dnia leżałem w szpitalu na oddziale zakaźnym, bo tak mnie rozstroili nerwowo, że dostałem boleści żołądka. Wcześniej już wziąłem jakiegoś procha, ale w nocy tak mnie bolało, że pojechałem do lekarza. Dostałem skierowanie do specjalisty i położyli mnie na oddział zakaźny. Wcześniej jeszcze zdążyłem napisać odwołanie od decyzji o zawieszeniu i zadzwoniłem do brata, żeby zawiózł je do stołecznej. O wpół do trzeciej był już telefon, żebym przyjechał odebrać pistolet i legitymację. Pytam:

– Jak to? Dopiero mi zabraliście, a już oddajecie?

A dzwonił zastępca naczelnika tego wydziału inspekcji.

– Przecież ja niczego innego nie napisałem w odwołaniu, tylko to, co wam powiedziałem w komendzie. A pan mi dzisiaj mówi, że pan znajduje uzasadnienie? Czemu pan nie znajdował tego uzasadnienia wczoraj?

– Panie Marku, nie gadajmy przez telefon, niech pan do mnie przyjdzie.

– Nie, proszę pana, ja nie mogę do pana przyjechać, bo jestem w szpitalu.

– Pan jest w szpitalu?

– Jestem chory. Doprowadziliście mnie do takiego rozstroju zdrowia, że wylądowałem w szpitalu.

– To ja wyślę panu do szpitala pracowników, wie pan, żeby się pan zgodził na karę upomnienia. Komendant się od pana odpierdoli i będzie wilk syty i owca cała. Zabierzemy panu tylko dwadzieścia procent trzynastki.

– Ale panie, ja się do żadnej winy nie poczuwam. Ja nic nie zrobiłem, żeby być karanym, czy pan jest normalny? [śmiech]

– Panie Marku, ale jeździł pan samochodem bez ubezpieczenia.

– Tak, ale za to grozi tylko mandat.

– Wie pan, no mandat, ale to pięćset złotych. Nie szkoda panu? A trzynastka dopiero w przyszłym roku będzie.

– Proszę pana, w zasadzie to ja nie wiem, czy możecie mnie ukarać w tej chwili nawet mandatem. Mandatem to moglibyście mnie ukarać, jakbym jeździł tym samochodem, a ja w tym samochodzie nie zostałem zatrzymany w trakcie jazdy. Teraz już mam wszystko naprawione, pouczyliście mnie. Komenda Główna mogła mnie ukarać, ale nie ukarała. A teraz, jak mam wszystko w porządku, to pan chce mnie karać mandatem?

– No wie pan, panie Marku...

– Dobra, dla świętego spokoju niech pan przyśle tych pracowników. Ale mam nadzieję, że dotrzyma pan słowa i kończymy temat – mówię.

– Oficerskie słowo honoru, że przypilnuję, żeby było upomnienie i żeby się komendant od pana odczepił.

Myślę sobie: chuj, pięćset złotych mandatu – szkoda, ale jak nie przyjmę, to znowu będzie gehenna, więc niech będzie to upomnienie, najwyżej się odwołam od decyzji. Przyjechały te dupki i mnie przepraszają, że oddaliby mi broń i legitymację, no ale jak jestem w szpitalu, to oni nie mogą. Mówię:

– Okej. Skończcie się popisywać, tylko róbcie swoje.

No to wypisali kwity, ja im podpisałem. Po dziewięciu dniach wyszedłem ze szpitala, jadę do stołecznej odebrać pistolet i legitymację. Wchodzę do zastępcy naczelnika, a on na mój widok jakieś takie miny głupkowate robi. Już widzę, że coś jest nie halo, ale się nie odzywam. On mówi:

– Panie Marku, niestety mam niedobre wiadomości, komendant kazał panu naganę dać.

– Przecież pan w rozmowie telefonicznej zapewniał mnie, że pan ma takie stosunki z komendantem, że pan wszystko jest w stanie wynegocjować. Pan oficerskim słowem honoru ręczył. To dla pana oficerskie słowo honoru to sałata? Kapusta? Nie wstyd panu teraz przede mną?

– No wie pan... Ale ja...

– Eee, proszę pana, ja to podpisuję i więcej już z wami nie rozmawiam.

– A będzie się pan odwoływał?

– Oczywiście.

– O Jezu!

– Przecież ja wiem, że napisałem w decyzji o zawieszeniu argumenty, które są nie do podważenia. Ja was tam po prostu pouczyłem, bo wyście wszystko spierdolili, od początku do końca – mówię.

Stołeczny ukarał mnie naganą, więc ja oczywiście napisałem odwołanie do instancji nadrzędnej. Trwało to od sierpnia do listopada. W listopadzie dopiero dostałem odpowiedź, że wszczęcie jakiegokolwiek postępowania przeciwko mnie było przedwczesne i niedopuszczalne. Nakazali postępowanie umorzyć. Oczywiście zostałem oczyszczony z zarzutów i tak dalej. Ale chuj, na stanowisko mnie nie przywrócili, na listę mieszkaniową również. No i kolejny rok czekałem, żeby dostać się do komendanta stołecznego na rozmowę.

Dalej byłeś wtedy komendantem?

Nie. Przenieśli mnie do prewencji. Jak mnie skreślili z listy komendantów, to mnie automatycznie ze wszystkich list poskreślali, łącznie z listą mieszkaniową. A miałem mieszkanie dostać. Zastępcą stołecznego był pewien pułkownik, z którym kiedyś pracowałem w innej jednostce. Lubił mnie chyba, bo podpowiedział mi, jak się zachować. Mówi:

– Jedź do stołecznego, weź raport, pogadaj. Jak on nie napisze na raporcie „nie", to ja ci to mieszkanie wywalczę.

Zaraz po tej rozmowie byłem w Szczytnie na zawodach sportowych. Grał tam z Krakowa chłopak, który był dyrektorem biura CBŚ-u. On i stołeczny byli kolegami. Opisałem mu całą sytuację. On mówi:

– Kurwa, z tej strony go nie znałem. To do niego niepodobne. Ale dryndnij w poniedziałek, przypomnij mi, to ja do niego zadzwonię, pogadam z nim i spróbuję coś wybadać.

Dzwonię, a on do mnie:

– Pamiętałem. Marek, dobrze, żeśmy się zgadali, bo gdybyś tak z marszu do niego poszedł, toby cię wypierdolił za drzwi. Nie wiem, kto i co mu nagadał na ciebie, ale jedno jest pewne: nienawidzi cię, jakbyś był przestępcą.

– Wiem. Już mi burmistrz powiedział, że uważa mnie za bandytę.

– On cię nie zna, a cię nienawidzi. Ale powiedział mi, że cię przyjmie, zapisz się na rozmowę.

No to się do stołecznego na tę rozmowę zapisałem. Wprowadzała do niego taka Grażynka. Mówię jej:

– Słuchaj, chciałbym pogadać z nim sam na sam.

Ona, że musi być niby protokolantka. A ja powtarzam:

– Chciałbym z nim być sam na sam, żeby pogadać jak chłop z chłopem.

A wiem, że to jest możliwe, bo kiedyś już byłem na rozmowie u jego poprzednika i nie było problemu.

325

– Okej, nie ma sprawy.

Zameldowała nas i przekazała, że proszę o rozmowę w cztery oczy. Stołeczny nawet nie wstał. Nawet na mnie nie popatrzył. Ręki nie podał. Nie przywitał się. Nic. Potraktował mnie jak wroga. Mówi
oschle:

– Siadaj, słucham, o co chodzi.

A ja zacząłem step baj step opisywać całą sytuację. I mówię:

– Mam wrażenie, panie komendancie, że nie
o wszystkim pan był informowany przez podleg-
łych panu policjantów i że został pan wprowadzony
w błąd co do mojej osoby. Pan mnie nienawidzi,
a nawet nigdy mnie pan nie widział na oczy. Chciałbym panu powiedzieć, że jako szef dużej jednostki
popełnił pan wobec mnie takie rzeczy, że gdybym
ja popełnił coś takiego jako szef mniejszej, to prawdopodobnie bym skończył w więzieniu albo co najmniej na bruku.

On się zrobił czerwony i pyta:

– A co ja takiego popełniłem?

– Panie komendancie, dostarczono mi w trakcie
postępowania różne dokumenty, które były obar-
czone olbrzymimi błędami, i pod tymi błędami pan
się podpisywał. Dawano panu knoty, które pan podpisał, bądź wręcz oszukiwano pana i mnie, ponieważ w większości wypadków pańskie podpisy nie
są oryginałami, tylko kopiami pańskich podpisów.

A ja powinienem dostać wszystkie dokumenty podpisane przez pana w oryginale.

– To niemożliwe – mówi.

Wyjąłem dokumenty i podałem mu. Popatrzył. Widzę, że się jeszcze bardziej czerwony zrobił i pyta:

– Czy ja mogę to przeczytać?

– Tak.

Wziął i zaczął od pierwszej strony. Czyta, czyta, czyta. Z dziesięć minut już to trwa, a w końcu mówi:

– Słuchaj, tego jest za dużo, żebym teraz mógł się z tym zapoznać. Czy możesz mi to zostawić?

Serce mi zadrżało. A jak mi to zniszczą? To są jedyne dowody na to, że ja byłem niewinny.

Ale mówię mu w końcu:

– Tak.

– To przyjdź do mnie w środę o dwunastej.

– Mogę potraktować to jako polecenie służbowe?

– Dlaczego pytasz?

– Bo ja pracuję i mam swoich przełożonych.

– Tak, przekaż przełożonym, że wydałem polecenie, że masz się u mnie zameldować w środę o godzinie dwunastej.

I przyjechałem w środę na tę dwunastą. Ty, zupełnie inny człowiek. Wstał zza tego swojego biurka, podszedł do drzwi – a to kilka metrów – przywitał się, krzesło mi podał i mówi:

– Słuchaj, zapoznałem się z tymi materiałami i widzę, że masz prawo czuć się skrzywdzony. No, kawą cię nie będę częstował, nie bardzo mam czas, bo już mam następne spotkanie, ale tak: zasięgnąłem języka na twój temat i wiem, że przełożeni są z ciebie zadowoleni. Nie mam na razie dla ciebie jakiegoś korzystnego stanowiska, ale obiecuję, że jak coś się tylko zwolni, będę o tobie pamiętał.

– Panie komendancie – mówię – ja wiem, że tam, gdzie pracuję, przełożeni są ze mnie zadowoleni. Pasuje mi ta praca i na razie nie przyszedłem tu prosić o żadne stanowisko.

– A o co?

– O sprawiedliwość. Rok przeczekałem jako karencję, żeby do pana przyjść, ale jak mnie pan skreślił ze wszystkich list, to między innymi skreślił mnie pan z listy oczekujących na mieszkanie służbowe.

– Jak to? To ty nie masz mieszkania? Dwadzieścia lat służby i nie masz mieszkania?

– Zawsze był ktoś ważniejszy ode mnie. Jak już byłem na tyle ważny, że miałem dostać, to ktoś mi kłody rzucił pod nogi.

– Pisz raport.

– Ja mam raport przy sobie.

– To dawaj.

Więc ja z teczki bum mu ten raport. On wziął i coś pisze. Ze dwa i pół metra do niego mam i nie bardzo widzę, ale dobra: pisze, pisze, pisze, żadnego krótkiego słowa typu „nie", to myślę: chyba jest dobrze. Zresztą nie po to wziął ten raport, żeby mi napisać „nie".

Popisał chwilę, po czym mówi:

– Dobra, wracaj do siebie. – I dodaje: – Przepraszam, masz prawo czuć urazę.

To mieszkanie dostałem. To jedno, co udało mi się wyrwać. Ten stołeczny poszedł później na komendanta głównego, a przyszedł Leśny Dziadek, więc sprawa stanowiska dla mnie poszła się pierdolić. Przecież z Leśnym Dziadkiem nie było o czym rozmawiać. Ale wtedy to już mi się nawet nie chciało czegokolwiek zmieniać. Z zachowania etatu brałem pieniądze z puli komendanckiej. Znowu wróciłem do szkolnictwa. Miałem dobrze. Jeździłem ze sportowcami, bo sport podlegał pode mnie. Jeździłem sobie po całym kraju na zawody. Tworzyłem programy. Jeździłem na sympozja. Robiłem to, co mnie interesowało. Byłem w swoim żywiole i nawet mi się tego nie chciało zmieniać. Nie powiem, że nie brakowało mi rządzenia! Bo wiesz, tu musiałem czyjś palec obserwować, a wcześniej to mój palec obserwowali. Wszystko się popierdoliło, kiedy do jednostki wrócił P. Gdyby nie on, to jeszcze bym pewnie do dzisiaj pracował. Ale, chuj, wtedy to nie poznałbym ciebie. [śmiech]

Odszedłeś z własnej woli?

Oczywiście, że nie. Kiedyś pokłóciłem się na jednej odprawie z przełożonym, z trudem się opanowałem, żeby mu nie jebnąć, tak mnie wkurwił. Zaraz po tym odszedł do innej jednostki, a po kilkunastu miesiącach został ponownie moim przełożonym. Przyszedł i powiedział mi na dzień dobry, że razem to my pracować nie będziemy. Pytam:

– A co ty masz do mnie prywatnie albo służbowo?

– Nic osobistego, ale mam naciski z góry, żeby się ciebie pozbyć. Przecież wiesz, co ci zawdzięczam. Nie zapomniałem. – (Pomogłem mu kiedyś zamienić mieszkanie na większe). – Ale jak się nie zwolnisz sam, to ci będę musiał pomóc. Odejdziesz dobrowolnie, to ci podniosę dodatek na odejście.

– O ile?

– No wiesz, stołeczny daje tyle procent, ile lat pracy.

Myślę: jakiś żart. Wszystkim podnoszą o co najmniej sto procent, a on mi proponuje dwadzieścia osiem? Więc mu powiedziałem tak samo jak tamtemu:

– Nie ty mnie przyjmowałeś, nie ty mnie będziesz zwalniał.

Po tej rozmowie do stołecznej i do naczelnika kadr poszedłem. Pytam go, jakie naciski są wywierane na moich przełożonych, że chcą mnie posłać do cywila. A on mi odpowiada, że nic takiego nie miało miejsca, żebym wracał, robił swoje i głupot nie słuchał.

Wobec tego doszedłem do wniosku, że P. to złośliwa menda, kąsająca życzliwą rękę. Facet niegodny bycia kolegą. Bo czasami pasożyty to są przynajmniej wdzięczne żywicielowi, a P. to by cię zżarł ze szczętem.

Minęło kilka dni i zaczął mnie dręczyć złośliwiec przenosinami z jednego stanowiska na drugie. Z szefa szkoleniówki zrobił mnie szefem zaopatrzenia. I napisał w uzasadnieniu decyzji, że jest to podyktowane ważnym interesem służby. Za takie sformułowanie powinien iść do kryminału. Ja się nigdy nie zajmowałem zaopatrzeniem. Najdłużej w karierze zajmowałem się szkoleniem. Na moje miejsce mianował jakiegoś niedoświadczonego policjanta, którego ja protegowałem do zespołu, a na którego pierwotnie nie chcieli się zgodzić, bo niby nieprzydatny był. Ale w końcu sami go ściągnęli – nie wiem, na jakich zasadach – może wtyczka? To co on poprawił? Poziom szkolenia w ten sposób polepszył czy pogorszył?

Po zmianie stanowisk zostałem od wszystkiego odcięty. W ogóle o niczym mnie nie informowano. Dekretowali pisma nie na mnie jako przełożonego zaopatrzeniowców, tylko bezpośrednio na kierownika. Ten kierownik wszystko robił poza mną. A ja tylko siedziałem w pokoju. Miałem internet, to napierdalałem od ósmej do szesnastej w scrabble albo w brydża. Chodziłem pograć w gałę na hali. Czasami przychodził ten kierownik, jak wyjątkowo był potrzebny podpis wyższej instancji, żebym się podpisał i przystawił pieczątkę. To była moja praca.

Później i z tego stanowiska mnie zdjął. To już nie wytrzymałem, poszedłem do niego i mówię:

– Słuchaj, ja nie będę się tutaj męczył siedzeniem po osiem godzin, bo to bez sensu kompletnie. Jestem chory na astmę, idę na zwolnienie. Ale nie odejdę wcześniej jak przed upływem trzydziestu lat służby, bo chcę mieć zachowane z tego tytułu wszystkie apanaże.

Więc ustąpił i mówi:

– Dobrze, idź i się lecz.

Choć zapowiadał, że jak się sam nie zwolnię, to on mnie zwolni, teraz ustąpił i nie przypierdalał się już więcej do mnie. Chyba ktoś wpłynął na niego, nawet chyba wiem kto. Zniknąłem mu z oczu, i chuj. Prawie dwa lata byłem na zaległych urlopach i zwolnieniach lekarskich. Uznałem, że jeśli polskie państwo stać na takie zachowania i fanaberie jakiegoś zakompleksionego gościa, to proszę bardzo. Byłem wtedy z pensją ponad sześciu tysięcy złotych – dokładnie sześć trzysta brałem – na najniższym etacie i na najniższym stanowisku w policji, bo zostałem zawieszony na etacie aplikanta. Aplikant w stopniu majora, z trzydziestoletnim stażem pracy, z pensją sześć tysięcy trzysta, kurwa.

Pamiętam, jak zadzwonił do mnie wtedy dowódca kompanii.

– Panie majorze – mówi – ja bardzo przepraszam, niech się pan na mnie nie gniewa, ale zobowiązany jestem pana powiadomić, ja nawet nie wiem, jak to przez gardło przepuścić, ale jest pan moim podwładnym. [śmiech]

– Przestań się krygować – mówię – przecież to nie twój pomysł. A na jakim stanowisku teraz jestem?

– Na stanowisku aplikanta.

– Nie referenta?

– No nie, aplikanta.

Czyli takiego policjanta, co to dzisiaj przyszedł i jeszcze legitymacji nie dostał. Dopiero składa ślubowanie, kierują go do szkoły na kurs podstawowy, a jak go skończy i minie rok, to zostaje, kurwa, referentem.

W jakim czasie cię zdegradowali z komendanta do aplikanta?

Bardzo szybko. Najpierw była ta zamiana stanowisk kierowniczych, ze trzy miesiące byłem tym szefem zaopatrzenia, potem poszedłem na zwolnienie lekarskie, a później dostałem telefon, że nie jestem szefem zaopatrzenia, tylko wskoczyłem na etat aplikanta. I na tym aplikancie zawieszony byłem już do końca, ponad rok. Powiem ci, że P. na koniec zachował się wobec mnie przyzwoicie. Wprawdzie również na skutek nacisku zewnętrznego, ale wnioskował o podwyżkę na odejście i stołeczny mi ją przyznał. Tak że jakoś spadłem na cztery łapy. Nie ma tragedii.

Jak słucham twojej historii, to zaczynam rozumieć, czemu tak wielu policjantów targa się na swoje życie.

STRZEC HONORU, GODNOŚCI
I DOBREGO IMIENIA SŁUŻBY

Czym formalnie zajmuje się Wydział Realizacyjny?

Podinspektor Marek Juzyszyn, Wydział Realizacyjny: WR ma za zadanie zatrzymywać szczególnie niebezpiecznych przestępców. Powstał w 2005 roku i od tamtego czasu podjął bardzo dużo działań realizacyjnych. Czasami mamy nawet blisko pięćset realizacji w roku. Ludzie szkolą się w nim po to, aby dokonywać ostatnich, konkretnych cięć. Czyli – wchodzimy, pacyfikujemy wszystkich na glebę, zamykamy wszystko, co jest potrzebne, i robimy takie końcowe cięcie. Operacyjni z terroru kryminalnego, z pionów kryminalnych, z wydziałów do walki z przestępczością zorganizowaną czy z CBŚ-u ogarniają sobie po kolei jakieś tematy, próbują ustalić przestępców, namierzyć ich adresy. Jak to mają, wołają nas, żebyśmy wyjęli zbója. My praktycznie wchodzimy na sam koniec ich roboty i tak jakby wykonujemy końcówkę. Jesteśmy potrzebni po to, aby sprawnie zatrzymać niebezpiecznych bandziorów, którzy posiadają broń, materiały wybuchowe i są przede wszystkim zdesperowani.

Jakie trzeba mieć predyspozycje, aby pracować w WR?

To jest praca dla chłopaków, którzy lubią robotę w grupie. Zajęcie dla osób, które cenią przyjaźń, lojalność i potrafią się zgrać z innymi. Umieją wybaczać błędy, bo one się czasami w trakcie realizacji zdarzają. A jeżeli ktoś popełni błąd, to oni wiedzą, co zrobić, aby go naprawić. Jeżeli kolega zamiast w lewo pójdzie w prawo, to się wie, że trzeba wejść na jego miejsce i zabezpieczyć teren. To jest grupa ludzi, która ma dobre kontakty w robocie, a także poza nią. Zawsze mogę na nich liczyć, gram z nimi w piłkę, spotykam się z nimi na macie, na siłowni, spotykają się nasze żony. To jest relacja na zawsze.

Jak trafiłeś do tego wydziału?

To był okres, kiedy w Warszawie ginęło po trzysta samochodów. Wszystkie grupy przestępcze były pod naszą jurysdykcją. I był czas, że my te wszystkie grupy rozbiliśmy. Wołomin, Pruszków, grupy praskie – mieliśmy spory udział w ich zatrzymywaniu. Były gonitwy. Ja sam zostałem przejechany przez złodzieja. Miałem połamane nogi. Były różnego rodzaju strzelanki, dużo ostrych działań. Dzięki naszym umiejętnościom, a przede wszystkim dobremu szkoleniu chłopaków z Okęcia, komendant stworzył WR i mogliśmy to robić w kupie. Oni mieli swoje doświadczenie, my mieliśmy swoje. Ta mieszanka doświadczeń funkcjonuje w wydziale do dziś.

Jak dojeżdżaliście zbójów?

Pomysły były różne. Na przykład to, że w dobrym nowym samochodzie wystawionym dla złodzieja ukryci byli nasi ludzie. Ten samochód był cały okablowany. Stawialiśmy go w okolicy, gdzie kradli, i czekaliśmy, żeby złapać złodzieja na gorącym. Z czasem złodzieje się zwiedzieli, że wystawiamy im samochody, i musieliśmy zakończyć te działania, ponieważ baliśmy się o swoich ludzi, którzy znajdowali się na pakach.

Że co ci złodzieje zrobią?

Na przykład podpalą taki samochód. W tej pracy zawsze jest ryzyko. Musimy je podjąć, ale trzeba je minimalizować jak najbliżej zera. Jest taka zasada: lepiej o dwóch więcej niż o jednego za mało. A z ludźmi na robotę nigdy nie było u nas problemu. Nawet kiedy były alarmy w nocy – nieważne, czy godzina pierwsza, czy dwudziesta druga. Wystarczył jeden telefon, aby ściągnąć wszystkich. Nie było nigdy sytuacji, żeby ktokolwiek nie przyjechał. To jest właśnie taka ekipa. Dla nas to drugie życie, a powiedziałbym nawet, że dla mnie to było pierwsze. Nie było imprez, nie było alkoholu po pracy, bo zawsze telefon musiał być włączony. Wystarczyło, że naczelnik zadzwonił, a wykonywałem trzy telefony do kierowników i była pełna ekipa. Potrafiliśmy się błyskawicznie mobilizować. Zbieraliśmy się w ciągu trzydziestu minut, a odległość stu kilometrów raz przejechaliśmy w ciągu czterdziestu pięciu minut. Ekipa pierwsza klasa.

Jak było z tym podstawianym samochodem? Wchodziliście na pakę. Ile tam się siedziało? Co jedliście? Laliście do butelek?

Samochód był cały okablowany techniką. Technika była z przodu, z tyłu, w środku, natomiast na pace znajdowały się podglądy i było dwóch operatorów, czyli chłopaków, którzy obserwowali, co się dzieje. Czekali, aż samochód zostanie skradziony. Czasami zdarzało się, że był walony raz, dwa razy w tygodniu w różnych dzielnicach Warszawy. Samochód był brany przez złodzieja, który dojeżdżał nim do dziupli, czyli miejsca, gdzie go przechowywano. W momencie gdy samochód wjeżdżał do dziupli, dwóch operatorów z tyłu samochodu wyskakiwało, darło się z klamkami: „Gleba, na glebę!", i dokonywało zatrzymania. Łapany był złodziej, który przyjeżdżał, i właściciel dziupli, w której znalazł się samochód. Mieliśmy pełny materiał dowodowy. Raz mieliśmy zdarzenie, że złodziej też był zabezpieczony. Za skradzionym samochodem jechała jego ekipa, która go ubezpieczała. Podczas próby zatrzymania jednego z moich chłopaków o mało nie przejechał samochód. Bandyci uciekli, ale dla mnie wtedy najważniejsze było to, że kolega zdążył odskoczyć. Zostali złapani później. Pierwsza podstawowa zasada: nie złapiesz go dzisiaj – złapiesz jutro. Twoje zdrowie i życie jest ważniejsze.

Jak wyglądało czatowanie w samochodzie?

Były przerwy. Po dwunastu godzinach przychodził kierowca, przestawiał samochód, chłopaki wychodzili, prostowali się bądź wchodziła druga ekipa. Nie jest rzeczą realną, żeby bez ruchu wysiedzieć dłużej niż dwanaście godzin, dlatego musiały być zmiany. Wysiedzenie praktycznie w pozycji leżącej, bez ruchu, tak żeby samochód się nie poruszał, jest naprawdę dużym wyczynem.

Nawet z boku na bok nie mogliście się przekręcić?

Chłopaki musieli to robić jak najlżej, bo od razu było widać, że ktoś jest w środku. Złodzieje są fachowcami. Nie kradną od razu samochodu, tylko go oglądają, patrzą, przechodzą koło niego, nasłuchują, co się dzieje, patrzą, jakie ma zabezpieczenia. Bywa tak, że samochód, który zamierzają ukraść, jest przez nich obserwowany kilka dni. Jedna ekipa nie wiedziała, jak się dobrać do samochodu C5, więc jeździła za facetem i patrzyła, w którym miejscu się schyla, żeby wyłączyć alarm. Ekipa dobrze zorganizowana to nie jest jeden złodziej, tylko kilku. Żeby ukraść samochód C5, który w tamtych czasach był bardzo dobrym autem, złodzieje kupili taki sam i rozebrali go na części – po to, żeby wiedzieć, jak się do niego dostać, by go jak najszybciej ukraść. Znaleźli słaby punkt, dlatego bardzo dużo tych C5-tek ginęło. Po jakimś czasie zaczęło być głośno na temat naszych wystawianych samochodów. Złodzieje do siebie dzwonili i mówili:

– Ten wpadł. Wiesz jak?

– No jak?

– Psy były w samochodzie.

Złodzieje to hermetyczne środowisko. Mówili o nowinkach, ale też o tym, w jaki sposób zostali złapani. Była taka historia, że jeden ze nich został złapany, gdy wjechał z policjantami na pace. Chłopaki wyskoczyli z klamkami, powalili go na glebę i poszedł siedzieć. Jak wyszedł, ukradł busa mercedesa, który przewoził beczki. Gość wjechał w leśną drogę i kiedy na wyboju te beczki się przewróciły, był pewny, że policjanci znowu mu z tyłu siedzą. Otworzył drzwi, w paranoi wyskoczył z pędzącego auta i uciekł w las.

Złodzieje samochodów są nisko w hierarchii. Twoim zdaniem są niebezpieczni?

Bardzo niebezpieczni. Tak jak dla bandyty bronią jest nóż albo pistolet, tak dla złodzieja samochodowego bardzo dobrą bronią jest samochód. Mieliśmy kilka takich przypadków. Ja znalazłem się pod samochodem. Złodziej chciał uciec i przejechał po mnie. Skończyło się w szpitalu ze złamanymi nogami. Przejechałem pod podwoziem kilkadziesiąt metrów, zdzierając kompletnie plastikowe ochraniacze na kolanach. Na Bródnie mieliśmy przypadek, kiedy złodziej w trakcie kradzieży samochodu przejechał naszego przyjaciela. Facet leżał w śpiączce. Następnego dnia złapałem tego złodzieja i jestem z tego dumny. Miałem taką psychiczną chęć, żeby go zatrzymać. Dostałem wtedy ochrzan, bo poszedłem sam. Została wykonana taka malutka praca operacyjna. Trochę zaryzykowałem, ale miałem takie wewnętrzne przeczucie, że muszę to zrobić. Mój kolega jest w szpitalu, a ja muszę dorwać złodzieja.

Jak to zrobiłeś?

Jego dziewczynę trochę przekręciłem. Powiedziałem, że tamten policjant zginął i że jej chłopak nie zdoła się ukryć. Wcześniej czy później zostanie zatrzymany i wtedy tego nie przeżyje. Dziewczyna miała z nim kontakt telefoniczny. Powiedziała, że on się bardzo boi, że policja go poturbuje i zastrzeli. To było na gorąco, jakieś dwie, trzy godziny po tamtym zajściu. Powiedziałem dziewczynie, że sam osobiście po niego pójdę, i obiecałem, że nic mu się nie stanie. Jak koledzy się dowiedzieli, to chcieli mi spuścić wpierdol. Nie dziwię im się. Podjąłem ryzyko i poszedłem po niego sam. Był bardzo przestraszony, ale przyszedł. Kupił tę informację, że jeśli się nie podda, to będą go szukali wszyscy policjanci w Polsce, za granicą i zginie w trakcie zatrzymania, co nie było do końca prawdą. Dziewczyna nam go sprzedała ze względu na to, że chłopak był naprawdę przerażony, bo „przejechanie człowieka – policjanta w mundurze" to jednak poważna sprawa. Poddał mi się, wziąłem go do samochodu, nawet go nie skułem. Zajechałem na miejsce, gdzie była reszta naszej ekipy, i oni go po prostu wyciągnęli. Teraz, jak o tym myślę, to uważam, że zrobił dobrze. Po pierwsze – nie ukrywał się, co byłoby dla niego bardzo ciężkie. Po drugie – w momencie zatrzymania nie poszłoby już tak prosto. Nie wiem, czy mu nie pomogłem w ten sposób, bo jakby próbował uciekać albo kombinować, to faktycznie mogłoby się skończyć różnie. Zasada jest taka: jeżeli ranny zostaje policjant, to robimy wszystko, żeby zatrzymać sprawcę ataku. To się nie zmieniło. Kiedy była ta sytuacja ze mną, wiedzieliśmy, że skradziony samochód jest schowany na wsi w jednej z szop. Znaleźliśmy go, ale nie wiedzieliśmy, kiedy przyjdą złodzieje, żeby go przetransportować. Przeleżeliśmy pięć nocy w tamtych okolicach w śniegu. Przed samym wyjazdem tego samochodu jeden ze złodziei przeszedł praktycznie po naszych głowach. Sprawdzał, czy teren jest czysty. Dosłownie parę centymetrów od nas. Myślałem, że to się zdarza tylko w filmach. Byliśmy tak dobrze schowani, że przeszedł koło nas i nas nie zauważył. Później ten samochód wyjechał. Chcieliśmy go zatrzymać. Kierowca zobaczył mnie w lusterku, dodał gazu, no i znalazłem się pod mercedesem z połamanymi nogami. Najważniejsze było dla mnie to, że po kilkudziesięciu metrach go zatrzymaliśmy. Pamiętam, że widziałem, jak koledzy z samochodówki w nerwach chcieli podnieść ten samochód, żeby mnie spod niego wyciągnąć. Oni wtedy w adrenalinie urwali zderzak. Liczyło się to, że zrobią dla mnie wszystko. Od tamtej pory, mimo że byłem ich dowódcą, też mogłem dla nich zrobić wszystko. W takich chwilach do człowieka dociera: zobacz, to twoi kumple. Oni stanęli naprzeciwko tego samochodu i zaparli się, żeby cię wyciągnąć.

Jak wjeżdżacie do mieszkań tych ludzi, jakie zagrożenie występuje?

Zawsze jest zagrożenie, bo dom jest najlepszą twierdzą. Bandyta wie dokładnie, jak wszystko wygląda. Wie, gdzie ma pochowane różne rzeczy. Wie, gdzie może się schować. Człowiek, który wie, że policja wcześniej czy później się po niego zjawi, może się przygotować do tego na różne sposoby. Dlatego zatrzymanie w domu jest bardzo ciężką realizacją, długo przygotowywaną. Obmyślany jest każdy wariant dostania się do środka. Są wejścia drzwiami, oknami, w zależności od tego, jak wszystko wygląda. Wejście jest trudne, bo nigdy nie ma możliwości wcześniejszego sprawdzenia. Nieraz było tak, że wchodziliśmy przez okno, a tam stało łóżko i weszliśmy na kogoś. Albo za drzwiami coś się działo, albo jakaś szafa była inaczej postawiona. Któregoś razu nie mogliśmy znaleźć jednego pomieszczenia, bo okazało się, że przejście było przez szafę. Różne rzeczy mogą się zdarzyć. Grupy przestępcze robią sobie różne specjalne miejsca – takie schowki, żeby się po prostu tam ukryć. Kiedyś było to za szybą, w lustrze. A raz wyciągnęliśmy jednego z przestępców, który schował się za babcią.

Jak?

Między ścianą a tą kobietą. Schował się za nią, przykrył kołdrą i cały czas pod nią leżał. Powinniśmy to sprawdzić, ale to była starsza osoba, więc jej nie dotknęliśmy. Nie zrzuciliśmy z niej pościeli dlatego, że była chora. To był błąd, który w przyszłości nigdy już się nie powtórzył. Facet leżał za babcią praktycznie półtorej godziny. Najważniejsze, że został znaleziony.

Jakie patenty stosujecie, wchodząc do mieszkania zbója?

Sposobem na sprawne wejście jest użycie środków pozoracji walki. W pomieszczeniach zamkniętych używamy środka w postaci granatu, paraliżuje on wszystkich na jakiś czas. Jest wielki huk, dym. Osoba, która jest do tego nieprzygotowana, nie wie, co się dzieje. To daje nam cztery, pięć sekund, które możemy wykorzystać na zdobycie wszystkich pomieszczeń znajdujących się w mieszkaniu. Czy to są trzy pokoje, czy pięć – odpowiednio ustawieni ludzie wejdą do nich wszystkich. Osoba, która znajduje się w środku, nie będzie miała czasu na żadną reakcję. Nie zdarzyło się nigdy, że człowiek, który leżał rano w łóżku, znalazł się chociaż jeden centymetr poza nim, w momencie gdy wpadaliśmy do mieszkania.

Jak wygląda sytuacja, gdy na miejscu są dzieci? To was w ogóle rusza?

Dzieci są najgorszą sprawą w wypadku planowania takich działań. Nie chcę tutaj mówić, że pracujemy w inny sposób, bo zawsze najważniejsze jest zatrzymanie, ale próbujemy zrobić to delikatniej. Musimy wywalić drzwi, musimy wywalić szybę, ale możemy odpuścić sobie inne środki, na przykład granaty. Najczęściej tak jest, bo niestety małe dzieci mogą to bardzo ciężko przeżyć. Dzieciaki w wieku dziesięciu, jedenastu lat to dla nas największy problem. Bo one już rozumieją. Takie dziecko już wie, że przyszli jacyś ludzie i zabierają tatusia. Tatuś może być dla niego naprawdę bardzo dobry. Zazwyczaj tak jest, że to są bardzo dobrzy rodzice. Dają tym dzieciom wszystko. Mają telefony, komórki, skuterki, wszystko. Tata jest dobry, a przychodzą ludzie, którzy muszą go zatrzymać. Dziecko nie wie, że tata sprzedaje narkotyki innym dzieciom. Dziecko nie wie, że tata jest złodziejem samochodowym czy działa w jakiejś grupie przestępczej. Trudno jest to dziecku wytłumaczyć. Jeżeli wiemy, że mamy działać, a w środku są dzieci, to jest to dla nas zawsze trudny orzech do zgryzienia. Trzeba pomyśleć i naprawdę wiedzieć, jak wejść. Mieliśmy taką sytuację, w której było już zrobione rozpoznanie i wiedzieliśmy, że nie powinno być żadnych dzieci. Ale dowódca w czasie szturmu zwrócił uwagę, że przed wejściem stoi wózek. I w tym momencie poszło już hasło: dziecko! Kolega miał odbezpieczony granat, ale go nie rzucił. Okazało się, że dobrze zrobił, bo to było bardzo małe pomieszczenie – kawalerka i malutkie dziecko leżało tam w łóżeczku. Mogliśmy narobić dużych szkód, bo huk byłby na pewno wielki. Czasami musimy zareagować na to, co się dzieje przed drzwiami, przed samym wejściem, i to niweczy nam cały plan. Wyszkolenie pozwala na to, żeby wiedzieć, co wówczas dalej robić. Po haśle „dziecko!" każdy wiedział, co jest grane. Operator, który miał rzucać granat, wiedział, że już go nie rzuci. Odsunął się, nie wchodził do szturmu i dzięki temu to dziecko nie ma teraz traumy. A przede wszystkim słyszy.

Od granatu mogą wysiąść bębenki?

Granat hukowy sprawia, że około stu dwudziestu decybeli nagle rozprzestrzenia się w danym mieszkaniu. Osobie dorosłej nic się nie stanie. Poczuje się oszołomiona. Huk i dym spowodują, że nie będzie wiedziała, co się dzieje. Staramy się nie używać tych środków pozoracji walki, kiedy w mieszkaniu są dzieci, bo one mają inaczej zbudowany aparat słuchowy. Inaczej oddziałuje na nie huk, inaczej dym. Jeżeli jednak trzeba zastosować takie środki, bo zagrożenie jest bardzo duże, to wtedy niestety działamy. Bo tak jak powiedziałem: życie nasze i osób postronnych jest najważniejsze.

Zatrzymanie samochodu na autostradzie jest bardziej niebezpieczne od sytuacji w lokalu? Dookoła są ludzie, nie wiadomo, co bandzior wiezie w samochodzie.

Każde zatrzymanie ma inną charakterystykę. Zatrzymania w samochodzie są tak samo niebezpieczne jak te w lokalu, gdzie są ludzie. Próbujemy dokonać zatrzymania osoby znajdującej się w samochodzie w najbardziej bezpiecznym miejscu. Na przykład takie zatrzymanie może mieć miejsce pod samymi bramkami, gdzie wiemy, że jeśli złodziej dojedzie do danej bramki, to nie będzie mógł pojechać do przodu. Taka sytuacja zdarzyła się pod Poznaniem. Samochód stanął. Z przodu miał blokadę w postaci samochodów prywatnych osób przed bramkami, a z tyłu znajdowały się nasze samochody. W dalszym ciągu jest to niebezpieczne, bo przestępca może zrobić różne rzeczy. W samochodzie może mieć broń, może zacząć strzelać, co jest niebezpieczne dla postronnych ludzi. Jeśli ma porządny samochód, to może próbować taranować inne auta, żeby uciec z zasadzki. Dlatego w tym momencie bardzo istotny jest czas. Bandzior powinien skojarzyć, że koło niego jest policja, dopiero gdy wybijane są szyby w jego samochodzie. Najważniejsza jest szybkość naszego działania. Trzeba go jak najsprawniej wyciągnąć z samochodu, żeby w żaden sposób nie mógł zareagować. Dlatego istotne jest wykorzystanie środków, które mamy: granaty hukowe czy seria z takiej broni jak kałach. Cel jest jeden: musimy go oszołomić i wybić z tego, co się dzieje naokoło. Bandyta nie może widzieć, z której strony nastąpi atak. Rzucenie granatu – tej dziewiątki, jak my to nazywamy – pod samochód i oddanie długiej serii z broni maszynowej z pocisków niepenetrujących powoduje, że on się zdekoncentruje. Z każdej strony coś się dzieje, więc wtedy na pewno jest nasz. Środki pozoracji walki rozpraszają uwagę przeciwnika. Dwie, trzy sekundy to dla nas bardzo dużo. W dwie, trzy sekundy możemy zrobić wszystko. Możemy wejść do mieszkania. W mieszkaniu możemy zająć cztery pomieszczenia. A w samochodzie możemy doprowadzić do tego, że człowiek znajdzie się na zewnątrz i będzie leżał na asfalcie.

Kiedy urodziły ci się dzieci, zacząłeś inaczej myśleć o niebezpieczeństwie?

Rodzina jest silnym kryterium oceny kandydatów do tego wydziału. Nie szukamy Rambo. Mężczyzna, który ma żonę i dzieci, jest bardziej zrównoważony, on już głupio nie kozaczy. Rodzina wpływa na to, jak działamy, jak myślimy. U nas nie ma tak, że ktoś coś robi sam, na wariata. Gdzieś głęboko z tyłu znajduje się coś takiego, że człowiek chce wrócić do domu. Najważniejszym hasłem po zakończeniu działań jest: „Klient zatrzymany, wszyscy cali!". To wynika z tego, że każdy ma rodzinę i każdy chce do niej wrócić. Ja marzyłem o tym, aby po akcji pójść z synem na trening. Grać z nim w klubie w piłkę. W sobotę i niedzielę były mecze i chodziliśmy tam z żoną i synami – starszym i młodszym. Syn mojego kolegi chodził na sztuki walki. Potem kumpel opowiadał mi o tym i bardzo się z tego cieszył. Pokazywaliśmy sobie zdjęcia swoich dzieci i opowiadaliśmy o tym, co się działo w domu. Oprócz tego, co nas spotykało w pracy, oprócz szkolenia, męczarni treningów, czasami nawet krwi, było coś takiego, że każdy z nas wiedział dużo o rodzinie kolegi – o tym, co się robiło, gdzie się było. Wspólne wesela i parapetówki to już standard.

Jaki masz stosunek do bandziorów?

Bardzo ciężkie pytanie. Niby nie można każdego bandyty postrzegać w ten sam sposób, bo trzeba robić jakieś segregacje. Kiedy był to zabójca albo pedofil, to adrenalina wchodziła w każdego. Byliśmy bardziej nabuzowani. Zostałem policjantem, bo chciałem być człowiekiem, który walczy ze złem. Bandyta ma różne motywy. Na przykład brak pieniędzy. Ale nie oszukujmy się: sporo ludzi w Polsce ma za mało pieniędzy. I to nie znaczy, że można komuś robić krzywdę. Czy ja zrobię krzywdę, okradając bank, czy porwę kogoś dla okupu, to muszę wiedzieć, że robię komuś krzywdę.

Co czuje policjant przed samym wejściem do domu, w którym jest niebezpieczny bandyta?

Adrenalina włącza się wtedy, kiedy wychodzi się z samochodu. Podjeżdża się pod punkt. Trzy minuty wcześniej jest hasło, żeby przeładować broń, i od tego momentu w człowieku tworzy się takie malutkie napięcie. A później wszystko jest automatyczne. Jedynka, dwójka, nie myślisz, że jedziesz, tylko wiesz, że jedziesz. Wszystko później działa na zasadzie wyszkolenia, wytrenowania. Adrenalina połączona z koncentracją. W momencie kiedy wywala się drzwi i wchodzi do pomieszczenia, świeci się latarkami, szuka się celu, czyli osoby, po którą przyszliśmy – wtedy to jest koncentracja na tysiąc procent. Po wejściu widzi się praktycznie wszystko. Punktem kulminacyjnym jest zatrzymanie figuranta i brzdęk kajdanek na jego rękach. Wtedy adrenalina powoli spływa. Pod kominiarką pojawia się uśmiech i satysfakcja, że zrobiło się dobrą robotę.

Spotkałeś się z tym, że bandyci w chwili zatrzymania wykorzystywali swoje dzieci?

Mieliśmy kilka takich zdarzeń, kiedy dzieci były wykorzystywane przez przestępców. Znaleźliśmy narzędzia do kradzieży samochodu ukryte w łóżku małego dziecka. Dziecko, które musiało iść do szkoły, próbowało wynieść kartę telefoniczną, potrzebną do sprawy; ojciec włożył mu ją do kurtki. Bandyci wykorzystują dzieci, bo próbują w dalszym ciągu się bronić. Najgorszą rzeczą było znalezienie broni – przeładowanego walthera – w łóżeczku małej dziewczynki.

Rozumiesz tych ludzi? To zwierzęcy strach przed odpowiedzialnością?

Nie mam pojęcia, dlaczego wykorzystują swoje dzieci. Jako ojciec nie potrafię odpowiedzieć na to pytanie. Czasami próbowałem ich zrozumieć. Ale

nigdy mi się to nie udało. Włożenie dziecku prze-
ładowanej broni do łóżeczka czy chowanie fan-
tów w dziecięcych zabawkach jest dla mnie rzeczą skrajną. Jasne, że ten człowiek ratuje się w ten
sposób. Ale nie oszukujmy się: on już chyba nie
ma uczuć. Podobnie jest z wykorzystywaniem żon.
Była taka sytuacja, że facet położył się w samochodzie, a żonie kazał uciekać. Ona to zrobiła pod jego
wpływem. Musieliśmy ją brutalnie zatrzymać, bo
w jej samochodzie był klient.

Co powinno cechować dobrego psa?

Policjant to jest bardzo trudny zawód. Muszą się
tym zajmować ludzie, którzy mają do tego serce,
bo to jest najważniejsze. Społeczeństwo ciągle jest
do nas negatywnie nastawione. Mój kolega, zanim
wstąpił do policji, chodził na mecze, miał przyjaciół na boiskach. Teraz oni się od niego odwracają,
a on nie wie dlaczego, bo przecież się nie zmienił.
Praca policjanta to ciężki kawałek chleba. Ostatnio chłopak, który jeździł radiowozem, pojechał do
zwykłej kłótni i dostał strzał prosto w twarz. Tak
samo tragicznie mogą zakończyć się zwykłe kon-
trole w ruchu drogowym, kiedy policjanta przeje-
dzie samochód. Podobnie może zdarzyć się u nas.
Albo wejdziemy na ekipę, która jest dobrze przygotowana, albo trafimy na materiał wybuchowy. Moim

zdaniem brakuje wsparcia ze strony społeczeństwa. Jeśli coś się dzieje i są dwie strony medalu, to dziewięćdziesiąt dziewięć procent ludzi uważa, że prawda nie jest po stronie policji, tylko po tej drugiej. Było kilka przypadków, gdy brałem udział w jakimś zdarzeniu albo nim dowodziłem, a w telewizji widziałem, że jest to zupełnie inaczej przedstawione. Opisał to ktoś, kogo w ogóle tam nie było. To boli. Przez to społeczeństwo uważa policjanta za kogoś gorszego. A tak nie jest. W każdym zawodzie znajdzie się czarna owca. Tak samo w policji są różne owce. Ale każdy policjant ma też prawo do błędu. My w Wydziale Realizacyjnym uczyliśmy się, że jeżeli ktoś popełni błąd, to zastępuje go druga osoba, a błąd należy szybko wyeliminować, żeby wszystko poszło do przodu. Od tego było szkolenie. Pot wylany na treningu z bronią, z taktyką zieloną, z taktyką czarną, czerwoną. Chłopaki po pracy dalej się doszkalali i dlatego dziś są najlepsi. Zdobywają medale na zawodach. Ale oni to robią dla siebie. Po pracy chodzą na trening, na sztuki walki, inne rzeczy. Ja do tej pory pracuję z bronią w domu, żeby nie wyjść z wprawy. Robię to, bo kiedyś może mi się to w życiu przyda. Może się mylę, może nie, ale wydaje mi się, że dla policjanta sprawy związane z rodziną muszą stać w drugim rzędzie. Telefon z pracy i przyjście do niej to podstawa. Moja żona mi to powiedziała. Wiedziała, że jak będzie telefon, to mnie nie będzie. Choćby się waliło, paliło, to wsiądę w samochód i pojadę do chłopaków na realizację.

Jesteś policjantem, któremu ta robota dała satysfakcję?

Satysfakcję z tego, co robiłem i jak to robiłem. Dla mnie ważne było również to, że w mojej rodzinie było to dobrze odbierane. Miałem przez to pomoc nie tylko w pracy, ale i poza nią. Mój syn, który zdał już egzaminy do policji i czeka tylko na test psychologiczny, chciałby wejść w to samo, co ja robiłem. Chciałby być operatorem, chciałby być w tym wydziale. Będzie dla mnie ogromną satysfakcją, jeśli moje nazwisko ponownie zabłyśnie w tym wydziale i ktoś znowu krzyknie moją ksywę, i powie: „Słuchaj, twój ojciec zrobił tutaj kawał dobrej roboty. Masz nie być od niego gorszy".

SPIS TREŚCI

Wstęp 7

Ślubuję pilnie przestrzegać
prawa 19

Strzec bezpieczeństwa państwa
i jego obywateli, nawet
z narażeniem życia 61

Dochować wierności
konstytucyjnym organom
Rzeczypospolitej Polskiej 159

Przestrzegać dyscypliny
służbowej 207

Chronić ustanowiony porządek 227

**Przestrzegać zasad etyki
zawodowej** 271

**Wykonywać rozkazy
i polecenia przełożonych** 305

**Strzec honoru, godności
i dobrego imienia służby** 335

E-book dostępny na

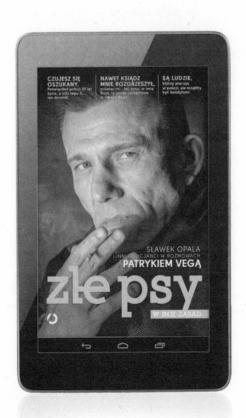

Wydawnictwo Otwarte sp. z o.o.,
ul. Smolki 5/302, 30-513 Kraków. Wydanie I, 2015.
Druk: CPI Moravia Books